令和6年版

科学技術・イノベーション白書

ＡＩがもたらす科学技術・イノベーションの変革

文部科学省

表紙の作画　　マンガデザイナーズラボ株式会社

表紙、扉絵デザインはマンガデザイナーズラボ株式会社が原案作成、デザイン作画にあたりました。本白書の特集テーマである「ＡＩがもたらす科学技術・イノベーションの変革」について、ＡＩが材料開発や創薬など、多様な研究分野で活用されていることを表現しました。ニューロンを模したキャラクターが、至るところで活躍していることを通じて、研究のみならず、ＡＩが私たちの身近なところでも幅広く活用されていることを表現しました。また、ＡＩを通じて次々と新たな価値や多様な知が生み出され、広がっていく様子を、タンポポの種子が舞うことで表現しました。

科学技術・イノベーション白書に関する御意見・御感想をお寄せください。

連絡先
　文部科学省 科学技術・学術政策局 研究開発戦略課
　〒100-8959　東京都千代田区霞が関3-2-2
　電話番号：03-5253-4111（内線4012）　FAX：03-6734-4176　電子メール：kagihaku@mext.go.jp

刊行に寄せて

文部科学大臣

盛山正仁

　少子高齢化の進展、地域間格差の拡大、大規模自然災害の激甚化や頻発化といった様々な社会課題が存在する中で、我が国が発展していくためには、「新たな力」が必要不可欠であり、科学技術・イノベーションは、その新たな力を生む、大きな鍵になります。

　令和6年度で計画期間の4年目を迎える第6期科学技術・イノベーション基本計画では、「直面する脅威や先の見えない不確実な状況に対し、持続可能性と強靱性（きょうじん）を備え、国民の安全と安心を確保するとともに、一人ひとりの多様な幸せを実現できる社会」である"Society 5.0"の実現を掲げ、政府一丸となって取り組んでいるところです。

　そのSociety 5.0の実現を支える重要技術の一つである人工知能（AI）技術が、近年急速に進展し、様々な分野での活用可能性への期待が高まる中、より多くの人が恩恵を得られるよう安全で信頼性のある高度なAIシステムを開発・普及していくことが求められています。

　我が国は、議長国として開催したG7広島サミットを踏まえ、生成AIのガバナンスの在り方等について議論する「広島AIプロセス」を立ち上げ、同年12月の成果文書の取りまとめにおいても主導的な立場を担いました。また、文部科学省では、生成AIモデルの透明性・信頼性の確保に向けた研究開発や科学研究向けAI基盤モデルの開発・共用、若手研究者・博士後期課程学生の育成等に取り組んでいます。

　今回の白書の第1部では、こうしたAI技術の開発や利活用に関する国内外の動向や影響を特集し、政府の対応だけでなく、国内外の大学や研究機関、民間企業等での特色ある取組事例も紹介しています。本白書が国民の皆様にとって、科学技術・イノベーションに関する施策についての理解を深めていただく一助となるとともに、AIの研究開発に携わる方々のみならず、様々な分野でAIの利活用を進める方々も含む関係の皆様にとって、今後の取組の参考になることを願っています。

第１部　ＡＩがもたらす科学技術・イノベーションの変革

第2部　科学技術・イノベーション創出の振興に関して講じた施策

図表目次

第2部

コラム目次

附属資料

第1部
ＡＩがもたらす
科学技術・イノベーションの変革

ＡＩがもたらす科学技術・イノベーションの変革

21世紀は、「知識集約型社会」とも言われ、資本設備への依存度が高く、製品が価値の中心とされている資本集約型から、スマート化によってあらゆる製品やサービスの高付加価値化が進んだ知識集約型と呼ばれる社会への転換が起こっています[1]。また、こうした中でデータ資源が経済成長の原動力となる、データの時代とも呼ばれています。この背景の一つには、人工知能（ＡＩ）という技術の急速な進化があり、特に近年の生成ＡＩ技術の飛躍的な進展は世界中で大きな関心を集めています。ＡＩは、データ解析からロボット技術、医療、製造業など、あらゆる技術や業種に大きな影響をもたらしてきています。また、対話型生成ＡＩなどのように専門家ではない人々でも利用できるインターフェースでのサービスの提供が広がったことで、ＡＩは多くの人が活用できる身近な技術となるとともに、私たちの日常生活や価値観も、ＡＩによって変わりつつあり、未来の社会はその影響を更に強く受けることになるでしょう。

第5期科学技術基本計画において、政府は我が国が目指すべき未来社会の姿として「Society 5.0」を提唱しており、それは「サイバー空間とフィジカル空間を高度に融合させたシステムにより、経済発展と社会的課題の解決を両立する人間中心の社会」であると定義されています。Society 5.0で実現する社会は、ＩoＴ（Internet of Things）で全ての人とモノがつながり、様々な知識や情報が共有され、今までにない新たな価値を生み出す社会です。また、ＡＩにより、必要な情報が必要なときに提供されるようになり、ロボットや自動運転などの技術で、少子高齢化、地方の過疎化、経済格差などの課題が克服され、イノベーションを通じて一人ひとりが快適で活躍できる社会となることを目指しています。現在の第6期科学技術・イノベーション基本計画においても、この構想は継承されており、第5期の計画で示した社会像を、国内外の情勢変化を踏まえて具体化させていくことが必要であるとしています。実際に、国内ＡＩシステム市場をみると、令和5年（2023年）の市場規模（エンドユーザー支出額ベース）の前年比成長率は34.5%になっており、また、令和5年から令和10年（2023〜2028年）の年間平均成長率は30.0%で推移するとする調査結果や予測[2]があるなど、急速な成長となっており、こうした社会像の実現を後押ししています。

ＩoＴ、ロボット、ＡＩ、ビッグデータといった社会の在り方に影響を及ぼす新たな技術が急速に進展する中、私たちが直面する課題は、単に技術を取り入れるだけではなく、それをどのように社会全体のイノベーションに結びつけるか、そして、これらの技術との共生の形をどう築くかという点にあります。

正にそのような中、令和5年（2023年）、我が国はＧ7議長国として、急速な発展と普及が国際社会全体の重要な課題となっている生成ＡＩについて議論する「広島ＡＩプロセス」を立ち上げ、リーダーシップを発揮してきました。基盤モデル及び生成ＡＩを含む高度なＡＩシステムによるリスクを軽減しつつ、その革新的な機会を最大化することが重要との認識の下、安全、安心、信頼できるＡＩを世界に普及させることを目的として、「広島ＡＩプロセス包括的政策枠組み」が策定され、Ｇ7首脳に承認されました。今後も、より多くの人が最先端科学技術の恩恵を享受できるよう、技術動向や環境変化を機敏に捉えながら、国際パートナー間で

1　令和元年版科学技術白書
2　IDC Japan 株式会社「2024年 国内ＡＩシステム市場予測を発表」　https://www.idc.com/getdoc.jsp?containerId=prJPJ52070224

連携して、柔軟性のある形で国際ガバナンスを築いていくことが重要です。

本白書では、ＡＩに関して我が国を取り巻く状況や研究開発動向、さらに研究開発や製造業、公共部門等の様々な分野でのＡＩの活用の可能性や影響を特集し、これからの我が国が目指すべきＡＩとの共生に向けた科学技術・イノベーションの方向性を考えます。

〈第６期科学技術・イノベーション基本計画とは〉
　我が国では、科学技術・イノベーション基本法に基づき、科学技術・イノベーション基本計画（第１期〜第５期までは科学技術基本計画）（以下「基本計画」という。）を５年ごとに策定しており、令和３年（2021年）４月より、現在の第６期基本計画が開始されました。同計画では、Society 5.0の実現のため、多様性や卓越性を持った「知」を創出し続ける、世界最高水準の研究力を取り戻すことが規定されています。

〈Society 5.0とは〉
　第５期基本計画において、我が国が目指すべき未来社会の姿として提唱されたコンセプトです。「サイバー空間とフィジカル空間を高度に融合させたシステムにより、経済発展と社会的課題の解決を両立する人間中心の社会」であり、「直面する脅威や先の見えない不確実な状況に対し、持続可能性と 強 靱性を備え、国民の安全と安心を確保するとともに、一人ひとりが多様な幸せ（well-being）を実現できる社会」と定義されています。

我が国が目指す未来社会「Society 5.0」の重要な三つのポイントを文部科学省の職員が説明しています。

動画でわかるSociety 5.0　令和３年版科学技術・イノベーション白書　〜職員解説編〜
https://www.youtube.com/watch?v=ggS9VQLsMrQ

第1章　新時代を迎えたＡＩ

第1節　ＡＩとは

　ＡＩとは人工知能（Artificial Intelligence）の略称です。ＡＩという言葉は、1955年に米国の計算機科学研究者ジョン・マッカーシー博士が作った言葉で、ダートマス会議（1956年）の開催提案書の中で使われました[1]。ＡＩについては、いまだ国際的に合意された定義はありませんが[2]、人間の思考プロセスと同じような形で動作するプログラム、あるいは人間が知的と感じる情報処理・技術といった広い概念で理解されています。近年、様々な新しい技術とコンピュータの性能が大きく向上したことにより、機械であるコンピュータが「学ぶ」ことができるようになりました。それが現在のＡＩの中心技術となっている「機械学習」です。機械学習の進展により、翻訳や自動運転、医用画像診断といった人間の活動に、ＡＩが大きな役割を果たしつつあります。

第2節　ＡＩ技術の潮流[3]

　ＡＩ技術のこれまでの進展を振り返ると、第1-1-1図の俯瞰図のように、幾度もブームを繰り返しながら、研究開発の取組が広がってきています。

■第1-1-1図／人工知能・ビッグデータ技術の俯瞰図（時系列）

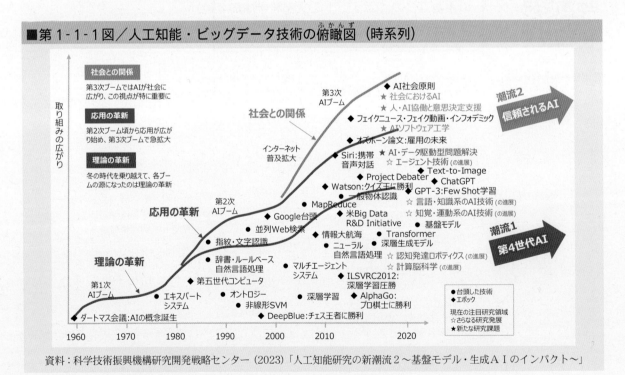

資料：科学技術振興機構研究開発戦略センター（2023）「人工知能研究の新潮流2～基盤モデル・生成ＡＩのインパクト～」

1　McCarthy, J., et al., (2006), "A Proposal for the Dartmouth Summer Research Project on Artificial Intelligence, August 31, 1955", AI Magazine 27, 12-14. https://doi.org/10.1609/aimag.v27i4.1904

2　コラム1-1のとおり、各国・地域では「ＡＩ」や「ＡＩシステム」について様々な定義がなされているが、日本産業規格（ＪＩＳ）においては、「人工知能システム、ＡＩシステム」とは、「人間が定義した所与の目標の集合に対して、コンテンツ、予測、推奨、意思決定などの出力を生成する工学的システム」と定義されている。

3　本節をはじめ第1部については、複数箇所で、科学技術振興機構研究開発戦略センター（2023）「人工知能研究の新潮流2～基盤モデル・生成ＡＩのインパクト～」、及び同（2024）「次世代ＡＩモデルの研究開発」を参照した。

1950年代後半から1960年代に起きた「第1次ブーム」では、ＡＩに関する基礎的な概念が提案され、新しい学問分野として立ち上がりました。1966年には米国マサチューセッツ工科大学人工知能研究所のジョセフ・ワイゼンバウム博士により、初の対話型自然言語処理プログラム「ELIZA」が開発されました。ELIZAは、人間の入力文に対する簡単なパターンマッチによって応答を返すシステムで、現在のチャットボットの先駆けともなっています。

1980年代から1990年代に起きた「第2次ブーム」では、人手で辞書・ルールを構築・活用する手法が主流となり、エキスパートシステム、辞書・ルールベース自然言語処理などの実用化にもつながりましたが、人手による限界などから、一度ブームは終息しました。

そして、2000年代以降の技術の進展に伴うインターネットや計算能力の拡大を背景として、大量のデータから帰納的にルールやモデルを構築する「機械学習」技術の進展等によって、2010年頃から「第3次ブーム」が牽引（けんいん）されてきましたが、さらに最近の生成ＡＩ技術の進展等を受けて、現在は「第4次ブーム」に差し掛かっているとも言われています。

機械学習技術には、様々な「モデル」と「学習法」があります[1]が、特に近年発展してきているモデルは、人間の脳の神経細胞（ニューロン）が回路網を形成して情報伝達している仕組みを参考に作られた、人工ニューロンのネットワーク（ニューラルネットワーク）を多層化・大規模化して用いる「深層学習」です。このニューラルネットワークのモデルは1960年前後に活発に研究され、1980年頃には深層学習につながる研究もなされていましたが、近年になってようやく、計算機の性能向上や利用可能なデータ量の増大とあいまって、急速に技術の発展が進み、2015年には深層学習を用いたGoogle DeepMind社の「AlphaGo」が、世界トップクラスの囲碁棋士に勝利したことも発表されました。

深層学習には、非常に大きな計算機が必要と考えられていましたが、グラフィックスの描画に用いられていたプロセッサ（ＧＰＵ[2]）を計算に用いることで、深層学習の研究開発も大きく進展しました。また、機械学習の学習法としては主に「教師あり学習」、「教師なし学習」、「強化学習」[3]がありますが、2020年前後から関心の高まっている画像生成や対話型のＡＩなどの「生成ＡＩ（Generative AI）」では「自己教師あり学習」[4]が用いられています。このうち、近年、「大規模言語モデル（ＬＬＭ[5]）」と呼ばれる、言語を中心とした深層学習モデルの研究が飛躍的に進みました。中でも、自然言語で指示や条件（プロンプト）を与えることができる「対話型生成ＡＩ」は、利用者との対話において自然で流暢（りゅうちょう）な文章を生成することができ、またインターネット上で使えるサービスが提供されたことから、研究者や技術者だけでなく、一般の人々の仕事や生活での利用も急速に広がりました。OpenAI社によって開発された「ＧＰＴ[6]シリーズ」のモデルを利用した対話型のＡＩサービス「ChatGPT」は、2022年11月公開後、我が国でも急速に利用が広がりました[7]。また、2022年以降、テキストから画像を生成する画像生成ＡＩモデルをインターネット上で使える様々なサービスも公開されています[8]。さらに、言語や画像等の複数のモダリティ（データの種類）も対応付けられ、マルチ

1　　杉山将（2024）「教養としての機械学習」東京大学出版会
2　　Graphics Processing Unit
3　　「教師あり学習」は正解のラベルを付けた学習データで学習する手法、「教師なし学習」は正解のラベルを付けない学習データにより学習するモデル、「強化学習」は一定の環境の中で試行錯誤を行い、報酬を与えることにより学習するモデル（令和元年版情報通信白書等参照）。
4　　「自己教師あり学習」は、データから擬似的な教師データ（正解ラベル）を自動的に作って「教師あり学習」を行う手法。
5　　Large Language Models
6　　Generative Pre-trained Transformer
7　　株式会社野村総合研究所（2023）「日本のChatGPT利用動向（2023年6月時点）」
　　　https://www.nri.com/jp/knowledge/report/lst/2023/cc/0622_1
8　　総務省（2023）「令和5年版情報通信白書」　https://www.soumu.go.jp/johotsusintokei//whitepaper/ja/r05/html/nd131310.html

モーダル性[1]・汎用性の高い「基盤モデル[2]」の研究も進められています（第1-1-2図）。

なお、ＡＩは、その研究や開発の過程において、適用範囲や能力により、大きく二つのカテゴリに分けることができます。特定の機能や特定の状況下でのみ人間に近く、時には精度で人間を上回る動作をする「特化型ＡＩ」と、人間の知能の様々な側面を幅広くカバーし、様々な状況で人間の知能のように動作する汎用性の高いシステム（「汎用ＡＩ（ＡＧＩ[3]）」）です。第3次ブームにおいて、様々な応用に広がったＡＩ技術は基本的に「特化型ＡＩ」に相当する技術群とされていますが、極めて大規模な深層学習によって作られた「基盤モデル」の登場により、研究開発の中心がこれまでの特化型ＡＩと言われていたものから、高いマルチモーダル性・汎用性を持つＡＩへと向かいつつあります。

このように、生成ＡＩに関する技術の進展や、技術者や専門家でなくてもインターネット上で自然言語を用いて利用できるようになってきていることなどにより、今後、生成ＡＩ技術を活用したアプリケーションに関する市場が拡大するとともに、製造業をはじめとする様々な産業分野での活用が広がっていくと見込まれています[4]。

■第1-1-2図／基盤モデルの概念図

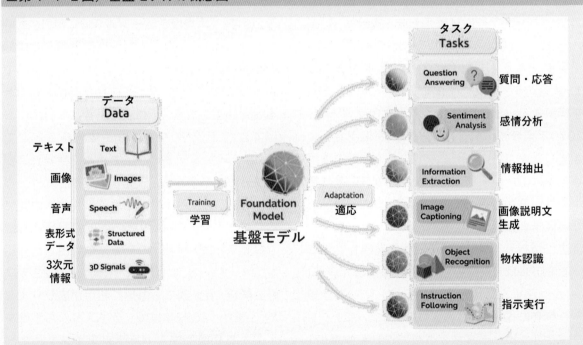

資料：Bommasani, R., et al., (2021), "On the Opportunities and Risks of Foundation Models", arXiv. https://arxiv.org/abs/2108.07258のFigure 2に文部科学省で仮訳を付記

1　マルチモーダルは、テキスト、音声、画像、動画、センサー情報など、二つ以上の異なるモダリティ（データの種類）から情報を収集し、それらを統合して処理すること。
2　Bommasani, R., et al., (2021), "On the Opportunities and Risks of Foundation Models", arXiv. https://arxiv.org/abs/2108.07258
3　Artificial General Intelligence
4　一般社団法人電子情報技術産業協会（2023）「注目分野に関する動向調査2023」
　　みずほ銀行産業調査部（2023）「みずほ産業調査Vol.74 No.2【革新的技術シリーズ】生成ＡＩの動向と産業影響〜生成ＡＩは産業をどのように変えるか〜」

　生成ＡＩ技術の飛躍的な進展をもたらした技術的な要因と次世代技術の方向性

　ChatGPTのような「対話型生成ＡＩ」技術が急速に普及した要因としては、自然言語をインターフェースとし、インターネット上で使える形で提供されたことに加えて、技術的な面で超大規模学習が進められ、予測精度が大幅に向上したことが挙げられます。

　例えば、2014年にカナダのモントリオール大学の研究者らによって発表された「敵対的生成ネットワーク[1]」により、少ないデータから学習に必要なデータを作り出し、高精度の結果を出すことが可能となりました。また、高性能計算機の普及により、大量の計算を高速に行うことが可能となりました。

　また、ニューラルネットワークの中のどこに注目するか自体を自動的に学習することができる手法（自己注意機構）を活用した「トランスフォーマー」と呼ばれる深層学習モデルが、2017年にGoogle社の研究者によって発表され[2]、タスクを特定しない形の事前学習で、従来より効率性や汎用性が高いモデルを構築する

ことが可能になりました。さらに、それまで主流だった「教師あり学習」に代わり、データから擬似的な教師データ（正解ラベル）を自動的に作って「教師あり学習」を行う「自己教師あり学習」のアプローチが進みました。例えば、2018年にGoogle社から発表された「ＢＥＲＴ[3]」では、元のテキストの複数箇所を隠して訓練するという方法が導入され、人間による正解の生成が必要なくなり、大規模学習が可能になりました（第１-１-３図）。このような中、2020年には、大量のデータを学習させてモデルの規模を巨大化するほど、予測精度が向上すること（スケーリング則）[4]が確認されたことで（第１-１-４図）、モデルの超大規模化に向けた研究開発が急速に進められました。

　画像生成についても、前述の「敵対的生成ネットワーク」により、精巧な画像の生成が可能になるとともに、2015年に発表された「拡散モデル[5]」、さらに2020年に発表された「ノイズ除去拡散確率モデル[6]」などにより、高精

■第１-１-３図／対話型生成ＡＩの仕組み

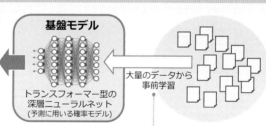

資料：大学見本市2023〜イノベーション・ジャパン　ＪＳＴ研究開発戦略センター（ＣＲＤＳ）セミナー
　　　『研究開発の俯瞰（ふかん）と潮流 〜科学技術イノベーションの動向と日本の活路〜』「情報技術の３つのトレンドと生成ＡＩのインパクト」（2023年８月）

1　　Generative Adversarial Networks（ＧＡＮ）
2　　Vaswani, A., et al., (2017), "Attention Is All You Need", arXiv.　https://arxiv.org/abs/1706.03762
3　　Bidirectional Encoder Representations from Transformers
4　　Kaplan, J., et al., (2020), "Scaling Laws for Neural Language Models", arXiv.　https://doi.org/10.48550/arXiv.2001.08361
5　　Diffusion Model
　　　Sohl-Dickstein, J., et al., (2015), "Deep Unsupervised Learning using Nonequilibrium Thermodynamics", arXiv.
　　　https://arxiv.org/abs/1503.03585
6　　Denoising Diffusion Probabilistic Models（ＤＤＰＭ）
　　　Ho, J., et al., (2020), "Denoising Diffusion Probabilistic Models", arXiv.　https://arxiv.org/abs/2006.11239

度な画像生成が可能になり、自然言語の条件（プロンプト）入力で、画像の生成ができるようになりました。

また、ＡＩを人間や社会の価値観に整合した振る舞いをするようにする仕組み（ＡＩアライメント）の開発が進んだことも、要因の一つとして挙げられます。2016年３月に、Microsoft社の会話するＡＩ（チャットボット）の「Tay」が、悪意を持ったユーザーとの対話によって、瞬く間に差別的な発言を行うようになり、サービス提供開始後約16時間で利用停止となりました[1]が、ChatGPTでは、人間のフィードバックを用いた強化学習によって基盤モデルが調整（チューニング）されるなどの対策が講じられています。

このような目覚ましい技術の発展の一方で、技術的な課題も多く残されています。学習に用いるデータ量や計算資源が増え続け、それに伴う消費電力量も増加している点に加えて、対話型生成ＡＩは、統計的に次の言葉を予測しているに過ぎず、意味を理解して回答しているということではないため、数式計算や物理法則に基づく予測のような論理推論に弱いことも指摘されています。

このような課題の解決に向けて、次世代ＡＩの研究開発が始まっています。現在の深層学習のようなデータからボトムアップでルールやモデルを構築する帰納型の仕組みだけでなく、トップダウンで知識やルールを与え、状況や文脈に応じてそれらを組み合わせ、解釈・推論するような演繹型の仕組みについての研究開発も取り組まれています。また、前述のとおり、大量のデータを学習することで、高い精度での生成が可能になるとされているものの、学習データの規模が小さくても、質が高いデータを学習することにより、高効率で高性能なモデルの開発を目指す取組もなされています（第1-1-5表、第1-1-6図）。

■第1-1-4図／スケーリング則

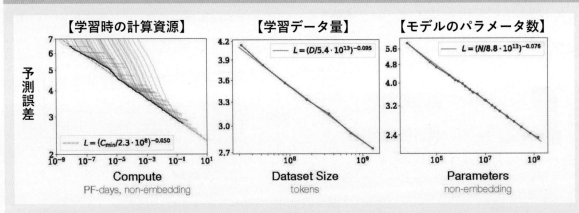

【学習時の計算資源】

$L = (C_{min}/2.3 \cdot 10^8)^{-0.050}$

Compute
PF-days, non-embedding

【学習データ量】

$L = (D/5.4 \cdot 10^{13})^{-0.095}$

Dataset Size
tokens

【モデルのパラメータ数】

$L = (N/8.8 \cdot 10^{13})^{-0.076}$

Parameters
non-embedding

予測誤差

　2020年、OpenAI社の研究者たちが、言語モデルの学習時の計算量、学習データ、モデルのパラメータ数と、言語モデルの検証データの予測誤差との間に「べき乗則」が成り立つこと、つまり計算量、学習データ、パラメータ数を増やせば増やすほど、言語モデルの性能が向上することを発表
資料：Kaplan, J., et al. (2020), "Scaling Laws for Neural Language Models", arXiv.
　　　https://doi.org/10.48550/arXiv.2001.08361のFigure 1より引用

1　Microsoft社（2016）"Learning from Tay's introduction"
　　https://blogs.microsoft.com/blog/2016/03/25/learning-tays-introduction/

■第1-1-5表／主な基盤モデルとパラメータ数

基盤モデル名	開発組織	発表年	最大規模のパラメータ数	備考
BERT	Google社	2018	3.4億	
GPT-1	OpenAI社	2018	1.2億	
GPT-2	OpenAI社	2019	15億	
GPT-3	OpenAI社	2020	1,750億	
Gopher	Google DeepMind社	2021	2,800億	
MT-LNG	NVIDIA社とMicrosoft社	2021	5,300億	
PaLM	Google社	2022	5,400億	
GPT-4	OpenAI社	2023	非公表	
PaLM2	Google社	2023	非公表	
Llama2	Meta社	2023	700億	
Swallow	東京工業大学	2023	700億	Llama2において継続事前学習を行うことで日本語能力を拡張

資料：公開情報を基に文部科学省作成

■第1-1-6図／生成AIの規模の推移

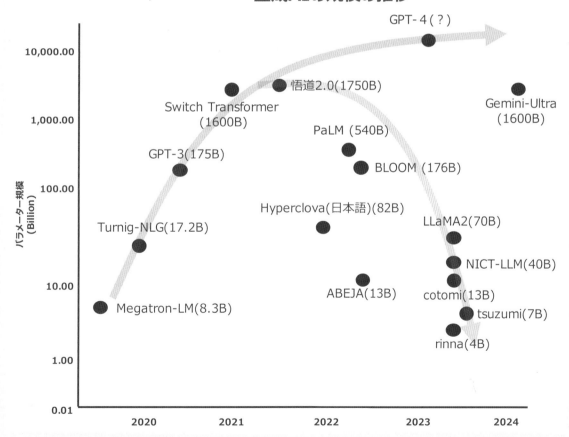

生成AIの規模の推移

資料：公開情報を基に内閣府作成

■第1-1-7表／用語の解説

機械学習	人間の学習に相当する仕組みをコンピュータ等で実現するものであり、一定の計算方法（アルゴリズム）に基づき、コンピュータが入力データからパターンやルールを抽出し、それを新たなデータに当てはめることで、その新たなデータに関する識別や予測等を可能とする手法。
深層学習	機械学習の一種で、人の脳の神経回路を模した人工のニューラルネットワークを使用して、データからパターンや特徴を学習することで、認識等のタスクを自動化する手法。多層的にニューラルネットワークを組み合わせることで、データの複雑な特徴やパターンを階層的に学習することができる。
ニューラルネットワーク	人間の脳内の神経細胞である「ニューロン」を語源とし、脳の神経回路の構造を数学的に表現した手法。
生成ＡＩ	文章や画像、プログラム等を生成できるＡＩモデル（※）に基づくＡＩの総称を指す。 （※）ＡＩモデル：活用の過程を通じて様々なレベルの自律性をもって動作し学習する機能を有するソフトウェアを要素として含むシステムである「ＡＩシステム」に含まれ、学習データを用いた機械学習によって得られるモデルで、入力データに応じた予測結果を生成する。
自然言語処理	人間が書いたり話したりする言葉の構造や意味をコンピュータで分析、処理する技術。
大規模言語モデル（ＬＬＭ）	テキストの現れやすさをモデル化したもの。与えられた文脈（問いかけ）に対して続くテキスト（応答）を予測するために使うこともできる。 現状、言語データを対象に、深層学習を用い、自己教師あり学習によって訓練された大規模なモデルを指す。
基盤モデル	自然言語や画像等に共通して、大量・多様なデータで訓練され、多様な下流タスクに適用できるモデル。大規模言語モデルも含まれるが、自然言語や画像にまたがるマルチモーダルなものが想定されることが多い。
パラメータ数	大規模言語モデルなどのニューラルネットワークの構造や挙動を決定する様々な数値（例えばリンクの数や重み等）。その個数は、ニューラルネットワークの規模を表す指標の一つとして用いられている。

資料：公表資料[1]を基に文部科学省作成

コラム1-1　ＡＩとは何か

　ＡＩやＡＩシステムについては、各国政府・国際機関等はそれぞれが公表文書や法令において、その用語の意味を解説していますが、現時点で確立された統一的な定義はありません。

　我が国においては、令和6年（2024年）4月に策定された「ＡＩ事業者ガイドライン第1.0版」で、日本産業規格（ＪＩＳ）の定義も参考に、ＡＩシステムを「活用の過程を通じて様々なレベルの自律性をもって動作し学習する機能を有するソフトウェアを要素として含むシステム（機械、ロボット、クラウドシステム等）」とし、ＡＩは「ＡＩシステム自体又は機械学習をするソフトウェア若しくはプログラムを含む抽象的な概念」としています。また、米国や欧州も、機械ベース（machine-based）のシステムであるとしています[2,3]。

　ほかにも2023年11月、ＯＥＣＤは、技術の進展を踏まえ、2019年に発表した「ＡＩ原則」の中における「ＡＩシステム」の定義を更新し「ＡＩシステムは、明示的又は暗黙的な目的のために推測する機械ベースのシステムである。受け取った入力から、物理環境又は仮想環境に影響を与える可能性のある予測、コンテンツ、推奨、意思決定等の出力を生成する。ＡＩシステムが異なれば、導入後の自律性及び適応性のレベルも異なる。」（仮訳）としています[4]。このように、技術の進展に応じた柔軟な定義付けも必要になってきています。

1　内閣府「ＡＩ戦略会議」
　　総務省、経済産業省（2024）「ＡＩ事業者ガイドライン第1.0版」
　　科学技術振興機構研究開発戦略センター（2023）「人工知能研究の新潮流2～基盤モデル・生成ＡＩのインパクト～」
　　みずほ銀行産業調査部（2023）「みずほ産業調査Vol.74 No.2【革新的技術シリーズ】生成ＡＩの動向と産業影響～生成ＡＩは産業をどのように変えるか～」等を参照
2　The White House (2023), "Executive Order on the Safe, Secure, and Trustworthy Development and Use of Artificial Intelligence".
　　https://www.whitehouse.gov/briefing-room/presidential-actions/2023/10/30/executive-order-on-the-safe-secure-and-trustworthy-development-and-use-of-artificial-intelligence/
3　European Parliament (2024), "Artificial Intelligence Act".
　　https://www.europarl.europa.eu/doceo/document/TA-9-2024-0138_EN.pdf
4　ＯＥＣＤ (2024), "Explanatory memorandum on the updated OECD definition of an AI system".
　　https://www.oecd.org/science/explanatory-memorandum-on-the-updated-oecd-definition-of-an-ai-system-623da898-en.htm

第2章　我が国におけるＡＩ関連研究開発の取組

前章で見てきたような近年の急速なＡＩ技術の進展や国際的な議論を踏まえ、新たに設置された「ＡＩ戦略会議」において、「ＡＩに関する暫定的な論点整理[1]」が令和5年（2023年）5月に取りまとめられ、政府では、ＡＩに関する国際的な議論と多様なリスクへの対応、ＡＩの最適な利用、ＡＩ開発力の強化等に向けた取組を進めてきています。また、研究機関や大学、企業等において、ＡＩに関する様々な研究開発や社会実装に向けた取組が進められてきており、当該分野における研究開発費も増加してきています（第1-2-1図）。

この章では、我が国におけるＡＩ研究開発におけるこれまでの主な経緯を振り返りつつ、第3次ブーム以降の主な取組を紹介します。

■第1-2-1図／ＡＩ分野の研究主体別研究費

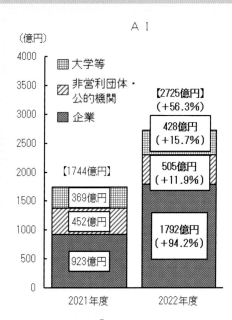

ＡＩ

（億円）

凡例：
- 大学等
- 非営利団体・公的機関
- 企業

2021年度【1744億円】
- 369億円
- 452億円
- 923億円

2022年度【2725億円】（+56.3%）
- 428億円（+15.7%）
- 505億円（+11.9%）
- 1792億円（+94.2%）

資料：総務省統計局「令和5年科学技術研究調査結果[2]」

第1節　我が国におけるＡＩ関連研究開発の歩みと近年の取組

我が国の研究者も、第1次ブームの段階から、ＡＩ技術の進展に貢献してきています。1960年前後から、我が国の大学でも自然言語処理、音声認識、画像処理等の研究開発が始まり、1970年代には日本語情報処理の本格的な研究が始まるなど、ＡＩ研究が広がりました。

そして、昭和57年（1982年）から大型プロジェクトとして始まった通商産業省（当時）の

1　ＡＩ戦略会議（令和5年）「ＡＩに関する暫定的な論点整理」　https://www.8.cao.go.jp/cstp/ai/ai_senryaku/2kai/ronten.pdf

2　総務省統計局「令和5年科学技術研究調査結果」
https://www.stat.go.jp/data/kagaku/kekka/kekkagai/pdf/2023ke_gai.pdf

「第５世代コンピュータプロジェクト」等を通じて、第２次ブームを迎え、大学や民間企業で多くの人材が育てられましたが、実用化の限界が意識され、ブームも終息しました。

その後、2010年代以降の深層学習をはじめとする技術の進展を受けて、再び、ＡＩの活用可能性への関心が高まり、平成29年（2017年）３月に「人工知能技術戦略」、平成31年（2019年）３月に「人間中心のＡＩ社会原則」、令和４年（2022年）４月に「ＡＩ戦略2022」がそれぞれ取りまとめられました。これらの戦略等に基づき、総務省、文部科学省、経済産業省をはじめとする関係府省や国立研究開発法人等が連携しながら、ＡＩ技術の研究開発や社会実装に向けた取組が進められるとともに、民間企業やスタートアップ企業においても研究開発が進められてきました。主な取組を以下に紹介します。

●産業技術総合研究所人工知能研究センター[1]の設立

平成27年（2015年）５月に設置された同センターでは、これまでＡＩの要素機能の研究開発で多数の成果を挙げ、使いやすい形のプログラムに実装したソフトウェアモジュールを構築・公開し、「生産性の向上」、「健康、医療・介護」、「空間の移動」などの広範な分野で応用技術を開拓してきています。実世界にＡＩを埋め込んでいくために更に必要な基盤技術に焦点を当て、人間と協調できるＡＩ、実世界で信頼できるＡＩ、容易に構築できるＡＩの三つの柱の下、基礎研究を社会実装につなげるための研究開発を進めています。

●理化学研究所革新知能統合研究センター（ＡＩＰセンター）[2]の設立

平成28年（2016年）４月に設置された同センターでは、世界最先端の研究者を糾合し、革新的な基盤技術の研究開発や我が国の強みであるビッグデータを活用した研究開発を推進しています。汎用基盤の研究については、深層学習の原理の解明、現在のＡＩ技術では対応できない高度で複雑・不完全なデータ等に適用可能な基盤技術の実現を目指しています。また、我が国の強みをＡＩの活用で伸長しつつ、ＡＩを用いた社会課題の解決を指向しています。加えて、ＡＩと人間の関係としての倫理の明確化や、ＡＩを生かす法制度の検討などを行っています。

●情報通信研究機構知能科学融合研究開発推進センター[3]の設立

平成29年（2017年）４月、従来から情報通信研究機構が蓄積してきたデータを含め、産学官が利用しやすい形での研究開発環境を整備するとともに、知能科学領域における次世代研究開発を推進するオープンイノベーション型の戦略的な研究開発推進拠点として設置されました。

1　産業技術総合研究所人工知能研究センター
https://www.airc.aist.go.jp/

2　理化学研究所革新知能統合研究センター
https://www.riken.jp/research/labs/aip/

3　情報通信研究機構知能科学融合研究開発推進センター
https://www2.nict.go.jp/ais/

●株式会社Preferred Networksによる深層学習フレームワーク「Chainer」の開発

同社は、ＡＩ研究の最前線で活動している、平成26年（2014年）に設立されたスタートアップ企業です。同社は独自の深層学習フレームワーク「Chainer」を開発して、平成27年（2015年）６月にオープンソースソフトウェアとして公開しました[1]。複雑なニューラルネットワークを直感的かつ柔軟に構築できることから、研究者や開発者から多くの支持を受け、深層学習に関する技術開発の黎明期の発展に寄与しました。なお、令和元年（2019年）12月から、同社は米国Meta社と連携して「PyTorch」の開発に参加し、PyTorchエコシステムに貢献しています[2]。

●トヨタ自動車株式会社によるＡＩ研究開発

トヨタ自動車株式会社は、平成28年（2016年）１月に、米国シリコンバレーに、ＡＩの研究開発を行う新会社トヨタ・リサーチ・インスティテュート（ＴＲＩ）を設立しました。ＴＲＩの使命は、新しいツールや能力を開発し、人々の能力を拡張して生活の質を向上させることです。モビリティの革新を推進するため、ＴＲＩはロボット工学、人間中心のＡＩ、相互作用的な運転、エネルギーと素材の分野で世界トップクラスのチームを構築しています。

●人工知能研究開発ネットワーク（AI Japan R&D Network）[3]の設立

人工知能研究開発ネットワークは、我が国の英知を糾合し、ＡＩ研究開発の活性化を図ることを目的に、令和元年（2019年）12月、産業技術総合研究所、理化学研究所、情報通信研究機構が中核となり、ＡＩの研究開発などに積極的に取り組む大学や公的研究機関などから構成されるコンソーシアムとして設立され、ＡＩの研究開発に関する連携が進められてきました。その後、令和5年（2023年）４月に、任意団体として新たに設立され、さらに民間企業も会員に加わり、ＡＩに関する研究開発や成果利用の促進等に係る更なる連携が進められています。

1　株式会社PreferredNetworks「Deep Learning Frameworks」　https://www.preferred.jp/ja/projects/dlf/
2　株式会社PreferredNetworks「Preferred Networks、深層学習の研究開発基盤をPyTorchに移行」
　　https://www.preferred.jp/ja/news/pr20191205/
3　人工知能研究開発ネットワーク　https://www.ai-japan.go.jp/

コラム1-2　ＡＩ研究第一線の方に聞くＡＩブームとこれから

● 岡野原大輔氏

株式会社Preferred Networks　代表取締役　最高研究責任者

　ＡＩ研究の第一線を走っていらっしゃる株式会社Preferred Networksの岡野原代表取締役にお話を伺いました。

　ＡＩとは何か、の定義については、著名な研究者の定義でも60〜70の定義が存在し、世の中に明確な定義はない、そしてそれは世界的に共通の認識です。

　現在のＡＩブームは、2022年11月のChatGPTリリースが牽引(けんいん)していることは間違いありません。それまでは特定のタスク向けのＡＩが多かったものの、こうした基盤モデルは様々な目的に使用可能で、必ずしもＡＩの専門家ではない一般の人が容易に使えるものであるため、ユーザー数が急激に伸びました。今後もＡＩ市場は拡大していきます。

　一方で、過去にはＡＩに対する過剰な期待と幻滅が定期的に続いてきたので、今回もそうしたことが起こる可能性はあります。ハルシネーション（幻覚）は大きな問題になり得ます。現時点では、影響がクリティカルな領域では最終的に人が見張っておくことが必要と言えるでしょう。

　今後のＡＩ発展の戦略について、分野特有の知識を必要とする分野へ、汎用基盤モデルを特化、細分化していくことで、我が国が競争力を持つことができると考えています。特に、材料探索、生命科学、気象、宇宙といった分野の知識が必要な領域は相性が良いです。ほかにも数学やプログラムも相性が良く、これらの分野ではブレークスルーが起きる直前だと思っています。

　ＡＩの科学や研究開発への影響について、コンピュータが登場した時に研究の姿が変貌したのと同様に、研究の姿は変わるでしょう。例えば、研究において人間が見つけられない対称性やパターンを見つけられるようになるかもしれません。

　ＡＩの研究について、うまくいかない場合も多くあり、後ろ指をさされることもあると思います。過去には実際に難しかったものを今研究する場合にも批判があり得るでしょう。しかし、ＡＩは指数関数的に性能が上がっており、今やってみたらうまくいくことがあるかもしれません。日本の中でもある意味で「空気を読まずに」研究できる環境であると良いと望んでいます。

第2節　我が国における生成ＡＩに関する研究開発について

　OpenAI社のChatGPTをはじめ世界的に大規模言語モデルの開発が進む中、日本語を扱う能力の高いモデルが少ない[1]といった課題や、一部の企業による独占への懸念が存在します。こうした状況を受け、我が国でも、大学や国立研究開発法人、企業等において、日常生活・産業現場での活用も想定した、高度な日本語処理が可能な日本語大規模言語モデルや軽量版モデル等の生成ＡＩの開発が急速に進められています。

　日本語に特化した大規模言語モデルの開発における先駆け的な取組として挙げられるのは、令和2年（2020年）の東京大学発スタートアップ、株式会社ELYZAによる「ELYZA Brain」の開発です。その後、同社は令和3年（2021年）8月、入力したテキストデータを3行に要約する「生成型」の要約モデル「ELYZA Digest」を一般公開し[2]、さらに令和4年（2022年）3月には、キーワードから約6秒で日本語の文章を生成できる大規模言語モデル「ELYZA Pencil」を一般公開しました[3]。また、令和6年（2024

1　GPT-3における日本語データの割合は0.11%
　　参考：https://github.com/openai/gpt-3/blob/master/dataset_statistics/languages_by_word_count.csv
2　株式会社ELYZA「どんな文章でも3行にできる要約ＡＩ "ELYZA DIGEST"、公開5日間で13万人が利用」
　　https://prtimes.jp/main/html/rd/p/000000012.00047565.html
3　株式会社ELYZA「国内初。キーワードから約6秒で文章生成ができる 日本語の文章執筆ＡＩ "ELYZA Pencil" を一般公開」
　　https://prtimes.jp/main/html/rd/p/000000015.000047565.html
　　※なお、上述の「ELYZA Digest トライアル版」及び「ELYZA Pencil トライアル版」のサービスは終了しており、「ELYZA LLM for JP（デモ版）」にて類似機能が利用できる。

年）3月には、パラメータ数が700億パラメータ（70Ｂ）の日本語大規模言語モデル「ELYZA-japanese-Llama-2-70b」を開発し、グローバルモデルに匹敵する性能を実現したことを発表しています[1]。

また、令和5年（2023年）12月、東京工業大学情報理工学院情報工学系の岡崎直観教授と横田理央教授らの研究チームと産業技術総合研究所は、日本語能力に優れた生成ＡＩの基盤である大規模言語モデル「Swallow」を公開しました[2]。これは、英語の言語理解や対話で高い能力を持つオープンソースの大規模言語モデル（米Meta社 Llama 2）の日本語能力を拡張することにより開発されました。現在、パラメータ数が70億パラメータ（7Ｂ）、130億パラメータ（13Ｂ）、700億パラメータ（70Ｂ）であるモデルが公開されており、オープンで商用利用も可能となっています[3]。

さらに、令和5年（2023年）5月に始動した、情報・システム研究機構国立情報学研究所が主宰する「ＬＬＭ勉強会（LLM-jp）[4]」では、オープンかつ日本語に強い世界トップレベルのＬＬＭの構築の開発を目指しており、その第一歩として、10月には130億パラメータ（13Ｂ）であるＬＬＭの構築・公開を果たしています。また、現在、1,750億のパラメータ数を持つ大規模言語モデルの構築に取り組んでいます。

民間企業においても様々な取組が進められており、例えば、日本電気株式会社（ＮＥＣ）は、130億パラメータの高い日本語性能を有する軽量な大規模言語モデル「cotomi」を開発し、令和5年（2023年）8月から商用を開始する

とともに[5]、小型〜大規模モデル（パラメータ数1,000億クラス）の開発も進められています。

ソフトバンク株式会社は、生成ＡＩ開発向けの計算基盤を整備するとともに（第3節参照）、その子会社であるSB Intuitions株式会社は、この計算基盤を活用して、日本語に特化した国産ＬＬＭの開発を開始しています。今後、3,900億パラメータの国産ＬＬＭの令和6年度（2024年度）内の構築を目指しています[6]。

日本電信電話株式会社（ＮＴＴ）は、学習時に用いる変数の規模を表すパラメータ数が70億パラメータの「軽量版」と、同6億パラメータの「超軽量版」の二つのモデルからなる、軽量で日本語性能の高い大規模言語モデル「tsuzumi」を開発し[7]、令和6年（2024年）3月に商用化を発表しました[8]。tsuzumiは文字のほか文書に含む図や表、グラフの内容を読み取って回答するマルチモーダルな機能も備えており、今後は視覚情報に加えて、音声のニュアンス・顔の表情・ユーザーの置かれている状況などのモーダル拡張に対応する予定となっています。また、tsuzumiの応用例の一つ

■第1-2-2図／tsuzumiとロボットの連携の様子

提供：日本電信電話株式会社

1　株式会社ELYZA「ELYZA、グローバルモデルに匹敵する日本語ＬＬＭを開発、デモ公開」
　　https://prtimes.jp/main/html/rd/p/000000042.000047565.html
2　TokyoTech-LLM「Swallow」https://tokyotech-llm.github.io/swallow-llama
3　産業技術総合研究所「日本語に強い大規模言語モデル『Swallow』を公開」
　　https://www.aist.go.jp/aist_j/press_release/pr2023/pr20231219/pr20231219.html
4　ＬＬＭ勉強会　https://llm-jp.nii.ac.jp/
5　日本電気株式会社「ＮＥＣ、日本市場向け生成ＡＩを開発・提供開始〜業種ナレッジの構築を目指したカスタマープログラムを開始〜」
　　https://jpn.nec.com/press/202307/20230706_01.html
6　ソフトバンク株式会社「2024年3月期　第3四半期　決算説明会」
　　https://www.softbank.jp/corp/set/data/ir/documents/presentations/fy2023/results/pdf/sbkk_earnings_presentation_20240207.pdf
7　日本電信電話株式会社「ＮＴＴ 独自の大規模言語モデル『tsuzumi』を用いた商用サービスを2024年3月提供開始」
　　https://group.ntt/jp/newsrelease/2023/11/01/pdf/231101aa.pdf
8　ＮＴＴコミュニケーションズ株式会社「ＮＴＴ版ＬＬＭ『tsuzumi』を活用したソリューションの提供〜同時にパートナーシッププログラムの募集を開始〜」https://www.ntt.com/content/dam/nttcom/hq/jp/about-us/press-releases/pdf/2024/0325_2.pdf

として、身体感覚を持つロボットと連携し、物理的作業の制御についても取り組んでいます（第1-2-2図）。

　また、Google社出身の研究者等が令和５年（2023年）７月に東京に設立したＡＩスタートアップSakana AI株式会社は、進化や集合知等の自然界の原理を応用した基盤モデルの開発を目指して、令和６年（2024年）３月、既存のオープンソースモデルを融合（マージ）して、より高度な新しい基盤モデルを自動的に作成する技術「進化的モデルマージ」を開発したことを発表しました[1]。

　主要諸外国でも大規模言語モデルの開発が進められ、国際競争が加速する中、経済産業省では、国内の生成ＡＩの開発力強化を目的とし、生成ＡＩのコア技術である基盤モデルの開発

に対する計算資源の提供支援や、関係者間の連携促進、対外発信等を実施するプロジェクト（ＧＥＮＩＡＣ[2]）を開始しました。その中で、新エネルギー・産業技術総合開発機構の「ポスト５Ｇ情報通信システム基盤強化研究開発事業」において、競争力があり波及効果が大きい基盤モデルの開発を行う企業等を公募のうえ令和６年（2024年）２月に第1-2-3表の７法人等を選定し[3]、採択された法人等に対する計算資源の確保と利用料補助という形での支援を開始しました。また、開発者同士のネットワーキングや生成ＡＩの利活用促進のため、セミナーや開発者ネットワーキングイベント、開発者・利用者のマッチングイベント等も実施しています。

■第1-2-3表／「ポスト５Ｇ情報通信システム基盤強化研究開発事業」に選定された法人等一覧

実施者	概要
株式会社ABEJA	ＬＬＭの社会実装に向けた特化型モデルの元となる汎化的ＬＬＭを研究開発
株式会社Preferred Elements	100Ｂ／１Ｔパラメータからなる大規模マルチモーダル基盤モデルを構築
東京大学	多様な日本語能力の向上を目指した公開型の基盤モデルを開発
Sakana AI株式会社	大きな計算リソースを必要とする基盤モデルを高効率化するための、重要な技術（蒸留、ＭｏＥ、強化学習）を用いたモデルを開発
ストックマーク株式会社	実ビジネス活用において懸念・障害となるハルシネーション（もっともらしい嘘）を抑制した基盤モデルを開発
情報・システム研究機構国立情報学研究所	オープンかつ日本語に強いGPT-3級（1,750億パラメータ）の大規模言語モデルを構築
Turing株式会社	完全自動運転を見据え、日本の運転環境に強い適応力を持つ、マルチモーダル（言語・画像・映像）基盤モデルを開発

資料：経済産業省作成の「採択事業テーマ概要」を基に文部科学省作成

1　　Sakana AI株式会社「進化的アルゴリズムによる基盤モデルの構築」
　　　https://sakana.ai/evolutionary-model-merge-jp/
2　　Generative AI Accelerator Challenge
　　　https://www.meti.go.jp/policy/mono_info_service/geniac/index.html
3　　経済産業省「『ポスト５Ｇ情報通信システム基盤強化研究開発事業』の採択事業者を決定しました（令和６年２月２日）」
　　　https://www.meti.go.jp/policy/mono_info_service/joho/post5g/20240202.html

第3節　基盤モデルの開発を支える計算資源やデータ資源の整備や活用

大規模言語モデル等の基盤モデルの開発・構築には、大量の学習用データや計算資源が必要となり、そのためのコストや環境負荷も課題となっています。このため、研究機関と産業界との計算資源の共有、計算資源の開発や利用環境整備の取組に対する支援が進められています。

「富岳」に代表される我が国のスーパーコンピュータは、ＡＩ技術の開発や深層学習の計算にも活用されており、複雑なシミュレーションや解析を行う際の強力なツールとして利用されています。富岳において、ＡＩやデータサイエンスを活用した取組を重点分野として研究開発が推進されるなど、ＡＩとスーパーコンピュータの組合せにより、これまでにないスケールのデータ解析やモデル学習が可能になってきています。

令和5年（2023年）5月には、東京工業大学、東北大学、富士通株式会社、理化学研究所は、富岳を活用して、超大規模な並列計算環境において大規模言語モデル学習を効率良く実行する技術の開発に着手しました[1,2]。今回の研究開発の成果物は令和6年度（2024年度）の公開が予定されており、我が国の多くの研究者やエンジニアによる活用を通じて、次世代の革新的な研究やビジネスの成果につながることが期待されています。また、理化学研究所では、超伝導方式の国産量子コンピュータ初号機「叡」と富岳との連携に関する研究開発も進めています。

また、令和6年（2024年）4月から稼働した東京工業大学学術国際情報センターの最新スーパーコンピュータ「TSUBAME4.0」は、高性能のＧＰＵを搭載したことなどにより、現存する国内のスーパーコンピュータの中では、富岳に次ぐ2位相当の演算性能を持ち、科学技術計算・ビッグデータ解析・ＡＩなど幅広い分野で積極的に活用されることが期待されています（第1-2-4図）。

また、産業技術総合研究所が構築・運用するＡＩ処理向け計算インフラストラクチャ「ＡＩ橋渡しクラウド（ＡＢＣＩ[3]）[4]」（第1-2-5図）では、生成ＡＩの基盤的な開発力強化を目的とした設備の拡張を速やかに進めるとともも

■第1-2-4図／東京工業大学学術国際情報センターの最新スーパーコンピュータ「TSUBAME4.0」

提供：東京工業大学

■第1-2-5図／ＡＢＣＩの外観

提供：産業技術総合研究所

1　理化学研究所「スーパーコンピュータ『富岳』政策対応枠における大規模言語モデル分散並列学習手法の開発について」
　　https://www.riken.jp/pr/news/2023/20230522_2/index.html
2　令和5年8月より、株式会社サイバーエージェント、名古屋大学、Kotoba Technologies Inc.が参画機関に追加。
3　AI Bridging Cloud Infrastructure
4　ＡＢＣＩ　https://abci.ai/ja

■第1-2-6表／大規模言語モデル構築支援プログラム2023採択課題

	機関名	課題名	時期	ノード数
第1回	株式会社Preferred Networks	日本語データを含めた大規模データによる大規模言語モデル学習	8月-9月期	60
第2回	代表機関：情報・システム研究機構国立情報学研究所 参加機関：産業技術総合研究所、東京工業大学、LLM-jp	オープンソースかつ日本語に強いGPT-3級（1,750億パラメータ）の大規模言語モデルの構築とそれに関連する研究開発の推進	10月-11月期	60
	株式会社ELYZA	オープンな英語圏LLMの日本語化と性能改善	12月-1月期	40

資料：産業技術総合研究所ウェブサイトを基に文部科学省作成

に、大規模言語モデルの構築を目指す利用者が、高性能かつ最大80ノード[1]（640GPU）にも及ぶ豊富な計算資源を最大60日にわたって予約して活用できる「大規模言語モデル構築支援プログラム[2]」を提供しました。第1-2-6表のとおり、令和5年度には3機関の取組が採択され、第2節で紹介した日本語に強い大規模言語モデル「Swallow」や「ELYZA-japanese-Llama-2-70b」の開発にもつながりました。

また、クラウドサービスがあらゆる国民生活・産業活動にとって不可欠となる中、基盤的なクラウドサービスの提供に用いられるプログラム（基盤クラウドプログラム）を開発する

ための産業基盤を早急に国内に確保する必要があることから、経済安全保障推進法に基づき、安定供給確保を図るべき特定重要物資として「クラウドプログラム」を指定し、重要な技術開発や高度な計算機の利用環境整備に取り組む事業者の計画を認定した上で、必要な経費の補助をしています。これまで、東京大学（量子コンピュータを活用したクラウドサービス提供）、さくらインターネット株式会社、ソフトバンク株式会社、株式会社ゼウレカ（生成AIを含む基盤クラウドプログラム向けの計算資源のクラウド提供）等の計画を認定しています（第1-2-7図、第1-2-8図）[3]。

■第1-2-7図／さくらインターネットデータセンターの設備

提供：さくらインターネット株式会社

■第1-2-8図／ソフトバンクの生成AI計算基盤の設備

提供：ソフトバンク株式会社

1　ノードとは「結び目」や「節」を意味する単語で、スーパーコンピュータ分野では一つの管理単位をノードと呼ぶことが多い。例えば、一つの基本ソフト（OS）が動作しているCPUやメモリの塊を指す。
2　産業技術総合研究所「大規模言語モデル構築支援プログラム」https://abci.ai/ja/link/llm_support_program.html
3　経済産業省「クラウドプログラムの安定供給の確保」https://www.meti.go.jp/policy/economy/economic_security/cloud/index.html

また、ＡＩモデルの開発には多様な学習が必要になります。このため、内閣府は、政府等が保有するデータについて、ＡＩ開発者からのニーズに応じてＡＩ学習データとしての提供を促進するため、令和５年（2023年）11月、「ＡＩ学習データの提供促進に向けたアクションプランver1.0」を策定しています[1]。

OpenAI社のＧＰＴモデルなどの大規模言語モデルは、ウェブから集められた情報で学習しており、日本語での学習量は英語に比べて非常に少ないと言われています。このため、日本語大規模言語モデルの開発等に当たっては、日本や日本語に関するデータが必要となり、書き言葉や話し言葉を体系的に収集した「コーパス」と呼ばれるデータベースの整備も重要となります。これまで、人間文化研究機構国立国語研究所において、約１億語の「現代日本語書き言葉均衡コーパス」や「日本語話し言葉コーパス」などの開発が行われてきましたが、大規模言語モデルの構築には、より大規模なデータが必要となります。第２節で紹介した東京工業大学と産業技術総合研究所によるSwallowの開発に当たっては、令和２年から令和５年（2020〜

2023年）にかけて収集された、約634億ページに及ぶウェブのテキストから日本語のテキストを独自に抽出・精錬し、約3,121億文字（約1.73億ページ）からなる日本語ウェブコーパスを構築し、学習させています[2]。

日本語の特性から、日本語モデルの開発には、単語の分割や品詞の特定などの言語処理を高精度に行うことも重要になります。株式会社リクルートのＡＩ研究機関であるMegagon Labsは、人間文化研究機構国立国語研究所との共同研究成果を用いて、全世界のエンジニアやデータサイエンティストが目的に応じて日本語の自然言語処理技術を他の言語とシームレスに利用することを可能とする、日本語自然言語処理ライブラリ「ＧｉＮＺＡ」[3]を平成31年（2019年）４月から公開しています[4]。

また、総務省では、我が国における大規模言語モデルの開発力強化に向け、令和６年度（2024年度）から、情報通信研究機構において大量・高品質で安全性の高い日本語を中心とする学習用言語データを整備・拡充し、我が国の大規模言語モデル開発者等にアクセスを提供していくこととしています。

第４節　ＡＩの安全性の確保に関する対策や研究開発

ＡＩ技術については、技術の精度や性能の向上だけでなく、どのようなアルゴリズムに基づいて回答しているかなどの「透明性」や、誤った回答をしていないかなどの「信頼性」等の懸念、さらには倫理的・法的・社会的課題（ＥＬＳＩ[5]）に対応していくことも重要です。

深層学習の結果は、多層ニューラルネットワーク中のリンクの重みになるので、その意味を人間が直感的に理解することは困難であり、またなぜそう判定したのか、人間に理解可能な形で理由を説明してくれないことから、ブラックボックス性が指摘されています。つまり、動作保証ができず、事故が発生しても原因解明や責任判断が不能な状況に陥りかねないリスク

1　内閣府 科学技術・イノベーション推進事務局（令和５年）「ＡＩ学習データの提供促進に向けたアクションプランver1.0」
　　https://www8.cao.go.jp/cstp/ai/ai_senryaku/6kai/2aidata.pdf

2　TokyoTech-LLM「Swallow Corpus」https://tokyotech-llm.github.io/swallow-corpus
3　Megagon Labs「ＧｉＮＺＡ：日本語自然言語処理オープンソースライブラリ」
　　https://megagon.ai/jp/projects/ginza-install-a-japanese-nlp-library-in-one-step/
4　株式会社リクルート「リクルートのＡＩ研究機関、国立国語研究所との共同研究成果を用いた日本語の自然言語処理ライブラリ『ＧｉＮＺＡ』を公開」https://www.recruit.co.jp/newsroom/2019/0402_18331.html
5　Ethical, Legal and Social Issues

があります。

また、大規模言語モデルには、存在しない情報を、あたかも本当に存在するかのように作り出してしまい、生成された誤った情報が人間や専門家にも本物かどうか区別がつかないほど正確に見えてしまう「幻覚（ハルシネーション）」と呼ばれる問題があることが指摘されています[1]。機械学習では、学習データに含まれていない未知の事例に対して、学習データから法則やルールを獲得し対応する能力である「汎化」が目指されていますが、「汎化」が適切になされなかった場合には、誤った関係性や情報を導き出すリスクがあります。

さらに、機械学習の判定結果は学習データの傾向を反映するため、仮に学習データに価値観や偏見を持ったデータが含まれていたり、データの分布に偏りがあったりすると、判定結果にもそれが反映されるリスクがあることも指摘されています。

こうした背景を踏まえ、ＡＩ戦略会議では、懸念されるリスクの具体例として、①機密情報の漏えいや個人情報の不適正な利用のリスク、②犯罪の巧妙化・容易化につながるリスク、③偽情報等が社会を不安定化・混乱させるリスク、④サイバー攻撃が巧妙化するリスク、⑤教育現場における生成ＡＩの扱い、⑥著作権侵害のリスク、⑦ＡＩによって失業者が増えるリスクが指摘されました[2]。

さらに、ＡＩのガバナンスの在り方については、各国での検討のほか、多国間でも議論がなされています。特に生成ＡＩの技術的な進展を踏まえた国際的なガバナンスの検討を行うため、令和 5 年（2023 年）5 月に立ち上げられた「広島ＡＩプロセス」において議論が深められ、12 月には主要 7 か国（G7）首脳声明で「広島ＡＩプロセス包括的政策枠組み」等の議論の成果がG7 首脳により承認されました（第 3 章第

2 節参照）。また、米国や英国と同様に、我が国においても、令和 6 年（2024 年）2 月にＡＩの安全性に関する評価手法や基準の確立を目指して「ＡＩセーフティ・インスティテュート[3]」を設立するとともに、総務省及び経済産業省は、ＡＩに関係する全ての事業者を対象とした、「ＡＩ事業者ガイドライン」を令和 6 年（2024 年）4 月に取りまとめ、ＡＩのもたらすリスクを認識しながらＡＩの利活用を推進していくこととしています。

また、総務省では、インターネット上の偽・誤情報の流通・拡散等に対し、令和 5 年（2023 年）11 月に「デジタル空間における情報流通の健全性確保の在り方に関する検討会」を立ち上げ、令和 6 年（2024 年）夏頃の取りまとめに向け、生成ＡＩ・ディープフェイク技術の進展に伴うリスクへの対応の在り方を含め、総合的な対策の検討を進めています。

このようなＡＩガバナンスに関する取組とともに、ＡＩの透明性・信頼性の確保を支える技術開発も進められています。例えば、外部情報の検索を組み合わせる技術である「検索拡張生成（ＲＡＧ[4]）」などを活用することで、出力結果の根拠が明確になり、事実に基づかない情報の生成を抑制することが期待されています。また、情報・システム研究機構国立情報学研究所では、九州大学との連携により、画像識別ＡＩの誤識別リスクを効果的・効率的に低減する技術を開発しました[5]。また、令和 6 年（2024 年）4 月に、同研究所内に「ＬＬＭ研究開発センター」を設置し、生成ＡＩの透明性・信頼性の確保に向けた研究開発に取り組んでいくこととしています。

また、ＡＩが学習するデータに個人情報が含まれるケースにおいて、プライバシーやデータの利用に関する倫理的な懸念が指摘されており、プライバシーを強化、保護しながらデータ

1　岡野原大輔（2023）「大規模言語モデルは新たな知能か」岩波科学ライブラリー
2　前掲　ＡＩ戦略会議（令和 5 年）「ＡＩに関する暫定的な論点整理」
3　ＡＩセーフティ・インスティテュート　https://aisi.go.jp/
4　Retrieval-Augmented Generation
5　情報・システム研究機構国立情報学研究所「画像識別ＡＩの誤識別リスクを効果的・効率的に低減する技術を開発〜自動運転システムにおける安全性ベンチマークにて効果を検証〜」https://www.nii.ac.jp/news/release/2023/0317.html

分析を可能にする技術も開発されてきています。具体的には、分析対象データ保護のためのデータ匿名化技術、データベース問合せ結果保護のための差分プライバシー技術、計算過程におけるデータ内容保護のための秘密計算（若しくは秘匿計算）技術などについて、大学や企業等で研究開発が進められており、例えば、ＮＴＴが開発した秘密計算技術が、2024年３月、ＩＳＯ国際標準に採択[1]されました。これらの技術のＡＩ分野への適用が進められています。

さらに、セキュアなＡＩシステムの構築に向けて、内閣府科学技術・イノベーション推進事務局及び内閣サイバーセキュリティセンターは、令和５年（2023年）11月に、英国国家サイバーセキュリティセンターが米国サイバーセキュリティ・インフラストラクチャー安全保障庁等と共に作成した「セキュアＡＩシステム開発ガイドライン」の「共同署名」に加わるとともに、令和６年（2024年）１月に、豪州サイバーセキュリティセンターがカナダ、ニュージーランド、英国、米国の関係当局とともに作成した「ＡＩ使用に関する国際ガイダンス」の「共同署名」に加わり、文書を公開しました[2,3]。

また、経済安全保障推進会議及び統合イノベーション戦略推進会議の下、内閣府、文部科学省及び経済産業省が中心となって、府省横断的に実施している「経済安全保障重要技術育成プログラム[4]」において、「人工知能（ＡＩ）が浸透するデータ駆動型の経済社会に必要なＡＩセキュリティ技術の確立」についても、研究開発構想の一つとして掲げられ、令和５年度（2023年度）に公募が行われました。

第5節　人材育成

最先端のＡＩの知識・技能を持つ人材育成の取組も進められています。文部科学省では、ＡＩ分野及びＡＩ分野における新興・融合領域（次世代ＡＩ分野）の人材育成及び先端的研究開発を推進するため、「国家戦略分野の若手研究者及び博士後期課程学生の育成事業（ＢＯＯＳＴ）次世代ＡＩ人材育成プログラム[5]」を創設し、令和６年（2024年）１月に科学技術振興機構で博士後期課程の学生に対し公募を開始しました。同分野に資する研究開発に取り組もうとする博士後期課程学生に対して、十分な生活費相当額及び研究費を支援することで、当該国家戦略分野の研究者層を厚くし、イノベーション創出や産業競争力を強化することを目的としています。

また経済産業省では「未踏事業」において、ＡＩに限らずＩＴを駆使してイノベーションを創出することのできる独創的なアイディアと技術を有するとともに、これらを活用する優れた能力を持つ、突出した人材の発掘・育成を進めています（第1-2-9表）。

1　日本電信電話株式会社「ＮＴＴの秘密計算技術がＩＳＯ国際標準に採択〜データ利活用とプライバシー保護を両立する高速な秘密計算技術を実現〜」https://group.ntt/jp/newsrelease/2024/03/21/240321b.html
2　内閣府（2023）「セキュアＡＩシステム開発ガイドラインについて」https://www8.cao.go.jp/cstp/stmain/20231128ai.html
3　内閣府（2024）「AI使用に関する国際ガイダンスへの共同署名について」https://www8.cao.go.jp/cstp/stmain/20240124.html
4　内閣府「経済安全保障重要技術育成プログラム」
　　https://www8.cao.go.jp/cstp/anzen_anshin/kprogram.html

5　科学技術振興機構「国家戦略分野の若手研究者及び博士後期課程学生の育成事業（ＢＯＯＳＴ）次世代ＡＩ人材育成プログラム」
　　https://www.jst.go.jp/jisedai/boost-s/index.html

■第1-2-9表／AI人材育成事業の例

事業名	対象	概要
数理・データサイエンス・AI教育プログラム認定制度（文部科学省）	大学及び高等専門学校	数理・データサイエンス・AIに関する知識及び技術について体系的な教育を行うプログラムを文部科学大臣が認定及び選定して奨励する。 令和5年（2023年）8月時点の総認定数はリテラシーレベルが382件、応用基礎レベルが147件である。
K－DASH（KOSEN Mathematics, Data science and AI Smart Higher Educational Community）[1]（文部科学省、国立高等専門学校機構）	高等専門学校	旭川高専と富山高専を拠点校とし、全国の国立高専と連携し数理・データサイエンス・AI教育を実施。『AI×DS（データサイエンス）で加速する高専生』『AIとデータでスペシャリストへ加速する高専生』を全国高専で育成すべき人材像に掲げ、卒業生の100％にリテラシーレベル、20％以上に専門レベルを習得させ、1％のトップレベルから研究者、起業家などの人材を輩出することを目指している。
国家戦略分野の若手研究者及び博士後期課程学生の育成事業（BOOST）次世代AI人材育成プログラム（文部科学省、科学技術振興機構）	若手研究者及び博士後期課程学生	次世代AI分野（AI分野及びAI分野における新興・融合領域）に資する研究開発に取り組もうとする若手研究者及び博士後期課程学生に対して支援を行う。
ACT－X（文部科学省、科学技術振興機構）	博士の学位取得後8年未満の若手研究者（大学院生を含む。）	独創的・挑戦的なアイディアを持つ若手研究者を支援する本プログラムの中で、AIに関するものとして「数理・情報のフロンティア」、「AI活用で挑む学問の革新と創成」、「次世代AIを築く数理・情報科学の革新」の領域を設け、令和5年度（2023年度）末時点で計187人の若手研究者を支援している（終了した課題を含む）。
未踏事業（経済産業省、情報処理推進機構）	未踏IT人材発掘・育成事業：25歳未満 未踏アドバンスト事業：条件なし 未踏ターゲット事業：条件なし	AIに限らずITを駆使してイノベーションを創出することのできる独創的なアイディアと技術を有するとともに、これらを活用する優れた能力を持つ、突出した人材を発掘・育成することを目的とし、若い人材の発掘・育成を行う「未踏IT人材発掘・育成事業」、ITを活用した革新的なアイディア等を有し、ビジネスや社会課題の解決につなげる人材を育成する「未踏アドバンスト事業」、次世代ITを活用して世の中を抜本的に変えていける先進分野の人材を育成する「未踏ターゲット事業」を実施している。

資料：文部科学省作成

---

[1] 国立高等専門学校機構「高専発！『Society 5.0型未来技術人財』育成事業（GEAR 5.0／COMPASS 5.0）」
https://www.kosen-k.go.jp/about/profile/gear5.0-compass5.0.html

　岐阜大学では、最先端AI人材の育成を目指しており、「数理・データサイエンス・AI教育プログラム認定制度」に認定されたほか、実践的なAI教育としてNVIDIA社の「Jetson Nano」を工学部の実験科目に大規模導入しました。Jetson Nanoは小型コンピュータでありながらAIを高速で実行できるエッジ端末です。当該科目では、エッジAIの仕組みを理解した上で学生自身がAIプロジェクトを設計、実装、評価するアクティブラーニングを促します。AIによる画像認識、ロボット制御、音声認識技術について理解し、それらをJetson Nano上で組み込みAIシステムの開発を行います。成果物をプレゼンテーション、デモンストレーションし、最終的にAIとJetsonの基礎的な実践スキルを習得した証明であるNVIDIA社の認定資格、Jetson AI Specialistの取得を目指しています（第1-2-10図）。

　富山高等専門学校（富山高専）は、地域企業と連携したDXやAI・データ利活用状況の調査、報告書をまとめる取組を実施し、「数理・データサイエンス・AI教育プログラム認定制度リテラシープラス」に高専では2校目として選定されています（第1-2-11図）。

　また、富山高専の特徴的な取組の一つであるAI教育に外部人材を登用する「AI副業先生」では、株式会社ビズリーチと国立高等専門学校機構との連携により、ビジネスの現場でAIを活用して働く民間人材を教員として採用し、社会変化やニーズに応えられるAI技術を教えています。

　香川県三豊市及び東京大学大学院工学系研究科松尾豊教授が平成31年（2019年）4月に設立した一般社団法人みとよAI社会推進機構（MAiZM）では、香川高等専門学校と連携し、AIサマースクールの実施や高専発スタートアップの支援など、人材育成や地域社会の課題解決に向けた取組が行われています。

■第1-2-10図／ツールキットJetson Nanoを使用している様子

提供：東海国立大学機構岐阜大学

■第1-2-11図／DXやAI・データ利活用状況に関する地域企業へのオンライン調査の様子

提供：富山高等専門学校

　本章では、我が国でのAI開発の事例を見てきましたが、我が国の強みの一つは、自動車、エレクトロニクス、ロボティクスなどの分野での長年の経験と技術の蓄積です。このような産業基盤を生かしながら、大学や研究機関による高い技術力と研究開発能力により、AIの更なる開発とともに、多くの技術分野でのAIの活用や第4章で紹介する科学分野での活用によるイノベーションの創出が期待されています。

第3章　AI関連研究開発の世界の動向

　第1章で見てきたように、AI研究はブームを繰り返してきていますが、第3次ブーム以降、米国や英国、中国をはじめ世界のAIに関する民間投資は増加傾向にあるとともに[1]、論文数も2010年以降、3倍以上増加しています（第1-3-1図）。また、AAAI[2]などのAIに関する主要な国際会議での発表数や投稿数も、全体的に増加傾向にある中、これまで米国がリードしてきましたが、近年、中国が追い上げ、米中2強という状況になりつつあります[3]（第1-3-2図）。

　同時に、誤情報や安全性・透明性についての懸念から、AIのELSIについても関心が高まっており、国際的な議論が始まっています。このような中、各国では、AI技術に携わる人材の育成や、AIの利活用に係るルールなどを整備しながら、AIに関する国家戦略を策定し、研究開発を推進しています。本章では、AIの研究開発を進める主要な国・地域の動向を紹介するとともに、国際的な議論や多国間の連携・協働についても説明します。

■第1-3-1図／AIに関する論文数の推移

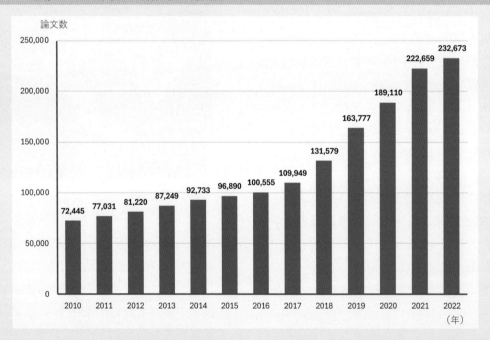

注：「学術誌論文（Journal Publications）」のみ集計しており、「本（book）」や「学位論文（dissertation）」、「学会発表（conference）」等は含まれていない
資料：Artificial Intelligence Index Report 2024, Stanford Institute for Human-Centered Artificial IntelligenceのFigure 1.1.6を基に文部科学省作成

1　Stanford Institute for Human-Centered Artificial Intelligence "Artificial Intelligence Index Report 2024"
　　https://aiindex.stanford.edu/report/
　　Goldman Sacks社 "AI investment forecast to approach $200 billion globally by 2025"
　　https://www.goldmansachs.com/intelligence/pages/ai-investment-forecast-to-approach-200-billion-globally-by-2025.html
2　Association for the Advancement of Artificial Intelligence
3　文部科学省科学技術・学術政策研究所「人工知能分野及びロボティクス分野の国際会議における国別発表件数の推移等に関する分析」（2023年5月）　https://nistep.repo.nii.ac.jp/records/6846

■第1-3-2図／ＡＡＡＩでの国別発表数

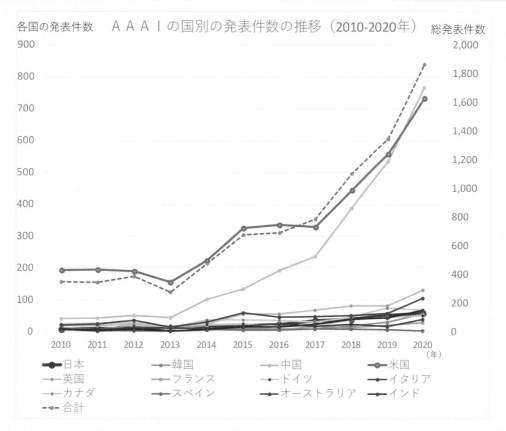

資料：文部科学省科学技術・学術政策研究所「人工知能分野及びロボティクス分野の国際会議における国別発表件数の推移等に関する分析」（2023年5月）を基に文部科学省作成
※各国の国別発表件数は整数カウントで集計。合計は、総発表件数である。

第1節　主要国・地域におけるＡＩに関する研究開発戦略

1－1.米国

　米国政府は、ＡＩ分野の研究開発を戦略的に進めるため、2016年に「国家ＡＩ研究開発戦略（National AI R&D Strategic Plan）」を策定し、ＡＩ研究への長期的な投資、人間とＡＩの協調、倫理的・法的・社会的影響の理解等に重点的に取り組む方針を示しました。同戦略について、2019年の改訂の後、2023年5月には更なる改訂版を公表し、戦略的な国際連携に関する取組

も新たに追加しています[1]。そして、「2020年国家ＡＩイニシアティブ法[2]」に基づき、2021年1月、「国家ＡＩイニシアティブ室（ＮＡＩＩＯ[3]）」が大統領府科学技術政策局（ＯＳＴＰ[4]）に設立され[5]、ＮＡＩＩＯが、国家科学技術会議（ＮＳＴＣ[6]）に置かれたＡＩ特別委員会（ＳＣＡＩ[7]）と共に、ＡＩイニシアティブに関する省庁間調整等を行っています。また、商務省に設置された国家ＡＩイニシアティブ諮問委員会

1　Select Committee on Artificial Intelligence of the National Science and Technology Council "National Artificial Intelligence Research and Development Strategic Plan 2023 Update"
　　https://www.whitehouse.gov/wp-content/uploads/2023/05/National-Artificial-Intelligence-Research-and-Development-Strategic-Plan-2023-Update.pdf
2　Congress.gov "H.R.6216 - National Artificial Intelligence Initiative Act of 2020"
　　https://www.congress.gov/bill/116th-congress/house-bill/6216
3　National Artificial Intelligence Initiative Office
4　Office of Science and Technology Policy
5　The White House "The White House Launches the National Artificial Intelligence Initiative Office"
　　https://trumpwhitehouse.archives.gov/briefings-statements/white-house-launches-national-artificial-intelligence-initiative-office/
6　National Science and Technology Council
7　Select Committee on AI　https://www.whitehouse.gov/ostp/ostps-teams/nstc/select-committee-on-artificial-intelligence/

（ＮＡＩＡＣ[1]）が、ＡＩに関する諸問題について、大統領やＮＡＩＩＯに助言を行うこととなっています。このように、政府全体のＡＩ戦略を推進するため、政府、民間企業、学界、その他の関係機関の間の調整・連携が進められています。

また、第1章で見てきたような高度ＡＩ技術の急速な進展と関心の高まりを受けて、米国のバイデン政権は、2023年5月に責任あるイノベーションのための取組方針を示すとともに、同年7月にはＡＩに関する研究開発を牽引（けんいん）する民間事業者7社（Amazon社、Anthropic社、Google社、Inflection社、Meta社、Microsoft社、OpenAI社）が、9月には更に8社（Adobe社、Cohere社、IBM社、NVIDIA社、Palantir社、Salesforce社、Scale AI社、Stability社）が安全性、セキュリティ、信頼性という三つの原則に基づいて自主的な取組を約束したことを発表しています[2]。また、2023年10月、バイデン大統領は、「ＡＩの安全、安心で信頼できる開発と利用に関する大統領令」に署名しました[3]。この大統領令には、「国防生産法（Defense Production Act）」に基づき、重大なリスクをもたらす基盤モデルの開発者に対して、安全性評価の結果を政府に共有することを義務付けることなどが含まれています。本大統領令を踏まえ、11月には、商務省傘下の国立標準技術研究所（ＮＩＳＴ[4]）内に

米国ＡＩ安全研究所（ＵＳＡＩＳＩ[5]）を設立することなどを含めた、安全で責任ある利用を推進する新しいイニシアティブを発表しています[6]。また、著作権に関しては、米国著作権局（ＵＳＣＯ[7]）は、2023年8月、生成ＡＩ技術がもたらす著作権法及び政策上の課題の調査を目的として意見募集を行っています[8]。

このような政策や体制の下、研究開発については、米国・国立科学財団（ＮＳＦ[9]）が、他の連邦政府機関や高等教育機関、その他関係機関と連携して、2020年からＡＩ研究拠点のネットワーク形成を進めています。また2023年5月には、第1-3-3表に示す七つのＡＩ研究拠点の新設を発表[10]しており、これまでに、新設7拠点を含む計25の研究拠点に対して約5億ドルの支援を発表しています。各拠点では、学際的な研究や次世代の人材育成などにも取り組んでいます。また、ＮＳＦは、同年10月、安全性のあるＡＩの開発を推進する、大学等における計11の研究プロジェクトに、総額1,090万ドルを助成することを発表しています[11]。

さらに、2023年1月には、あらゆる分野の研究者や学生が活用可能な計算資源やデータ、教育ツール等の基盤の整備方策について検討を行っていた「国家ＡＩ研究リソース（ＮＡＩＲＲ[12]）タスクフォース」の最終報告書がまとめられ[13]、2024年1月、同報告書で掲げられ

1　National AI Initiative Advisory Committee　https://ai.gov/wp-content/uploads/2023/10/NAIAC-Charter.pdf
2　The White House "FACT SHEET: Biden-Harris Administration Secures Voluntary Commitments from Leading Artificial Intelligence Companies to Manage the Risks Posed by AI"
　　https://www.whitehouse.gov/briefing-room/statements-releases/2023/07/21/fact-sheet-biden-harris-administration-secures-voluntary-commitments-from-leading-artificial-intelligence-companies-to-manage-the-risks-posed-by-ai/
　　The White House "FACT SHEET: Biden-Harris Administration Secures Voluntary Commitments from Eight Additional Artificial Intelligence Companies to Manage the Risks Posed by AI"
　　https://www.whitehouse.gov/briefing-room/statements-releases/2023/09/12/fact-sheet-biden-harris-administration-secures-voluntary-commitments-from-eight-additional-artificial-intelligence-companies-to-manage-the-risks-posed-by-ai/
3　The White House "The White House Executive Order on the Safe, Secure, and Trustworthy Development and Use of Artificial Intelligence"
　　https://www.whitehouse.gov/briefing-room/presidential-actions/2023/10/30/executive-order-on-the-safe-secure-and-trustworthy-development-and-use-of-artificial-intelligence/
4　National Institute of Standards and Technology
5　U.S. Artificial Intelligence Safety Institute
　　https://www.nist.gov/artificial-intelligence-safety-institute
　　2024年2月には、ＵＳＡＩＳＩの幹部人事や、コンソーシアム体制が発表されている。
6　The White House "FACT SHEET: Vice President Harris Announces New U.S. Initiatives to Advance the Safe and Responsible Use of Artificial Intelligence"
　　https://www.whitehouse.gov/briefing-room/statements-releases/2023/11/01/fact-sheet-vice-president-harris-announces-new-u-s-initiatives-to-advance-the-safe-and-responsible-use-of-artificial-intelligence/
7　U.S. Copyright Office
8　ＵＳＣＯ "Copyright and Artificial Intelligence"　https://www.copyright.gov/ai/
9　National Science Foundation
10　ＮＳＦ "NSF announces 7 new National Artificial Intelligence Research Institutes"
　　https://new.nsf.gov/news/nsf-announces-7-new-national-artificial
11　ＮＳＦ "NSF invests $10.9M in the development of safe artificial intelligence technologies"
　　https://new.nsf.gov/news/nsf-invests-10-9m-development-safe-ai-tech
12　National Artificial Intelligence Research Resource
13　The White House "National Artificial Intelligence Research Resource Task Force Releases Final Report"
　　https://www.whitehouse.gov/ostp/news-updates/2023/01/24/national-artificial-intelligence-research-resource-task-force-releases-final-report/

■第1-3-3表／ＮＳＦ　ＡＩ研究拠点（National AI Research Institutes）

拠点名及び主導している大学	テーマ	資金提供主体
NSF Institute for Trustworthy AI in Law & Society（ＴＲＡＩＬＳ）（メリーランド大学）	信頼のおけるＡＩ	ＮＳＦとＮＩＳＴのパートナーシップ
AI Institute for Agent-based Cyber Threat Intelligence and Operation（ＡＣＴＩＯＮ）（カリフォルニア大学サンタバーバラ校）	次世代サイバーセキュリティのためのインテリジェント・エージェント	ＮＳＦ、ＤＨＳ　Ｓ＆Ｔ（国土安全保障省科学技術局）、ＩＢＭのパートナーシップ
AI Institute for Climate-Land Interactions, Mitigation, Adaptation, Tradeoffs and Economy（ＡＩ－ＣＬＩＭＡＴＥ）（ミネソタ大学ツインシティ校）	気候変動に対応した農林業	ＵＳＤＡ－ＮＩＦＡ（農務省国立食品農業研究所）
AI Institute for Artificial and Natural Intelligence（ＡＲＮＩ）（コロンビア大学）	ＡＩの神経・認知的基盤	ＮＳＦとＯＵＳＤ（R＆E）（国防総省研究・工学担当次官室）のパートナーシップ
AI-Institute for Societal Decision Making（ＡＩ-ＳＤＭ）（カーネギーメロン大学）	意思決定のためのＡＩ	ＮＳＦ
AI Institute for Inclusive Intelligent Technologies for Education（ＩＮＶＩＴＥ）（イリノイ大学アーバナ・シャンペーン校）	教育機会拡大や成果向上に資するＡＩ拡張学習	ＮＳＦとＥＤ－ＩＥＳ[1]のパートナーシップ
AI Institute for Exceptional Education（ＡＩ4ExceptionalEd）（バッファロー大学）	教育機会拡大や成果向上に資するＡＩ拡張学習	ＮＳＦとＥＤ－ＩＥＳのパートナーシップ

資料：ＮＳＦ発表（2023年5月）情報を基に、文部科学省作成

たビジョンの実現に向けて、ＮＳＦ主導の下、複数の省庁や企業等が参画して、様々なパイロットプログラムが開始されています[2]。

また、国防高等研究計画局（ＤＡＲＰＡ[3]）は、2018年、次世代ＡＩ技術の開発のため、「AI NEXT Campaign」と称した取組を、複数年にわたり総額20億ドル以上を投じて進めることを発表しています[4]。さらに、現代社会におけるタイムリーな脅威の検出や意思決定に資するモデリングやシミュレーションの自動化、強化を目指して、2021年12月、「科学知識抽出やモデリングの自動化（ＡＳＫＥＭ[5]）プログラム」を開始し[6]（第1-3-4図）、採択された国内外の大学や企業等の研究開発を支援

しています[7]。

産業界では、Google社、Microsoft社、Amazon社などのＩＴ大手企業が、ＡＩをコア技術として、様々な事業を展開しています。例えばGoogle社は、ＡＩを活用した検索、翻訳、音声認識といったソフトのサービスのみならず、対話型生成ＡＩである「Gemini（旧Bard）」や、ＡＩを活用した自動運転技術の開発などにも取り組んでいます。またMicrosoft社は、ＡＩを活用したクラウドコンピューティング、ＡＩプラットフォームなどのサービスを展開するとともに、ＡＩを活用した医用画像の診断支援システムや、学習用教材の開発にも取り組んでいます[8]。

1　Institute of Education Science under the U.S. Department of Education
2　ＮＳＦ "National Artificial Intelligence Research Resource Pilot"　https://new.nsf.gov/focus-areas/artificial-intelligence/nairr
3　Defense Advanced Research Projects Agency
4　ＤＡＲＰＡ "DARPA Announces $2 Billion Campaign to Develop Next Wave of AI Technologies" https://www.darpa.mil/news-events/2018-09-07
5　Automating Scientific Knowledge Extraction and Modeling
6　ＤＡＲＰＡ "Leveraging AI to Accelerate Development of Scientific Models" https://www.darpa.mil/news-events/2021-12-06
7　ＤＡＲＰＡ "DARPA Selects Teams to Improve How Scientists Build/Sustain Models, Simulations" https://www.darpa.mil/news-events/2022-09-23
8　Microsoft社「ＡＩ プラットフォーム、ツール、サービス」　https://www.microsoft.com/ja-jp/ai/ai-platform

■第1-3-4図／ＤＡＲＰＡによる科学知識抽出やモデリングの自動化（ＡＳＫＥＭ）プログラム

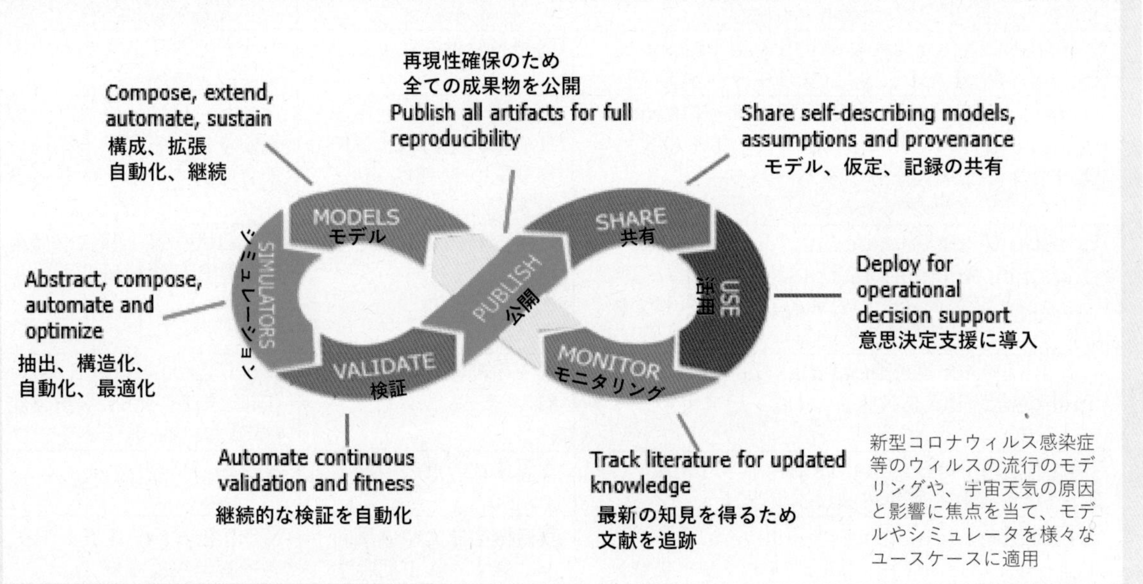

Compose, extend, automate, sustain
構成、拡張
自動化、継続

再現性確保のため
全ての成果物を公開
Publish all artifacts for full reproducibility

Share self-describing models, assumptions and provenance
モデル、仮定、記録の共有

Abstract, compose, automate and optimize
抽出、構造化、
自動化、最適化

Deploy for operational decision support
意思決定支援に導入

MODELS モデル
SHARE 共有
PUBLISH 公開
USE 活用
SIMULATORS シミュレーター
VALIDATE 検証
MONITOR モニタリング

Automate continuous validation and fitness
継続的な検証を自動化

Track literature for updated knowledge
最新の知見を得るため
文献を追跡

新型コロナウィルス感染症等のウィルスの流行のモデリングや、宇宙天気の原因と影響に焦点を当て、モデルやシミュレータを様々なユースケースに適用

資料：ＤＡＲＰＡ ウェブサイトの図に文部科学省で仮訳を付記

1－2．英国

英国では、1950年に数学者アラン・チューリング博士により発表された論文がその後のＡＩ研究の起源ともなっているように、大学を中心にＡＩに関する基礎研究から応用研究まで幅広く研究開発が行われてきています。そのような強みを生かして、英国政府では、ＡＩを安全で信頼できる技術として発展させ、経済成長と社会の持続的発展への寄与を目指すという方針の下、特に2010年代以降、研究開発や産学官の連携、データ共有等について、積極的に様々な政策を講じてきています。

具体的には、2012年に発表された八つの国家重要技術（Great Technologies）の一つにビッグデータを取り上げ、2015年にデータ・サイエンスの研究を行うアラン・チューリング研究所（Alan Turing Institute）[1]を国立の研究機関として設置しました。また、2010年にデミス・ハサビス氏により設立されたスタートアップのDeepMind社が2014年にGoogle社に買収されたことや、国際的な機械学習への関心の高まりも受け、アラン・チューリング研究所を中心としたＡＩの研究が拡充[2]されるとともに、2019年には国民保健サービス（ＮＨＳ[3]）を担当するＮＨＳＸ[4]（当時）の中にNHS AI Lab[5]を設置することが発表されるなど、政府機関による国民サービスにおけるＡＩの活用も進められてきています。

さらに、英国政府は、2021年９月に、英国を世界的なＡＩ強国とするための10年計画として「国家ＡＩ戦略[6]」を発表し、翌2022年７月に「行動計画[7]」を策定しています。現在は、

1　The Alan Turing Institute　https://www.turing.ac.uk/about-us
2　アラン・チューリング研究所は、データ・サイエンスを研究対象として、2015年にＥＰＳＲＣ、ケンブリッジ大学、オックスフォード大学、エディンバラ大学、ＵＣＬ、ウォーリック大学の支援を得て、英国政府によりロンドンに設立された研究所であるが、2017年にはＡＩが研究対象として明確化されるとともに、2018年にはロンドン大学クイーンメアリー校、リーズ大学、マンチェスター大学、ニューカッスル大学、サウサンプトン大学、バーミンガム大学、エクセター大学、ブリストル大学の８大学も加わり、英国におけるＡＩ研究の中核研究拠点として、ＡＩを活用した医療の高度化や、ＡＩを活用した製造業の効率化など様々な共同研究が進められている。
3　National Health Service
4　NHS user experience
5　The NHS AI Lab　https://transform.england.nhs.uk/ai-lab/
6　Government of the United Kingdom "National AI Strategy"
　　https://www.gov.uk/government/publications/national-ai-strategy
7　Government of the United Kingdom "National AI Strategy - AI Action Plan"
　　https://www.gov.uk/government/publications/national-ai-strategy-ai-action-plan/national-ai-strategy-ai-action-plan

■第1-3-5表／博士トレーニングセンター採択拠点（2023年10月発表）

大学名	博士トレーニングセンター（UKRI AI Centre for Doctoral Training）のテーマ
サリー大学 （連携：ロンドン大学・ロイヤル・ホロウェイ校）	デジタル・メディア・インクルージョンのためのAI
オックスフォード大学	環境のためのAI（Intelligent Earth）
リンカーン大学 （連携：アバディーン大学、ストラスクライド大学、クイーンズ大学ベルファスト）	AIによる持続可能な農業食料システム
エディンバラ大学	責任・信頼性ある自然言語処理
ブリストル大学	実践的なAI
ノーザンブリア大学	市民中心のAI
ヘリオット・ワット大学（連携：エディンバラ大学）	ロボティクスのための安心して利用可能なAI
インペリアル・カレッジ・ロンドン	デジタル・ヘルスケア
サウサンプトン大学	持続可能性のためのAI
ヨーク大学	AIによる自律システムの安全性確保
マンチェスター大学（連携：ケンブリッジ大学）	複雑なシステムのための意思決定
エディンバラ大学	バイオメディカル・イノベーション

資料：英国科学・イノベーション・技術省（DSIT）のプレスリリース[1]を基に文部科学省作成

科学・イノベーション・技術省（DSIT[2]）に設置されているAI担当室（Office for Artificial Intelligence）が国家AI戦略の監督責任を負っています。そして、2023年3月に発表した「UK Science and Technology Framework[3]」の中で、AIを五つの重要科学技術の一つと位置付けるとともに、AI分野の研究者の育成・支援政策を発表し[4, 5]、英国研究・イノベーション機構（UKRI[6]）を通じて、責任ある信頼できるAIの確立を目指した研究や人材育成を行う大学に対して支援が行われています（第1-3-5表）。

同時に、研究開発だけでなく、AIの社会への影響に関する研究や議論が積極的に行われてきています。オックスフォード大学には、

2015年に「戦略的人工知能研究センター（SAIRC）[7]」が、ケンブリッジ大学には、2016年に「未来のインテリジェンスLeverhulme研究所[8]」がそれぞれ設立され、AIによる雇用等への影響や安全性についての研究が積極的に進められてきました。このような背景の下、英国政府は、2023年3月、イノベーション促進（プロ・イノベーション）型のAIの規制の方針を発表しています[9]。その後、最先端AIのリスクをまとめるとともに[10]、2023年11月には、AIの安全な開発と活用に関する国際的な会議として、「AI安全性サミット」を英国で開催しました[11]。本サミットにはG7を含む各国首脳・閣僚級のほか、国際機関、主要なAI企業、有識者等が参加し、AIの急速な発

1　Government of the United Kingdom "Britain to be made AI match-fit with £118 million skills package"
　　https://www.gov.uk/government/news/britain-to-be-made-ai-match-fit-with-118-million-skills-package
2　Department for Science, Innovation and Technology
3　Government of the United Kingdom "UK Science and Technology Framework"
　　https://www.gov.uk/government/publications/uk-science-and-technology-framework
4　Government of the United Kingdom "Plan to forge a better Britain through science and technology unveiled"
　　https://www.gov.uk/government/news/plan-to-forge-a-better-britain-through-science-and-technology-unveiled
5　Government of the United Kingdom "£54 million boost to develop secure and trustworthy AI research"
　　https://www.gov.uk/government/news/54-million-boost-to-develop-secure-and-trustworthy-ai-research
6　UK Research and Innovation
7　Strategic Artificial Intelligence Research Centre
　　※同センターが設置されていた「人類の未来研究所（Future of Humanity Institute）」の2024年4月の閉鎖に伴い、同センターも閉鎖された。
8　Leverhulme Centre for the Future of Intelligence　http://lcfi.ac.uk/
9　Government of the United Kingdom "AI regulation: a pro-innovation approach"
　　https://www.gov.uk/government/publications/ai-regulation-a-pro-innovation-approach
10　Government Office for Science "Future Risks of Frontier AI"
　　https://assets.publishing.service.gov.uk/media/653bc393d10f3500139a6ac5/future-risks-of-frontier-ai-annex-a.pdf
11　Government of the United Kingdom "AI Safety Summit 2023"
　　https://www.gov.uk/government/topical-events/ai-safety-summit-2023

展を踏まえた最先端ＡＩに関するリスク理解の促進を図るとともに、国際的に協調した取組を進めていくことなどが盛り込まれた「ブレッチリー宣言（Bletchley Declaration）」が採択されました。我が国からは、首脳級会合に総理大臣、閣僚級会合に総務大臣政務官が出席し、ＡＩが極めて大きな潜在性を有すると同時にリスクもはらんでいることを前提に人類の英知を結集して適切なＡＩガバナンスを国際的に確立することが重要であることを表明しました。また、英国政府は、ＡＩ安全研究所（ＵＫ ＡＩＳＩ[1]）の設置を発表し、今後、国際パートナーとも連携しながら、最先端ＡＩの安全性を検証していくこととなっています。

英国議会では、上院通信・デジタル委員会がＬＬＭと生成ＡＩに関する調査を行い、2024年2月に報告書を発表する[2]とともに、ＡＩに関する議員提出法案についての議論も行われています[3]。

また、英米両政府は、ＡＩ研究に関する開発プロセスの一つである連合学習について、グローバルに連携した研究開発の推進を目的として、「プライバシー強化技術（ＰＥＴｓ[4]）促進チャレンジ」を2022年7月に開始しました[5]。このチャレンジでは、「金融犯罪の防止」と「感染症パンデミックの予測」という二つの課題への解決策を開発者に提示してもらい、構想調書の提出、本物に近い疑似的なデータでの実際の開発・学習、そして同様にチャレンジ参加者となったチームからのプライバシー攻撃への防御耐性という三つの工程が審査されました。最

終的に2023年3月に受賞者が発表され、英米両政府及び関係機関が用意した130万ポンド（160万ドル）が賞金として与えられました[6]。

1－3．欧州連合（ＥＵ）

ＥＵでは、データガバナンスと規制に重点を置いた議論が進められるとともに、ＡＩの開発と利用に関する環境整備を進めています。また、第4章に示すとおり科学におけるＡＩの活用についての議論も進められています。

まず、欧州では、データの安全性とプライバシーを保護するための規制である「一般データ保護規則（ＧＤＰＲ）」が2018年に施行されました。ＧＤＰＲは、ＥＵ域内で個人データを収集・利用する企業に対して、データ主体の同意取得、データの安全性確保、データの移転制限などの義務を課しています。その際には、ＡＩシステムの開発や利用においても、ＥＵ域内の個人データを収集・利用する場合には、ＧＤＰＲの遵守が求められます。

そのような中、2018年、「AI for Europe」と題した戦略[7]が策定され、欧州の技術的・産業的能力の強化や、倫理的・法的枠組みの確保などの方向性が示されました。

このうち、法的な枠組みの確保に関しては、欧州委員会は、2021年4月に、「ＡＩ法案」を提案し、その後の議論により修正が重ねられた上で、2024年3月、欧州議会で、同法案が採

1　UK Artificial Intelligence Safety Institute
　　https://www.gov.uk/government/organisations/ai-safety-institute
2　UK Parliament "UK will miss AI goldrush unless Government adopts a more positive vision"
　　https://committees.parliament.uk/work/7827/large-language-models/news/199728/uk-will-miss-ai-goldrush-unless-government-adopts-a-more-positive-vision/
3　UK Parliament "Artificial Intelligence (Regulation) Bill [HL]"
　　https://bills.parliament.uk/bills/3519
4　Privacy Enhancing Technologies
5　Government of the United Kingdom "UK and US launch innovation prize challenges in privacy-enhancing technologies to tackle financial crime and public health emergencies"
　　https://www.gov.uk/government/news/uk-and-us-launch-innovation-prize-challenges-in-privacy-enhancing-technologies-to-tackle-financial-crime-and-public-health-emergencies
6　Government of the United Kingdom "At Summit for Democracy, the United Kingdom and the United States Announce Winners of Challenge to Drive Innovation in Privacy-Enhancing Technologies that Reinforce Democratic Values"
　　https://www.gov.uk/government/news/at-summit-for-democracy-the-united-kingdom-and-the-united-states-announce-winners-of-challenge-to-drive-innovation-in-privacy-enhancing-technologies
7　European Commission "Artificial Intelligence for Europe"
　　https://eur-lex.europa.eu/legal-content/EN/TXT/?uri=COM:2018:237:FIN

択されました[1, 2, 3]。同法案は、ＡＩの安全性と倫理を確保し、ＡＩがＥＵの価値観に沿った形で開発・利用されるようにすることを目的とし、ＡＩの開発・利用に適用される一般原則を定めるとともに、特定のリスクを伴うＡＩシステムの開発・利用に規制を適用することとしています。具体的には、ＡＩシステムの開発、使用、運用に際して遵守すべき義務を定めており、ＡＩシステムを4段階のリスクレベル（許容できないリスク、高リスク、限定的なリスク、最小限のリスク）に分類（第1-3-6図）し、リスクレベルに応じた規制及び罰則を適用するというリスクベースのアプローチを導入しています。なお、本法案はＥＵ加盟国に所在する事業者のみならず、ＥＵ域内において高リスクのＡＩサービスを提供しようとしたり、市場に参入しようとしたりする第三国の事業者に対しても適用されます。さらに、汎用目的ＡＩ（ＧＰＡＩ[4]）システムとそのベースとなるＧＰＡＩモデルに関しては、重大な汎用性を示しながらも、広範囲の明確なタスクを適切に実行でき、かつ様々な下流のシステムやアプリケーションに統合できるＡＩモデルと位置付けられることから、よりシステミックなリスク（システム全体に波及するリスク）を引き起こす可能性への懸念からも、一定の透明性を確保するための条項や、追加のリスク管理を求める条項などを導入する案が議論されました。

また、欧州フレームワークの中で、機械翻訳を中心に研究開発に対しても支援がなされてきているとともに、2024年1月には、欧州委員会は、ＡＩイノベーションの支援に向けた政策パッケージを発表し[5]、スタートアップや中小企業などを対象とした支援の枠組みを提示しています。その中には、域内で整備が進むEuroHPC JU[6]スーパーコンピュータを活用してスタートアップや中小企業による開発・利用を促進する取組や、欧州としてのＡＩ政策の調整等を行うため欧州委員会内にＡＩオフィスを設置することなどが含まれています。

1　その後ＥＵ理事会の承認を経て成立（2024年5月21日承認）
2　European Parliament "Artificial Intelligence Act: MEPs adopt landmark law"
　　https://www.europarl.europa.eu/news/en/press-room/20240308IPR19015/artificial-intelligence-act-meps-adopt-landmark-law
3　European Parliament "TEXTS ADOPTED: Artificial Intelligence Act"
　　https://www.europarl.europa.eu/doceo/document/TA-9-2024-0138_EN.pdf
4　General-purpose Artificial Intelligence
5　European Commission "Commission launches AI innovation package to support Artificial Intelligence startups and SMEs"
　　https://ec.europa.eu/commission/presscorner/detail/en/ip_24_383
6　The European High-Performance Computing Joint Undertaking

■第 1-3-6 図／ＡＩ法案におけるリスクレベル

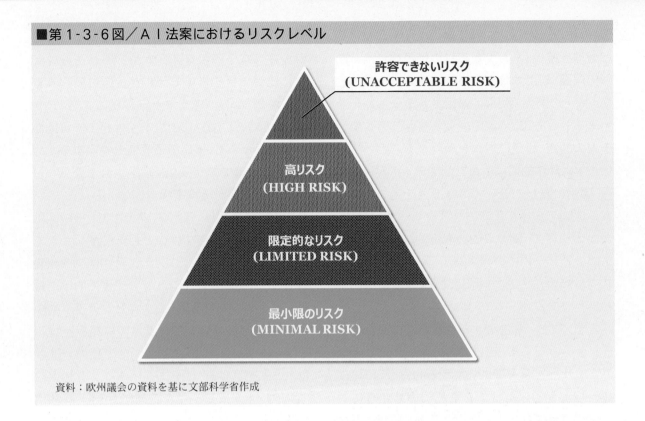

資料：欧州議会の資料を基に文部科学省作成

1－4．ドイツ

ドイツは 2018 年に「ＡＩ戦略（Nationale Strategie für Künstliche Intelligenz）」を発表し、ドイツ及びＥＵをＡＩ技術の先導国とすることや、ＡＩへの投資の刺激、ＡＩ研究エクセレンスセンターネットワーク[1] の発展、研究資金配分スキームの再考などによって将来のドイツの競争力を確保することを掲げるとともに、ＥＵのＡＩ戦略も積極的に推進し、ＥＵ全体の取組と同様、データガバナンスの整備をＡＩ戦略の重要な柱と位置付けています[2]。

また、2020 年には、本戦略を更新し[3]、ＡＩの幅広い応用を強化すると同時に、優れた取組や構造の認知度を高めるために、ドイツと欧州におけるＡＩのエコシステムを更に確立・拡大する必要があるとしています。「共通の善」（公共の利益）のためのＡＩシステムの責任ある開発と応用は、「AI Made in Europe」の特徴かつ不可欠な部分であるとし、さらに、パンデミック対策、持続可能性、特に環境と気候保護、国際的・欧州的なネットワーク構築といったテーマが、新たなイニシアティブの中心となっています。

1－5．フランス

フランスでは、歴史的にも基礎数学分野の研究に強みを有し、ＡＩに関する研究や人材育成を積極的に進めてきており、2021 年 10 月に発表された 2022 年から 2026 年までの政策投融資計画「フランス 2030」においても、ＡＩは重点投資分野の一つとして掲げられています[4]。

1　ＡＩ研究分野をリードする六つの研究機関で構成されたネットワーク
　　Deutsches Forschungszentrum für Künstliche Intelligenz（ドイツ人工知能研究センター）"Network of German Centres of Excellence for AI Research"
　　https://www.dfki.de/en/web/qualifications-networks/networks-initiatives/centres-of-excellence-for-ai-research
2　ドイツ連邦政府 "BMBF VERÖFFENTLICHT KI-AKTIONSPLAN" https://www.ki-strategie-deutschland.de/home.html
　　ドイツ連邦政府 "Artificial Intelligence Strategy"
　　https://www.ki-strategie-deutschland.de/home.html?file=files/downloads/Nationale_KI-Strategie_engl.pdf&cid=729
3　ドイツ連邦政府 "Artificial Intelligence Strategy of the German Federal Government 2020 Update"
　　https://www.ki-strategie-deutschland.de/home.html?file=files/downloads/Fortschreibung_KI-Strategie_engl.pdf&cid=955
4　フランス経済・財務・産業・デジタル主権省 "La stratégie nationale pour l'intelligence artificielle"
　　https://www.economie.gouv.fr/strategie-nationale-intelligence-artificielle
　　科学技術振興機構研究開発戦略センター（2024）「主要国・地域の科学技術・イノベーション政策動向（2024年）」

具体的には、2018年11月に「国家ＡＩ戦略[1]」を発表し、ＡＩを安全で信頼できる技術として発展させ、フランスの経済成長と社会の持続的発展に貢献することを目指して、国立情報学自動制御研究所（Ｉｎｒｉａ[2]）が主導するＡＩプログラムの全国展開や、フランス国立研究機構（ＡＮＲ[3]）におけるＡＩ研究の強化、ＡＩ人材育成、計算資源の増強、二国間・欧州域内・国際協力の強化等の取組に対して、2022年までの４年間に総額６億6,500万ユーロを措置することが計画されました。

また、2021年11月には、同戦略の第２段階の開始を発表し[4]、これまでの訓練を受けた人材の数を増やすとともに、経済におけるＡＩ技術の普及に焦点を当てて、今後５年間でＡＩ分野に、官民で合計22億2,000万ユーロを投資することも示されています。さらに、2023年９月には生成ＡＩ委員会が発足し[5]、様々な分野（文化、経済、技術、研究）の関係者を集めて、政府の決定に情報を提供し、フランスをＡＩ革命の最前線に立つ国とすることを目標に活動しています。

1-6. イタリア

イタリアでは、2021年11月、技術イノベーション・デジタル移行担当大臣が「ＡＩ戦略プログラム2022-2024[6]」を発表し、同国のＡＩに関する研究エコシステムを俯瞰・国際比較した上で、2024年までの、六つの目的と11の優先投資分野、及び三つの目標達成方策が示されています。

具体的には、六つの目的として、①ＡＩのフロンティア研究を推進すること、②ＡＩ研究の分断を減らすこと、③人間中心で信頼できるＡ

Ｉの開発と採用を進めること、④ＡＩを活用したイノベーションとＡＩ技術の開発を促進すること、⑤公共部門におけるＡＩ主導の政策とサービスを開発すること、⑥イタリアにおいてＡＩ人材を創出、維持、誘致することが掲げられています。これらを達成するため、（１）スキルの強化と人材の確保、（２）ＡＩに関する先端研究への投資の増加、（３）行政及び生産部門全般におけるＡＩの活用促進の三つの方策を提示しています。

1-7. カナダ

カナダでは、深層学習の先駆者であるジェフリー・ヒントン・トロント大学名誉教授やヨシュア・ベンジオ・モントリオール大学教授らに牽引（けんいん）されながら、政府による支援の下、大学等における最先端のＡＩ研究開発が進められています。カナダ先端研究機構（ＣＩＦＡＲ[7]）による支援の下2004年に開始された、ヒントン教授（当時）らによる「Neural Computation and Adaptive Perception」プロジェクトが、現在の機械学習研究の先駆けとなりました。2012年にはヒントン教授（当時）が率いるトロント大学のチームが、「深層畳み込みニューラルネットワーク」を用いて、高い精度の画像認識技術を示して世界的な注目を集め、ヒントン教授（当時）が起業したスタートアップ企業DNNresearch社が2013年にGoogle社に買収されたことなどから、トロントやモントリオールなどに大手テクノロジー企業が研究開発拠点を設置し、またＡＩ関連のスタートアップ企業も集積してきています[8]。

このような優れた研究や人材を土台として、カナダ政府は、2017年３月、「汎カナダＡＩ戦

1　フランス高等教育・研究省 "La stratégie nationale de recherche en intelligence artificielle"
　　https://www.enseignementsup-recherche.gouv.fr/fr/la-strategie-nationale-de-recherche-en-intelligence-artificielle-49166
2　Institut National de Recherche en Informatique et en Automatique
3　Agence Nationale de la Recherche
4　フランス経済・財務・産業・デジタル主権省 "STRATÉGIE NATIONALE POUR L'INTELLIGENCE ARTIFICIELLE - 2e phase"
　　https://presse.economie.gouv.fr/wp-content/uploads/2021/11/8bcf2b43571df79a59055eab0cc5047e.pdf
5　フランス経済・財務・産業・デジタル主権省 "Numérique : la France se dote d'un comité de l'intelligence artificielle générative"
　　https://www.economie.gouv.fr/comite-intelligence-artificielle-generative
6　イタリア政府 "Strategic Programme on Artificial Intelligence 2022-2024"
　　https://assets.innovazione.gov.it/1637777513-strategic-program-aiweb.pdf
7　Canadian Institute for Advanced Research
8　日本貿易振興機構（2018）「ＡＩ スーパークラスター トロント、モントリオール」

略」と題した国家戦略を発表し[1]、さらに2022年6月には同戦略の第2段階の開始を発表[2]して、①商用化、②標準、③人材育成と研究開発の三つの柱に沿って、様々な取組が展開されています。

具体的には同戦略の第1期では、カルガリー州エドモントンのアルバータ・マシン・インテリジェンス研究所（Amii）[3]、ケベック州のモントリオール学習アルゴリズム研究所（Mila）[4]、オンタリオ州トロントのベクター（Vector）研究所[5]という三つの国立のAI研究所を中心とした研究・イノベーション・トレーニングのセンター設立など、人材育成とエコシステム構築を目的として、2017年からCIFARなどを通じた取組が展開されました[6]。

第2期では、世界クラスの人材と最先端の研究能力を商業化に結び付け、カナダが有するアイディアと知識の国内での実用化を確実にすることを目指した取組が、カナダ全土でパートナーシップを構築しながら展開されています。2023年10月には、本戦略に基づくこれまでの取組のインパクトを取りまとめ発表しています[7]。2024年3月にはラヴァル大学にAI研究を支えるためにコンピュータ・クラスター創設のための支援が発表されました[8]。

また、2023年9月、カナダ政府は、「高度な生成AIシステムの責任ある開発と管理に関する自主行動規範」を発表しています[9]。汎用性のある生成AIシステムの運用を開発・管理する全ての企業が、AI・データ法[10]に基づく拘束力のある規制に先立って、適用すべき措置及び、これらのシステムの運用を開発・管理する企業が執るべき追加的措置を特定しています。

1－8．中華人民共和国（中国）

中国では、大規模な政府からの投資を背景に、ビッグデータやAIを活用した新しい産業の育成が積極的に進められています。中国政府は、2015年5月に産業政策として「中国製造2025」を発表し、重点分野の一つとして次世代情報技術（半導体、5G、AI）を掲げ、2017年7月には新たに国家戦略として「次世代人工知能発展計画[11]」を発表し、2030年までのロードマップを提示しました。

この計画では、目標として、2020年までにAI技術及び応用を世界先進水準に、2025年までにAI基礎理論を進展させ、一部の技術と応用を世界トップレベルに、最終的には2030年までにAIの理論、技術、応用の全てを世界トップレベルに引き上げ、AIの中核産業の規模を1兆元超にするとともに、牽引（けんいん）される関連産業の規模を10兆元超に成長させることを掲げ、研究開発や人材育成など様々な取組が包含されています。同計画の下、中国政府は、「国家次世代オープン・イノベーション・プラット

1　Government of Canada "Pan-Canadian Artificial Intelligence Strategy" https://ised-isde.canada.ca/site/ai-strategy/en
2　Government of Canada "Government of Canada launches second phase of the Pan-Canadian Artificial Intelligence Strategy" https://www.canada.ca/en/innovation-science-economic-development/news/2022/06/government-of-canada-launches-second-phase-of-the-pan-canadian-artificial-intelligence-strategy.html
3　Alberta Machine Intelligence Institute
　　https://www.amii.ca/
4　Montreal Institute for Learning Algorithms
　　https://mila.quebec/en/mila/
　　1993年にベンジオ氏が創設。現在ではケベック州内のモントリオール大、マギル大など4大学協働の下で運営されている。
5　Vector Institute
　　https://vectorinstitute.ai/
6　CIFAR "The Pan-Canadian AI Strategy" https://cifar.ca/ai/
7　CIFAR "AICan: The Impact of the Pan-Canadian AI Strategy" https://cifar.ca/ai/impact/
8　カナダ連邦政府 "Government of Canada supports creation of AI computing cluster at Université Laval"
　　https://www.canada.ca/en/innovation-science-economic-development/news/2024/03/government-of-canada-supports-creation-of-ai-computing-cluster-at-universite-laval.html
9　カナダ連邦政府 "Voluntary Code of Conduct on the Responsible Development and Management of Advanced Generative AI Systems"
　　https://ised-isde.canada.ca/site/ised/en/voluntary-code-conduct-responsible-development-and-management-advanced-generative-ai-systems
10　カナダ連邦政府 "Artificial Intelligence and Data Act"
　　https://ised-isde.canada.ca/site/innovation-better-canada/en/artificial-intelligence-and-data-act
11　国務院 「新一代人工智能発展規劃的通知」 https://www.gov.cn/zhengce/content/2017-07/20/content_5211996.htm
　　新エネルギー・産業技術総合開発機構 北京事務所「次世代人工知能発展計画」（仮訳）https://www.nedo.go.jp/content/100903937.pdf

フォーム」として、5社5分野（医用画像認識はTencent社、スマートシティはAlibaba Cloud社、自動運転はBaidu社、音声認識はiFLYTEK社、画像処理はSenseTime社）を指定し、技術実証や実装を支援しています[1]。

また、2024年3月の全国人民代表大会における政府活動報告の中で、ＡＩの研究開発と応用を進めデジタル産業クラスターの形成を目指す「ＡＩプラス・イニシアティブ」の立ち上げが発表されました[2]。

ＡＩのリスクやガバナンスについては、2017年の次世代人工知能発展計画の中で倫理規範の重要性も指摘され、中国国家次世代人工知能ガバナンス専門委員会を設立するとともに、2019年6月には「次世代人工知能ガバナンス原則―責任ある人工知能の発展」、2021年9月には「次世代ＡＩ倫理規範」も発表されています[3]。さらに、2023年8月には、当局による事前審査の義務付け等を規定した「生成ＡＩサービス管理暫定弁法[4]」が施行されています。

1－9．シンガポール

シンガポールでは、2014年に発表された「スマート国家構想」に基づき、最先端のデジタル技術の開発や活用に関する様々なプロジェクトが展開される中で、ＡＩに関する研究開発や人材育成も積極的に進められてきました。具体的には、2017年にはＡＩ分野の人材育成を進めるプログラム「ＡＩシンガポール（ＡＩＳＧ）」を創設するとともに、2019年にはＡＩの利活用の促進を通じた経済の変革を目指した「国家ＡＩ戦略（ＮＡＩＳ）[5]」を発表し、大学や企業等における研究開発や利活用が促進されてきました。またそのような取組を通じて、1,100ものＡＩスタートアップ企業がシンガポールを本拠地に選ぶなど、ＡＩエコシステムの形成が進められてきました。

さらに、2023年12月には、シンガポール政府は、新たに「国家ＡＩ戦略2.0（ＮＡＩＳ2.0）[6]」を発表するとともに、東南アジア地域初の大規模言語モデルである「ＳＥＡ－ＬＩＯＮ[7]」の開発を含む、ＬＬＭの研究開発のための、7,000万シンガポールドルのイニシアティブを開始しました[8]。ＳＥＡ－ＬＩＯＮは、東南アジアでも少数の民族グループやリソースの少ない言語にも対応することを目指して構築されています。

現在は、ベースモデルとして30億パラメータモデルと70億パラメータモデル、そして英語とインドネシア語に特化した70億インストラクトモデルの計3種類が利用可能になっています[9]。

1　前掲　科学技術振興機構研究開発戦略センター（2024）「主要国・地域の科学技術・イノベーション政策動向（2024年）」
2　科学技術振興機構アジア・太平洋総合研究センター「全人代2024、科学技術関連内容を読み解く」
　　https://spc.jst.go.jp/experiences/economy/economy_2418.html
3　前掲　科学技術振興機構研究開発戦略センター（2024）「主要国・地域の科学技術・イノベーション政策動向（2024年）」
4　国家インターネット情報弁公室「生成式人工智能服务管理暂行办法」
　　https://www.cac.gov.cn/2023-07/13/c_1690898327029107.htm
5　シンガポール政府 "Singapore National AI Strategy"
　　https://file.go.gov.sg/nais2019.pdf
6　シンガポール政府 "Singapore National AI Strategy 2.0 (NAIS2.0)"
　　https://file.go.gov.sg/nais2023.pdf
7　Southeast Asian Languages In One Network
8　Infocomm Media Development Authority "Singapore pioneers S$70m flagship AI initiative to develop Southeast Asia's first large language model ecosystem catering to the region's diverse culture and languages"
　　https://www.imda.gov.sg/resources/press-releases-factsheets-and-speeches/press-releases/2023/sg-to-develop-southeast-asias-first-llm-ecosystem
9　AI Singapore "SEA-LION"
　　https://aisingapore.org/aiproducts/sea-lion/

■第1-3-7表／主な国・地域のＡＩに関する研究開発の方針（2024年3月末時点）

米国	民間企業に安全性確保についての自主的な取組を約束させるとともに、2023年10月には大統領令を発表し、安全保障上重大なリスクをもたらし得ると考えられる基盤モデルに対しては一定の規制を課しながらも、民間企業や大学における積極的な研究開発を推進。また米国ＡＩ安全研究所（ＵＳＡＩＳＩ）を設立。
英国	イノベーション促進型（プロ・イノベーション）のルール整備をしながら、大学やスタートアップ等での研究開発を積極的に推進。2023年11月「ＡＩ安全性サミット」を開催するとともに、英国ＡＩ安全研究所（ＵＫＡＩＳＩ）を設立。
EU	2024年3月の欧州議会で「ＡＩ法案」を採択。ＡＩシステムをリスクレベルに分類し、リスクレベルに応じた規制を行う方針。また、ＡＩの他分野での活用を含めた研究開発を支援。
日本	事業者ガイドラインを整備しつつ、大学や研究機関、スタートアップを含む民間企業における研究開発を支援。ＡＩセーフティ・インスティテュートを設立。

資料：文部科学省作成

第2節　ＡＩに関する多国間の連携と協働

● 経済開発協力機構（ＯＥＣＤ）

ＯＥＣＤ諸国において、ＡＩが経済、社会、環境など様々な分野で人間生活の一部として機能するようになる一方で、自由なＡＩの活用は現実世界に様々なリスクや疑心を招く可能性があるとの懸念が高まる中、創造的かつ信頼でき、なおかつ人権と民主的価値を尊重するようなＡＩの活用を推進する目的で、2019年（令和元年）5月に「ＯＥＣＤ　ＡＩ原則[1]」が策定されました。この原則は、ＡＩを実用的、流動的に長く活用していくためのＡＩに関する世界初の国家間の基準として採択され、そのＯＥＣＤ　ＡＩ原則の内容は、翌月開催されたＧ20大阪サミットにおいても、そのままＧ20　ＡＩ原則として承認されています。

そして、ＡＩに関する各国の取組の情報共有を進めるため、2020年（令和2年）には「ＯＥＣＤ AI Policy Observatory（ＯＥＣＤ．ＡＩ）」が設立されました。ＯＥＣＤ．ＡＩは前述の原則を推進するとともに、各国がＡＩに関する政策を比較し、客観的根拠に基づいた政策形成を実施できるよう、約70の国・地域のＡＩに関する研究、データ、さらにはトレンドに関するデータセットを公開しています[2]。

● ＡＩに関する国際連携イニシアティブ（ＧＰＡＩ[3]）

2020年（令和2年）に、人権と民主的価値を尊重するようなＡＩの活用を推進する国際連携のイニシアティブとして、ＧＰＡＩが設立されました。ＧＰＡＩは、人間中心の考えに立ち「責任あるＡＩ」の開発・利用を実現するために設立された国際官民連携組織であり、その設立は、2019年（令和元年）8月にフランスで開催されたＧ7ビアリッツサミットにおいて、必要性が提唱されたことに端を発します。同サミットでは、ＡＩの開発と利用において「人間中心の価値」を尊重し、ＡＩの潜在的なリスクを軽減するための国際的な協力の必要性が確認されました。これを受け、2020年（令和2年）5月に開催されたＧ7科学技術大臣会合において、ＧＰＡＩの設立に向けたＧ7の協力が合意に至りました。その後、2020年（令和2年）6月にＧＰＡＩの設立宣言が採択されて、正式に設立されました[4]。2022年（令和4年）11月には年次総会であるＧＰＡＩサミッ

1　OECD Legal Instruments "Recommendation of the Council on Artificial Intelligence"
　　https://legalinstruments.oecd.org/en/instruments/OECD-LEGAL-0449
2　OECD.AI "Trends & data overview" https://oecd.ai/en/trends-and-data
3　The Global Partnership on Artificial Intelligence
4　総務省（2023）「令和5年版情報通信白書」　https://www.soumu.go.jp/johotsusintokei/whitepaper/ja/r05/html/nd258590.html

トが東京において開催され、2022年（令和4年）11月から2023年（令和5年）12月にかけて、我が国が議長国を務めました。

　ＧＰＡＩには、2024年（令和6年）3月現在で29の国・地域が参加しており、各国はＡＩの開発と利用において民主主義、人権、包摂、多様性、イノベーションなどの価値観を共有しています[1]。またＧＰＡＩは、ＡＩの責任ある開発・利用を実現するための取組を進めており、責任あるＡＩ、データ・ガバナンス、仕事の未来、イノベーションと商業化の四つのテーマについて専門家のワーキンググループを設置し、プロジェクトを実施しています。今後も、ＡＩの健全な発展と社会への利活用を促進するために、ＧＰＡＩの活動が期待されます。

● 　G7「広島ＡＩプロセス」

　2023年（令和5年）は、G7議長国として、我が国がＡＩガバナンスの分野における国際的な議論を主導しました。2023年（令和5年）4月に開催されたG7群馬高崎デジタル・技術大臣会合、5月に開催されたG7広島サミットを踏まえ、生成ＡＩについて、そのガバナンスの必要性から、ガバナンスの在り方、知的財産権保護、透明性促進、偽情報への対策及び生成ＡＩ技術の責任ある活用等の諸課題について議論する「広島ＡＩプロセス」を立ち上げ、G7メンバーはＯＥＣＤ、ＧＰＡＩとも連携して、議論を進めてきました。同年9月にオンライン開催された広島ＡＩプロセス閣僚級会合や10月のインターネット・ガバナンス・フォーラム2023京都会合で開催されたマルチステークホルダーハイレベル会合等を経て、10月に「広島ＡＩプロセスに関するG7首脳声明」を発出し、「高度なＡＩシステムを開発する組織向けの広島プロセス国際指針」及び「高度なＡＩシステムを開発する組織向けの広島プロセス国際行動規範」を公表しました。

　さらにG7首脳からの指示を踏まえ、12月

には再度G7デジタル・技術閣僚会合を開催し、日本のG7議長国下での広島ＡＩプロセスの成果物として、「国際指針」、「国際行動規範」を含む「広島ＡＩプロセス包括的政策枠組み」がG7デジタル・技術閣僚声明において承認され、その後、これらの成果についてG7首脳声明で承認されました。閣僚声明の主なポイントは以下のとおりです。

（1）　以下の4要素から構成される「広島Ａ
　　　Ｉプロセス包括的政策枠組み」の策定
①生成ＡＩに関するG7の共通理解に向けた
　ＯＥＣＤレポート（G7共通の優先的な課
　題・リスク及び機会を例示）
②全てのＡＩ関係者向け及びＡＩ開発者向け
　広島プロセス国際指針
③高度なＡＩシステムを開発する組織向けの
　広島プロセス国際行動規範
④偽情報対策に資する研究の促進等のプロ
　ジェクトベースの協力（ＯＥＣＤ、ＧＰＡＩ、
　ＵＮＥＳＣＯ等の国際機関等と協力し、ＡＩ
　によって生成された偽情報を識別するため
　の最先端の技術的能力に関する研究の促進
　等、プロジェクトベースの取組を推進するこ
　とを計画）

（2）　広島ＡＩプロセスを前進させるため
　　　の作業計画（賛同国増加に向けたアウ
　　　トリーチ、国際行動規範への支持拡大
　　　及び企業等による国際行動規範履行
　　　確保のためのモニタリングツールの
　　　導入に向けた取組、ＯＥＣＤ、ＧＰＡ
　　　Ｉ、ＵＮＥＳＣＯとのプロジェクト
　　　ベースの協力の継続）
　2024年（令和6年）のG7の議長国イタリアは、安全・安心・信頼できるＡＩの普及に向けて、昨年のG7日本議長国下で立ち上げた「広島ＡＩプロセス」を継続して推進することを表明しました。3月に開催されたG7産業・

1　　ＧＰＡＩ "About GPAI" https://gpai.ai/about/

技術・デジタル大臣会合で採択された「Ｇ７産業・技術・デジタル閣僚宣言」では、Ｇ７が、主要なパートナー国や企業等からの認知及び支持の拡大等を通じて、今後も広島ＡＩプロセスの成果を前進させることに引き続きコミットすることを確認し、開発途上国・新興経済国を含む主要なパートナー国や組織における広島ＡＩプロセス国際指針及び国際行動規範の普及、採択、適用を促進するためのアクションが歓迎されました。

● **国際連合**

ＡＩの開発や利用に関する規制や管理の在り方について、国連でも議論が進められています。ＡＩが人類のより大きな利益のために活用されることを目指す国連の取組を支援する目的で、国連事務総長の主導の下、国連ハイレベルＡＩ諮問機関が2023年10月に設立されました。2023年12月には、ＡＩのリスク、機会及び国際的なガバナンスについて検討した結果を取りまとめた中間報告書が公表されました[1]。

また、国連加盟国やステークホルダーに対し、安全、安心で信頼できるＡＩの実現のために協力するよう求める総会決議案「持続可能な開発のための安全、安心で信頼できるＡＩシステムに係る機会確保」を米国が提出し、最終的には日本を含む120以上の国・地域が共同提案し、2024年３月、国連総会で、コンセンサスで採択されました[2]。

1　United Nations "Governing AI for Humanity"
　　https://www.un.org/sites/un2.un.org/files/un_ai_advisory_body_governing_ai_for_humanity_interim_report.pdf
2　United Nations "General Assembly adopts landmark resolution on artificial intelligence"
　　https://news.un.org/en/story/2024/03/1147831

コラム1-3　ＡＩ研究に関わる研究者

●江間有沙氏

東京大学国際高等研究所　東京カレッジ准教授
博士（学術）　専門：科学技術社会論

　江間さんの専門は科学技術社会論で、科学技術社会論とは科学技術が政治や経済、文化などの社会との界面で生じる課題を研究する学問であり、社会に埋もれた課題を指摘する側面と、その課題への対策を社会に働きかける側面も持つ領域です。

　江間さんは元々、大学にはいわゆる文科系として入学しましたが、「一人学際」と称して文理問わず講義を受ける中で、もっと理工系の分野を学びたいという思いを抱き、学部２年次末の進路選択の際に理科系の進路に転身しました。科学技術を対象としながら社会や文化について考えることに魅力を感じ、科学技術社会論を知ったそうです。修士課程に進学するかは悩んだそうですが、たまたま出会った方から「いつかアカデミアに戻ってくるつもりがあるならば、修士に進んだ方が良い」というアドバイスを受けたこともあり進学を決意しました。その後、日本学術振興会の特別研究員に選ばれるといった制度的な後押しもあり博士課程まで進学し、研究の道に進むことにしたそうです。

　最近は、ＡＩと社会との関係について広く研究されています。ＡＩは既に様々な場面で使われ、気づかぬうちに社会や生活に深く入り込んでいると言います。生活を便利にする反面、差別や不公正など課題もあることから、ＡＩを安全で適切に利用するガバナンスの在り方を模索しており、その一環として、市民、企業、研究者が垣根を超えて課題や活用法を話し合う、場づくりにも取り組まれています。

　また、2023年10月には、国連事務総長が招集したＡＩに関するマルチステークホルダーによるハイレベル諮問機関の構成員に選出されました。現在は2024年９月に開催される国連未来サミットに向けて、国際的なＡＩガバナンスに関する報告を取りまとめるために議論を深めています。江間さんは社会科学分野の研究者として参加しており、マルチステークホルダーが議論しやすいような土壌を作ること、また声の上げにくい人たちをどのように議論に参加させていけばいいのかを検討することなどについて貢献したいと話します。国際的な場で活躍されている江間さんに、国際社会における日本の位置付け、役割をお聞きしたところ、「日本は欧米と価値観を共有しつつ、アジアとも価値観を共有できる国です。発言力はそれなりにある一方で、強く主張する国ではなく全体のバランスが取れる。そして、先人たちが培ってきた信頼があり日本に対し好意的な人が多いため、例えば、日本で会議をやるなら行きます、と言ってくれる人も多い。こうしたことから、日本は欧米とアジアの調整を担うことが求められているのではないか。」と答えてくれました。地政学リスクが顕在化している現代において、日本に求められる役割は、今後も更に大きくなるかもしれません。

● 欧州評議会の「ＡＩ、人権、民主主義、法の支配に関する枠組条約」

　人権、民主主義、法の支配の分野で国際社会の基準策定を主導する汎欧州の国際機関で、日本、米国、カナダ、メキシコ等もオブザーバー国として参加している欧州評議会（Council of Europe）においても、「ＡＩ、人権、民主主義、法の支配に関する枠組条約」について議論が進められています。

第４章　ＡＩの多様な研究分野での活用が切り拓（ひら）く 新たな科学

ＡＩ技術の進展とともに、高性能な計算資源の開発・普及や研究データの公開・共有を背景に、高度なＡＩ技術を、バイオテクノロジー分野や材料科学分野など様々な分野の科学研究で活用する取組が、「AI for Science」や「AI in Science」等と称されながら、展開されてきており、科学的な課題の解明の加速や研究の生産性の向上等への期待が急速に高まっています。

先駆けとなった事例の一つが、2018年のGoogle DeepMind社の機械学習モデル「AlphaFold」によるタンパク質の立体構造の高精度な予測です（第１節参照）。

また、情報科学分野以外の分野での、ＡＩや機械学習の用語に言及した論文数も増加しています（第1-4-1図）。

このような中、ＯＥＣＤは、2023年６月、「科学におけるＡＩ：課題、機会、研究の未来」と題した報告書を発表[1]しています。ＥＵも、2023年６月、科学におけるＡＩの活用戦略について主任科学顧問グループに諮問[2]するとともに、2023年12月には調査分析報告書も発表し[3]、戦略的な取組の必要性を指摘しています。また、米国科学工学医学アカデミーは、2023年10月、国内外の産学官のリーダーを集めて「科学的発見のためのＡＩ」に関する国際ワークショップを開催し[4]、今後の対応方策について議論を行いました。

我が国においても、文部科学省「情報統合型物質・材料開発イニシアティブ（平成27年度（2015年度）〜令和元年度（2019年度））」にて物質・材料研究機構が機械学習を用いた新物質の設計に成功[5]するなど、研究開発におけるＡＩの活用が始まっていますが、昨今のＡＩ技術の更なる進展を受け、令和６年（2024年）４月から理化学研究所において科学研究向けＡＩ基盤モデルの開発・共用（ＴＲＩＰ－ＡＧＩＳ）[6]が開始される（第２節参照）など、「AI for Science」の取組が加速されようとしています。

このように、科学研究における高度なＡＩの活用に関心が高まり、科学研究のパラダイムシフトを目指した研究が国内外で加速される中、Nature誌が行ったアンケート調査[7]では、多くの研究者がＡＩを研究のツールとして活用することの重要性が今後も大きくなるだろうと期待を示すと同時に、ＡＩツールの誤用や悪用等についての懸念も示しています。ＡＩが持つ特性や制約などに伴う信頼性や安全性に関する課題は、科学研究でのＡＩの活用においても共通の課題となっており、責任ある利用が求められています。

本章では、こうした状況を踏まえ、高度なＡＩの研究開発における活用について、国内外の具体的な取組を紹介しながら、その影響や課題を説明します。

1　ＯＥＣＤ "Artificial Intelligence in Science: Challenges, Opportunities and the Future of Research" https://www.oecd.org/publications/artificial-intelligence-in-science-a8d820bd-en.htm
2　European Commission "Scoping Paper : Successful and timely uptake of Artificial Intelligence in science in the EU" https://research-and-innovation.ec.europa.eu/system/files/2023-07/Scoping_paper_AI.pdf
3　European Commission "Harnessing the potential of Artificial Intelligence in science to boost Europe's global competitiveness" https://research-and-innovation.ec.europa.eu/news/all-research-and-innovation-news/harnessing-potential-artificial-intelligence-science-boost-europes-global-competitiveness-2023-12-13_en
4　The National Academies of Sciences, Engineering, and Medicine "AI for Scientific Discovery - A Workshop" https://www.nationalacademies.org/event/40455_10-2023_ai-for-scientific-discovery-a-workshop
5　物質・材料研究機構 情報統合型物質・材料開発イニシアティブ「機械学習により熱流を制御するナノ構造物質の最適設計に成功」 https://www.nims.go.jp/MII-I/news/d53p8f000000639k.html
6　理化学研究所「科学研究基盤モデル開発プログラム」https://www.riken.jp/research/labs/trip/agis/
7　Van Noorden, R., Perkel, J.M., (2023), "AI and science: what 1,600 researchers think", Nature 621, 672-675. https://www.nature.com/articles/d41586-023-02980-0

■第１-４-１図／ＡＩ・機械学習を用いた論文の状況

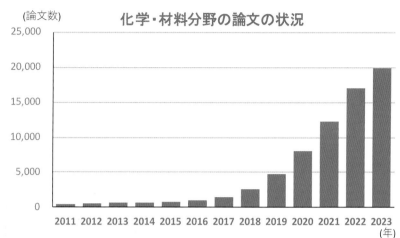

化学・材料分野の論文の状況

2011-2023年累積上位15か国・地域（整数カウント）

国・地域	論文数
中国	24,934
米国	11,181
韓国	6,477
インド	3,914
ドイツ	3,301
イングランド	3,230
サウジアラビア	3,194
日本	2,829
スペイン	2,483
イタリア	2,211
台湾	2,102
イラン	2,091
カナダ	1,909
オーストラリア	1,780
パキスタン	1,730

生命科学・医科学分野の論文の状況

2011-2023年累積上位15か国・地域（整数カウント）

国・地域	論文数
中国	26,591
米国	25,904
イングランド	6,325
ドイツ	6,087
インド	6,001
韓国	4,210
カナダ	4,057
イタリア	3,654
日本	3,439
オーストラリア	3,210
フランス	2,942
オランダ	2,719
スペイン	2,672
スイス	2,221
台湾	2,123

注：Web of Scienceを利用し、化学・材料分野及び生命科学・医科学分野で、"artificial intelligence"，"machine learning"，"deep learning"，"Neural Network"，"Bayesian optimization"，"Large language Models" 又は "Natural Language Processing" をキーワードに含む論文（article及びreview）の件数を集計

資料：科学技術振興機構研究開発戦略センター

第１節　多様な科学分野における高度なＡＩの活用（AI for Science）

　科学研究におけるＡＩの活用の仕方も、その分野や目的に応じて多様化・高度化してきているとともに、用いる基盤モデル等も更に進展してきています。一般に科学研究とは、仮説を立て、その仮説を実験や観測等を通じて検証することで進められますが、この一連のプロセスの中で、高度なＡＩを、研究・観測データの分析、仮説の生成・推論、予測、研究の自律化等に活用することが期待されており、様々な研究が進められてきています[1]。

　本節では、国内外の主な取組事例を紹介します。

1　Wang, H., et al., (2023), "Scientific discovery in the age of artificial intelligence", Nature 620, 47-60.
　https://www.nature.com/articles/s41586-023-06221-2
　科学技術振興機構研究開発戦略センター（2023）「人工知能研究の新潮流２〜基盤モデル・生成ＡＩのインパクト〜」
　同（2024）「次世代ＡＩモデルの研究開発」

コラム1-4　ノーベル・チューリング・チャレンジ（Nobel Turing Challenge）[1,2]

　平成28年（2016年）に、株式会社ソニーコンピュータサイエンス研究所の北野所長により提唱された「2050年までに、ノーベル賞級かそれ以上の科学的発見を高度に自律的に行うＡＩを開発する」ことを目標に掲げたチャレンジです。これは、チャレンジとクエスチョンで構成され、ノーベル賞級の科学的発見を行うＡＩの開発がチャレンジで、そのＡＩが人間と見分けがつかないように振る舞うのか（チューリングテストをパスするのか？）、それとも全く違う知性となるのかがクエスチョンです。科学的発見のプロセスの自律化に向けた様々な技術等について、これまで数回にわたり、英国、日本、米国、スウェーデンなどで国際ワークショップを開催するなどしながら、議論や挑戦が続けられています。また同目標は、国際的な目標にもなりつつあり、英国のアラン・チューリング研究所では、提唱者の北野所長も招へいして、「The Turing AI Scientist Grand Challengeプロジェクト」を2021年１月に開始しています。また、シンガポール政府も本格的な取組を始め2024年７月には国際会議を主催すると同時に、研究プロジェクトを立ち上げる予定です。

１－１．ＡＩを活用した科学データの改良や情報の抽出

　膨大な科学データの分析に高度なＡＩを活用することで、従来の伝統的な研究方法では見逃されがちな情報や関連性を明らかにし、新しい発見や革新的な洞察をもたらす可能性が期待されています。

●宇宙観測データのノイズ除去

　情報・システム研究機構統計数理研究所と自然科学研究機構国立天文台の研究チームは、令和３年（2021年）、深層学習技術（敵対的生成ネットワーク）を活用して、実際の銀河データから暗黒物質地図を作成する際に生じるノイズを除去することで、これまでノイズに埋もれていた暗黒物質の地図を描くことに成功しました[3]。ＡＩの活用により、これまで観測だけでは難しかった暗黒物質の低密度領域を調査できるようになることで、暗黒物質の候補と考えられている素粒子の質量や、暗黒物質同士の間に働く力に関する情報を得られる可能性があり、宇宙の謎の解明が加速されることが期待されています。

●超音波画像診断支援

　理化学研究所ＡＩＰセンターのがん探索医療研究チームは、令和４年（2022年）、超音波検査にＡＩ技術を適用する際のＡＩの判定根拠を可視化し、検査者の診断を支援する新技術を開発しました[4]。産婦人科をはじめ幅広い医学領域において、更に多くのＡＩを活用した超音波画像診断支援技術が導入されると予想される中、本技術により、臨床現場で医療従事者及び患者がＡＩ搭載医療機器をより信頼して利用できるようになることが期待されています。

１－２．ＡＩを活用したシミュレーションの高度化・高速化

　深層学習技術等を用いて、膨大な科学データから立体構造や候補物質等を予測するモデルを作成し、特定プロセスを効率化、迅速化する取組も加速しています。

●タンパク質の立体構造の予測

　既に発見されたタンパク質は２億種類以上あると言われていますが、その働きを理解して、病気に対処したり新薬を開発したりするためには、立体構造を知ることが重要です。Ｘ線結

1　Kitano, H., (2016), "Artificial Intelligence to Win the Nobel Prize and Beyond: Creating the Engine for Scientific Discovery", AI Magazine 37, 39-49. https://doi.org/10.1609/AImag.v37i1.2642

2　Kitano, H., (2021), "Nobel Turing Challenge: creating the engine for scientific discovery", npj Systems Biology and Applications 7, 29. https://doi.org/10.1038/s41540-021-00189-3

3　情報・システム研究機構統計数理研究所「埋もれた暗黒物質の地図を掘り起こす ―観測・シミュレーション・人工知能のタッグで描くクリアな宇宙―」
https://www.ism.ac.jp/ura/press/ISM2021-06/pr0702.pdf

4　理化学研究所　「説明可能ＡＩを用いた超音波画像診断支援－胎児心臓超音波スクリーニングへの臨床応用に期待－」
https://www.riken.jp/press/2022/20220322_2/index.html

■第1-4-2図／タンパク質の構造変化の予測

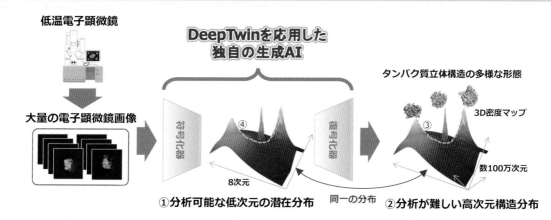

資料：富士通株式会社

晶構造解析、低温電子顕微鏡、核磁気共鳴など
の実験的手法により行われてきていますが、時
間とコストが課題となっています。そのような
中、Google DeepMind社が開発した、タンパク
質の立体構造の予測を行う機械学習モデルの
AlphaFoldが、2018年に開催されたタンパク質
構造予測の国際コンペティションＣＡＳＰ[1]13
で1位を獲得し、2020年のＣＡＳＰ14では、
改良されたAlphaFold2で、更に飛躍的に高い精
度を示しました。その後、2021年7月にソース
コードが公開され、2022年7月には既知のタ
ンパク質の配列約2億種類に対する構造予測
が行われたことがGoogle DeepMind社から発
表されました[2]。変異や他のタンパク質との相
互作用による形状変化には対応していないこ
となどが同モデルの課題として指摘されては
いますが、構造予測分野の研究の進め方に大き
な変革がもたらされました。

●タンパク質の構造変化の予測

　タンパク質の広範囲な構造変化を予測する
ためには、最初に構造の割合を推定し、次に構
造の時間変化を正確に推定する必要がありま
す。令和5年（2023年）、富士通株式会社と理
化学研究所は、独自の生成ＡＩ技術

「DeepTwin」と、スーパーコンピュータ「富
岳」で処理した大規模な画像データを活用する
ことで、「タンパク質の立体構造の多様な形態
と割合を正確に推定する生成ＡＩ技術」と「タ
ンパク質の立体構造の低次元特徴量を基に構
造変化を予測する技術」という新たな技術を開
発し、これにより標的タンパク質の構造変化の
予測を従来の1日から2時間に短縮すること
を可能としました[3]（第1-4-2図）。

●原子レベルのシミュレーションの高速化

　広範な分野における新材料開発では、多様な
元素に対応するのみならず、材料特性を左右す
る物質の原子構造、密度や結合状態といった性
質をより正確に予測できることが重要ですが、
これまで、材料の電子状態を調べるためには、
時間のかかるシミュレーション計算が必要で
した。株式会社Preferred Networksは、ENEOS
株式会社との共同研究により、材料探索のため
の汎用的な原子シミュレーションを実現する
深層学習技術を組み込んだ汎用原子レベルシ
ミュレータ「Matlantis」を開発し、令和4年
（2022年）よりサービスの提供を開始してい
ます[4]。従来の物理シミュレータに深層学習技
術を組み込むことで、計算スピードを従来の数

1　　Critical Assessment of Protein Structure Prediction
2　　Google DeepMind社 "AlphaFold reveals the structure of the protein universe"
　　　https://deepmind.google/discover/blog/alphafold-reveals-the-structure-of-the-protein-universe/
3　　富士通株式会社「富士通と理化学研究所、独自の生成ＡＩに基づく創薬技術を開発」 https://pr.fujitsu.com/jp/news/2023/10/10-1.html
4　　株式会社Preferred Computational Chemistry「Matlantis™のコア技術と仕組み」 https://matlantis.com/ja/product

万倍に高速化するとともに、領域を限定しない様々な物質への適用を可能にしました。

●望ましい特性を持つ材料や反応の発見

　材料分野においては、高性能の電池材料や超伝導材料の探索など特定の性質を持つ新しい材料の効率的な発見や、材料の物理的・化学的性質や反応特性の予測へのＡＩの活用に関する研究開発が進められています。

　例えば、物質・材料研究機構では、令和5年（2023年）9月、ＡＩとの協働で耐熱合金の強度を向上させることに成功したことを発表しました[1]。ニッケル・アルミニウム合金の熱処理の条件パターンの数は、約35億通りと非常に膨大になりますが、膨大な組合せから最適パターンを効率的に探索するＡＩアルゴリズムを用いて、従来法より優れた110通りのパターンが発見されました。この結果を研究者が更に分析し、ＡＩが発見したパターンよりも更に合金の高温強度を向上できる熱処理法を設計しました。ＡＩのみの探索結果よりも性能が向上しており、ＡＩと研究者の協働モデルとも言えます。

●気象予測

　近年、世界各地で異常気象が頻発化・激甚化している中、より迅速で正確な予測がますます重要となっています。2023年（令和5年）11月、Google DeepMind社は、10日間の天気予報を、前例のない精度で1分以内に提供することが可能なＡＩモデル「GraphCast」を発表しました[2]。従来の天気予報では、物理方程式やアルゴリズムに基づく数値予報モデルが用いられていますが、その設計には時間がかかるとともに、正確な予測には高度な専門知識と大規模な計算資源が必要となります。このGraphCastでは、深層学習技術を用いて、物理方程式の代わりに、数十年にわたる過去の気象データを用いて、現在から未来の地球の天気の変化を支配する因果関係のモデルを学習させています。既に、同モデルのオープンソースも公開されており、サイクロンの進路や洪水リスクなどをより高精度に予測することで、警報や対応策の改善につながることが期待されています。

●フュージョンエネルギーのプラズマ挙動予測

　磁場閉じ込め方式によるフュージョンエネルギーの実現には、長い時間にわたって1億度を超える超高温プラズマを制御することが必要となりますが、その複雑な挙動を予測して制御することが挑戦的な課題となっています。このため、量子科学技術研究開発機構那珂フュージョン科学技術研究所や、自然科学研究機構核融合科学研究所などでは、機械学習を活用し、プラズマ密度・温度挙動の予測[3]や、放射崩壊に至るプラズマの変化[4]に関する研究が行われています。また、Google DeepMind社は2022年（令和4年）2月、スイス連邦工科大学との共同研究により、深層強化学習技術を用いて、トカマク型核融合炉内で、超高温で不安定なプラズマ状態を安定的に維持するための、自律的に磁気コイルを制御するアルゴリズムを開発したと発表しています[5]。フュージョンエネルギーの実現に向けて、高度なＡＩの更なる寄与が期待されています。

1　物質・材料研究機構「ＡＩと材料研究者のコラボで耐熱材料を強くする　～ＡＩの一見奇抜な『手』から納得の熱処理法を考案～」
　　https://www.nims.go.jp/news/press/2023/09/202309250.html
2　Google DeepMind社 "GraphCast: AI model for faster and more accurate global weather forecasting"
　　https://deepmind.google/discover/blog/graphcast-ai-model-for-faster-and-more-accurate-global-weather-forecasting/
3　量子科学技術研究開発機構「量子科学技術でつくる未来 核融合発電　第15回 ＡＩで高速・高精度化」
　　https://www.qst.go.jp/site/fusion/nks-rensai-15.html
4　自然科学研究機構核融合科学研究所「プラズマの崩壊発生を予知し、崩壊に向かうプラズマの変化を捉える」
　　https://www.lhd.nifs.ac.jp/pub/Science/Paper_PFR16-2402010.html
5　Google DeepMind社 "Accelerating fusion science through learned plasma control"
　　https://deepmind.google/discover/blog/accelerating-fusion-science-through-learned-plasma-control
　　Degrave, J., et al., (2022), "Magnetic control of tokamak plasmas through deep reinforcement learning", Nature 602, 414-419.
　　https://www.nature.com/articles/s41586-021-04301-9

●流体科学シミュレーションの短縮化

　自動車の車体の設計などでは、燃費性能向上の観点から、車体が受ける空気抵抗等を調べるための流体シミュレーション（ＣＦＤ[1]）が行われていますが、複雑な流体現象の解析には多くの計算時間や大量のデータが必要となります。株式会社アラヤが開発した「NeumaticAI」は、ＡＩとＣＦＤのハイブリッドにより、設計サイクルの総合的な時間の短縮化を実現しています[2]。活用できるＣＦＤ技術は最大限活用し、ＡＩがＣＦＤにおいて担う箇所を最小限にとどめているため、少量の学習データでの高い汎化性と信頼性を備えた解析が期待されています（第1-4-3図）。

1－3. ＡＩを活用したリアルタイムでの予測や制御

　掃除や料理といった家事から移乗支援などの介護まで人間と同じように行うことのできるロボットの開発は、現在のロボティクスでは非常に難しく、ＡＩを活用することで、環境に応じて予測を行いながら、人間と同様に複数のタスクをこなす技術の開発が期待されています。例えば、ムーンショット目標3「2050年までに、ＡＩとロボットの共進化により、自ら学習・行動し人と共生するロボットを実現」の中で、早稲田大学の菅野重樹教授、尾形哲也教授らの研究チームは、深層学習技術を応用し、リアルタイムで高次元の感覚と運動の変化を予測しながら、予測誤差を最小化する技術（深層予測学習技術）を活用した世界最高水準の人共存型スマートロボット（ＡＩＲＥＣ）による人間の手作業、主に家事の支援の実現に向けた研究開発を進めています。

1－4. ＡＩを活用した科学的仮説の生成や推論

　ＡＩを活用した大規模なデータからの仮説の生成や探索によって、人間の認知限界やバイアスを超えた科学的発見につながることへの関心も高まっています。

　我が国においては、令和4年（2022年）、京都大学の橋本幸士教授らによる「『学習物理学』の創成－機械学習と物理学の融合新領域による基礎物理学の変革」が、科学研究費助成事業（科研費）の「学術変革領域研究（Ａ）」の一つとして採択され、複数の大学や研究所の研究者の参画を得ながら、新法則の発見、新物質の開拓といった基礎物理学の重要な課題に、機械学習の手法を物理学と融合することで挑戦する研究が進められています[3]。

■第1-4-3図／NeumaticAIの仕組み

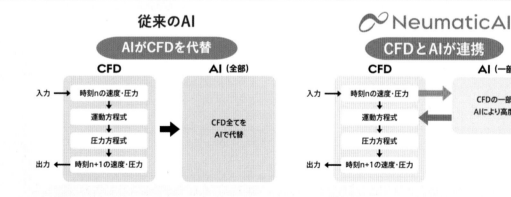

資料：株式会社アラヤ

1　　Computational Fluid Dynamics
2　　株式会社アラヤ「NeumaticAI　ＣＦＤとＡＩのハイブリッド技術　高信頼かつ高速な空力特性予測ソリューション」
　　　https://www.araya.org/service/neumaticai/
3　　ＭＬＰｈｙｓ「学術変革領域研究（Ａ）　学習物理学の創成」（文部科学省科学研究費補助金）
　　　https://mlphys.scphys.kyoto-u.ac.jp/about/

1－5．ＡＩを活用した実験・研究室の自律化

　ＡＩの科学での活用は、ＡＩとロボット技術を組み合わせることで、研究実験の一部又は全部を自動化するという新たな進展をもたらしています。ロボットによる高速な化合物スクリーニングや、自動化された実験のセットアップだけでなく、ロボットが過去の研究データや論文からの情報を活用して新しい研究の設計を最適化しながら、センサーや高度な計測装置からのデータをリアルタイムで収集・分析し、仮説の評価・検証を行うなど、自律的な実験・研究の実現に向けた取組も始められています（第1-4-4表）。

■第1-4-4表／実験・研究室の自動化・自律化の取組例

名称	大学等	概要
mobile robotic chemist	英国・リバプール大学	水から水素を作る高性能な光触媒の探索を目的とした実験を行うことができる移動ロボット。8日間で688の実験を行ったことを2020年に発表。
Self-Driving Lab	カナダ・トロント大学	ＡＩ、ロボット工学、高性能計算を組み合わせて、新しい材料や分子の発見を加速。
A-Lab	米国・ローレンス・バークレー国立研究所	ロボットとＡＩの導入により、材料研究のペースを100倍に加速。
自律物質探索ロボットシステム	東京大学、東京工業大学	機械学習と定常動作を繰り返す機械を融合した自律的物質探索ロボット。
自動実験ロボット	理化学研究所、大阪大学	手先にカメラとピペットを取り付けたロボットアームと、コンピュータ上で再現した実験環境の3次元モデルとを組み合わせることで、適切な実験操作を自律的に生成することができるＡＩを開発・活用して、植物の形状を個体ごとに識別し、個別の葉に溶液を添加するなどきめ細かな実験が自動化できることを実証。

資料：公開情報を基に文部科学省作成

　東京工業大学では、無機固体物質において世界で初めてとなる、全自動で自律的に物質探索を行うシステム（自律物質探索ロボットシステム）を令和2年（2020年）に開発しました[1]。本ロボットシステムの利用により、人間が介在することなく最適な物性値を有する薄膜を従来の10倍程度の実験効率で作製することができます（第1-4-5図）。

■第1-4-5図／自律的な物質探索ロボットシステム

提供：東京工業大学

1　東京工業大学「自律的に物質探索を進めるロボットシステムを開発　物質・材料研究開発の進め方について革新を起こす」
　https://www.titech.ac.jp/news/2020/048276
　東京大学大学院理学系研究科一杉研（固体化学研究室）　https://solid-state-chemistry.jp/index

また、理化学研究所と大阪大学の共同研究グループでは、「植物」という規格化されていない対象の特徴をサンプルごとに認識しながら、ロボットアームの動作を自動的に生成し、きめ細かで多様な実験条件に柔軟に対応できる自律性を付与することで、人間が介在しない自律実験を遂行するＡＩシステムを令和５年（2023年）に開発しました[1]（第１-４-６図）。

■第１-４-６図／見て考える自動実験ロボットと植物へのきめ細かな液体添加

提供：理化学研究所

このような研究開発は、既に産業でも利用され始めています。中外製薬株式会社では、ラボオートメーションやデジタル技術の活用により、創薬実験の効率化に取り組んでいます。抗体創薬では、ロボティクスの活用により、数百から数千の抗体の作り出し、網羅的なデータ収集を通じて、抗体の多面的な最適化を実現しています。さらに、自社開発されたＡＩを用いた「ＭＡＬＥＸＡ®」は、得られた膨大なデータを学習することによって、研究員が考えるよりも優れた性質を持つ抗体配列のデザインを可能としています（第１-４-７図）。令和５年（2023年）に中外ライフサイエンスパーク横浜を本格稼働させていますが、本研究所では低分子と抗体という二つの異なるモダリティに対応するスクリーニングシステムや、抗体遺伝子クローニング（同じ遺伝子型となる細胞集団を作製すること）の自動化システムなど、多種多様な自動化システムが動いており、新規の創薬モダリティ（創薬技術の方法・手段を包括したカテゴリー）である中分子の実験自動化にも取り組んでいます。

■第１-４-７図／抗体創薬研究を支援する遺伝子クローニングシステム及びＡＩ技術

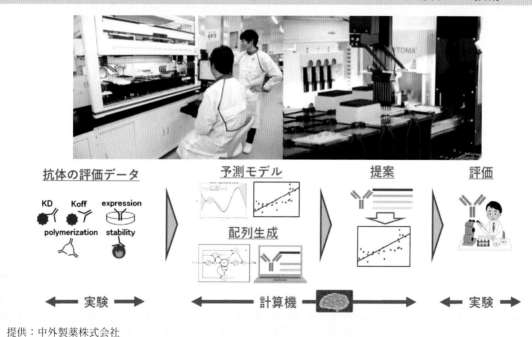

提供：中外製薬株式会社

1　理化学研究所「周りを見て考えて手を動かす自動実験ロボ―実験環境を認識しロボットを動かす生成系ＡＩの開発―」
　　https://www.riken.jp/press/2023/20231225_1/index.html

このような研究の自動化・自律化により、研究者は実験における単純作業の繰り返しから解放され、創造的な仕事に取り組む時間を増やすことができ、また、大量の研究データを解析することにより、新たな発見や科学の課題解明につながることが期待されています。

さらに、研究活動の在り方そのもののパラダイムシフトを目指して、文部科学省は令和6年度（2024年度）戦略目標に「自律駆動による研究革新」を掲げ、今後、ＡＩ、シミュレーション、ロボット、データ、各研究分野別の知見を融合させ、情報が不足した中でも適切に処理して自律的に研究プロセスを駆動させる方法論や、その活用環境の創出等に関する研究課題を公募・支援していくこととしています。

■第1-4-8図／ＡＩロボット駆動の国内関連プロジェクトの経緯[1]

分野	プロジェクト
AI・ロボット	MS目標3「人と融和して知の創造・越境をするAIロボット」（R5〜） MS目標3「人とAIロボットの創造的共進化によるサイエンス開拓」（R3〜）
ライフサイエンス	CREST「データ駆動・AI駆動を中心としたデジタルトランスフォーメーションによる生命科学研究の革新」（R3〜R10） 北海道大学創成研究機構化学反応創成研究拠点（H30〜R9） 未来事業「ロボティックバイオロジーによる生命科学の加速」（H30〜R7）
ナノテク・材料	データ創出・活用型マテリアル研究開発プロジェクト事業(DxMT)（R3〜） マテリアル先端リサーチインフラ(ARIM)（R3〜） 未来事業「マテリアル探索空間拡張プラットフォームの構築」（R1〜R8）
プラットフォーム	次世代の研究DXプラットフォーム構築による「未来の予測制御の科学」の開拓（TRIP）（R5〜） AI等の活用を推進する研究データエコシステム構築事業（R4〜） NIMSデータ中核拠点（R3〜）

FY: 2018 2019 2020 2021 2022 2023 2024 2025 2026 2027 2028 2029 2030

資料：科学技術振興機構研究開発戦略センター（2024）「次世代ＡＩモデルの研究開発」

1　科学技術振興機構研究開発戦略センター（2024）「次世代ＡＩモデルの研究開発」

コラム1-5　ムーンショット目標３「人と融和して知の創造・越境をするＡＩロボット」

●プロジェクトマネージャー　牛久祥孝氏
オムロン サイニックエックス株式会社　リサーチバイスプレジデント

ムーンショット目標３でＡＩロボットのプロジェクトを率いていらっしゃる、牛久プロジェクトマネージャーにお話を伺いました。

イノベーションにおいて、持続的な性能向上には演繹的思考が、パラダイムの破壊には帰納的思考と創発による知の創造や、分野を回遊する知の越境が必要です。本研究では2030年までに、研究者の思考を論文から理解するＡＩを構築した後、人と対話しながら主張→実験→解析→記述のループを回して研究できるＡＩロボットを開発してまいります。2050年には研究者とＡＩが融和し、ノーベル賞級の研究成果を生み出す世界を目指しています。

我々はもとより、人と機械の融和を実現するＡＩやロボットの研究を進めております。その中で、研究開発に従事する人々がより創造的な仕事を楽しむことができるように、研究の仮説発見や実験の作業などを理解して補助できるＡＩ／ロボットを研究してまいりました。具体的なロボットの研究としては、材料の粉体を量り取って粉砕しながら混ぜるロボットや、人の言語指示と視覚データからシンボリックプランニングを実行するロボットがあります。ＡＩとしては、観測されたデータから法則を発見する関数同定問題や材料の物性推定、新材料の生成等を行えるものを開発してきました。

令和５年（2023年）１月から始まったムーンショットプロジェクトとしては、まず文献理解に注力しました。既存の論文の中で、論文ごとの冒頭の貢献の主張と実験結果の関係性を理解し、複数の論文をまとめて要約的に理解するとともに、論文から実験を再現するようなＡＩの研究開発に取り組みました。今後はＡＩサイエンティストがより広範な実験を自動実行しながら新規仮説を人間の研究者と共に生み出せるような技術に昇華してまいりたいと考えております。同目標３の原田香奈子プロジェクトマネージャーとも連携し、マテリアルズやバイオなど広範な領域でＡＩロボット駆動による科学のパラダイムシフトを目指してまいります。

第２節　次世代ＡＩの更なる活用に向けた基盤モデルやアルゴリズムの開発

前節で見てきたように、高度なＡＩの科学研究での活用は、研究開発の高速化や新しい発見の促進、研究の質の向上など、様々な面で大きな変化がもたらされてきていますが、進展し続けるＡＩの更なる活用に向けて、基盤モデルやアルゴリズムの開発も進められています。

理化学研究所では、特定科学分野（ドメイン）指向の科学研究向けのＡＩ基盤モデルの開発（第1-4-9図）を令和６年（2024年）４月から本格化しています。同月には、文部科学省と米国エネルギー省との間で事業取決めを改訂し、AI for Scienceでの協力枠組みを新たに設けるとともに、理化学研究所と米国アルゴンヌ国立研究所が覚書を締結し、日米が連携してAI for Scienceに取り組んでいくこととしています。

■第1-4-9図／科学研究向けＡＩ基盤モデルの開発・共用（ＴＲＩＰ－ＡＧＩＳ）

良質なデータ
- トレーニングやファインチューニング、インストラクションなどに必要なデータを良質な形で整備
- データを蓄積する関係研究機関と連携
- 特定科学分野：まずは、
  - 生命・医科学分野　（例：薬剤候補の探索や細胞の刺激応答予測、疾患への適応予測）
  - 材料・物性科学分野（例：材料機能を実現する物質構造やその作製方法の提案）など

先進モデル
- 基盤モデルを活用し、特定科学分野（ドメイン）指向の科学基盤モデルを開発・運用・共用
- 並行して、マルチモーダルデータを読込・学習・生成するために必要な研究開発

計算資源
- スパコン「富岳」の大規模言語モデル分散並列学習手法の開発（実施中）、成果の活用
- 試行錯誤を繰り返して、小規模モデルから徐々に大規模化し、大規模計算時は政府全体として整備する計算資源を活用
- 並行して、「高速」、「セキュア」、「エコ」を実現する革新的な計算資源の研究開発

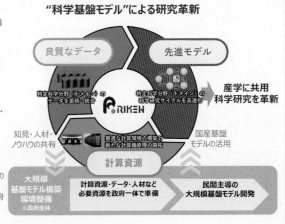

資料：理化学研究所

また、文部科学省が設定した戦略目標「『バイオＤＸ』による科学的発見の追究」の下、科学技術振興機構の戦略的創造研究推進事業では、令和3年度（2021年度）から研究領域「データ駆動・ＡＩ駆動を中心としたデジタルトランスフォーメーションによる生命科学研究の革新」で公募を行い、これまで計17件の研究課題を採択・支援してきています[1]。

●量子ＡＩ

ＡＩで可能となってきていることを、量子コンピュータで取り組むといった量子ＡＩや量子機械学習と呼ばれる分野の研究が加速してきています。平成30年（2018年）、大阪大学の御手洗光祐准教授が藤井啓祐教授らと共に量子コンピュータと古典コンピュータを併用するアルゴリズムの中で機械学習を活用する「量子回路学習」というアルゴリズムを発表し、注目を集めています[2]。

●生物学的情報を処理する大規模言語モデル

大規模言語モデルは、自然言語だけでなく、アミノ酸配列などの情報を大量に学習させることにより、生命科学分野などでも活用され始めています。例えば、タンパク質を構成する各アミノ酸を「単語」、タンパク質の一次配列を「文章」とみなして、「文章」の特徴表現と文章の生成確率関数を学習する深層学習モデルである「タンパク質言語モデル（Protein Language Models）」の研究が加速しています[3]。

例えば、Meta社が2022年に開発した、ＥＳＭ2は、トランスフォーマーベースで、150億パラメータを持つ巨大なモデルであり[4]、これまでGoogle DeepMind社のAlphaFold2（第4章第1節参照）等で必要であった、似た配列の情報（ＭＳＡ[5]）の入力が不要なことから、タンパク質立体構造予測ツールとしての活用が急速に進められています[6]。

1　科学技術振興機構 戦略的創造研究推進事業ＣＲＥＳＴ「[バイオＤＸ]データ駆動・ＡＩ駆動を中心としたデジタルトランスフォーメーションによる生命科学研究の革新」　https://www.jst.go.jp/kisoken/crest/research_area/ongoing/bunya2021-3.html
2　Research at Osaka University 「量子コンピュータの実用化は2030年？アルゴリズムが『夢のデバイス』を加速する」https://resou.osaka-u.ac.jp/ja/story/2023/nl89_research02
3　山口 秀輝、齋藤 裕（2023）「タンパク質の言語モデル」JSBi Bioinformatics Review 4(1)、52-67. https://www.jstage.jst.go.jp/article/jsbibr/4/1/4_jsbibr.2023.1/_html/-char/ja
4　Meta社 "ESM Metagenomic Atlas: The first view of the 'dark matter' of the protein universe" https://ai.meta.com/blog/protein-folding-esmfold-metagenomics/ ESM Atlas社 "about"　https://esmatlas.com/about
5　Multiple Sequence Alignment
6　Lin, Z., et al., (2023), "Evolutionary-scale prediction of atomic-level protein structure with a language model", Science 379, 1123-1130.　https://www.science.org/doi/10.1126/science.ade2574

また、九州大学生体防御医学研究所高深度オミクスサイエンスセンターでは、株式会社BlueMemeとの共同研究により、量子ＡＩを活用して、バイオメディカル領域の膨大な生物学的データを学習させたバイオメディカル領域の言語モデルの開発を令和5年（2023年）4月から開始しました[1]。このような大規模言語モデルは、疾患原因探索や薬剤設計において活用できるツールの一つとなることが期待されています。

第3節　AI for Scienceの課題と挑戦

　第1節で見てきたように、科学研究での高度なＡＩの更なる活用により、新しい仮説や視点がもたらされ、人間が考慮・実験しきれない範囲や条件の下での研究探索が可能になることで、新しい発見やブレークスルーが期待されるなど、研究の高速化・効率化だけでなく、科学そのものの変革につながる可能性も期待されていますが、同時に、科学、そして研究者の在り方についても問われるようになってきています。高度なＡＩにより、実験やシミュレーションの効率化・高速化、研究活動の自動化・自律化が可能となる中、研究者はＡＩをツールとして活用しながら、課題の設定や研究のデザイン等により専念していくことが重要となるでしょう。

　また、ＡＩが持つ特性や制約などに伴う信頼性や安全性に関する課題は、科学研究でのＡＩの活用においても共通の課題であり、さらに、研究データの共有や研究の再現性に関する課題、論文や特許等に関する課題も指摘されています。今後の更なる技術の進展とともに、新たなリスクが顕在化し、更なる対応が必要となることも考えられます。対策技術の開発とともに、国際的な枠組みの整備等についても議論や検討が進められる中、技術の進展やリスクをモニタリングしながら、迅速かつ柔軟に調整可能なガバナンスや対応が求められています。

　本節では、科学研究での高度なＡＩの活用に伴う課題、それらの解決に向けた取組などを説明します。

（1）研究データの共有とオープンサイエンス

　科学研究でのＡＩの活用には、研究プロセス全般で生まれる研究データの公開・共有が重要になります。政府では、「公的資金による研究データの管理・利活用に関する基本的な考え方[2]」に基づき、取組の具体化や周知を行うとともに、全国的な研究データ基盤（NII Research Data Cloud）の構築・高度化・実装、研究データ基盤の構築・活用に資する環境の整備を行う研究ＤＸの中核機関群の支援、大学における研究データマネジメントに係る体制・ルール整備の支援などを実施しています。

　また、情報・システム研究機構国立情報学研究所は、オープンサイエンスの実現に向け、大学の研究データを適切に管理しつつ利活用を加速するため、秘密計算を用いた安全なデータ分析基盤に関する研究を進めており、また令和5年（2023年）1月には、ＮＴＴと共同で、データを暗号化したまま一度も元に戻さずに、世界初のＡＩ4大カテゴリの主要なアルゴリズムによる学習・推論が可能な秘密計算ＡＩソフトウェアを利用できるトライアルの提供を、大学に対し開始しました[3]。

1　　九州大学「BlueMemeと九州大学、量子ＡＩを用いた大規模言語モデル構築のための共同研究を開始」
　　　https://www.kyushu-u.ac.jp/ja/notices/view/2483/
2　　統合イノベーション戦略推進会議（令和3年4月）「公的資金による研究データの管理・利活用に関する基本的な考え方」
　　　https://www8.cao.go.jp/cstp/tyousakai/kokusaiopen/sanko1.pdf
3　　情報・システム研究機構国立情報学研究所「ＮＩＩとＮＴＴ、秘密計算システムの大学向けトライアルを開始
　　　〜世界初の『ＡＩ4大カテゴリの主要なアルゴリズムによる学習・推論が可能な秘密計算ＡＩソフトウェア』を提供〜」
　　　https://www.nii.ac.jp/news/release/2023/0123.html

（2）研究の再現性に関する課題

　研究でのＡＩの活用により、実験の条件や手順、結果の解析方法を一貫して自動化することで、再現性の問題を緩和する可能性が期待されています。一方で、研究の再現性を保つためには、ＡＩのモデルや学習済みデータの透明性を確保することも重要です[1]。これに関連して、大学や研究機関等において、生成ＡＩを研究で活用する際のガイドライン等が整備されてきています。また、ＡＩの研究においては、モデルのアーキテクチャや学習済みのモデルを公開することが、再現性の確保や他の研究者との共有を促進するために推奨されることが増えてきました。

（3）研究論文の投稿ルール等への影響

　ＡＩが研究に与える影響は大きく、論文執筆や論文の投稿ルール等にも変化をもたらしています。例えば、ＡＩモデルは、論文の草案やセクションを自動的に生成することは可能です。また、文献の引用の欠落や統計的な誤りを指摘するなど、論文の品質チェックやプルーフリーディングを支援することができます。ＡＩモデルにより文書を執筆することはできますが、Springer Nature社やElsevier社等の科学ジャーナル出版社はＡＩモデルが著者になることを認めていません[2]。その背景にある主な懸念は、著者に求められる責任の問題です。ＡＩモデルは必ずしも内容に対して責任を負うものではありません。ＡＩモデルの使用を認めている場合、論文内にＡＩの使用について適切に記載するよう求めています。また、ＡＩモデルによって作成された画像は、論文に使用すべきではないとも述べています。他方で、適切な開示が行われていれば、著者がＡＩモデルを使用して論文の言語と簡潔さを改善することを

認めています。これにより、英語を母国語としない我が国の研究者にとっては、研究論文の特定の情報を検索する際に非常に役立ち、論文執筆に費やす時間を大幅に短縮することができます。

　もう一つの懸念は、プロンプト（ユーザーが入力する指示や質問）で提供される情報の機密性に関するものです。ほとんどのＡＩモデルが、プロンプトに含まれる情報を保存し、これらをＡＩモデルのトレーニング材料として使用するためです。Elsevier社では、編集者に、投稿された論文の原稿は機密文書として扱い、生成ＡＩツールにアップロードしないように指示しています[3]。また、ＮＳＦも、研究費申請課題の情報をＡＩモデルにアップロードしないよう評価者及び申請者に向けた通知を2023年12月に出しています[4]。

（4）ＡＩと著作権等の知的財産権に関する問題と対応

　また、ＡＩが自律的に発明を行った場合、その発明に係る権利や利益の帰属は誰にあるのか、という問題も浮上しています。ＡＩを活用した発明のプロセスはブラックボックス化されていることが多いため、特許出願時にその発明がどのように行われたのかを詳細に説明することが難しい場合があります。

　生成ＡＩと著作権については、ＡＩ戦略会議が令和5年（2023年）5月にまとめた「ＡＩに関する暫定的な論点整理」においても論点の一つとして挙げられ、同年7月から、文化審議会著作権分科会法制度小委員会において、クリエイター等の権利者の懸念の払拭や、ＡＩの開発・サービス提供等を行う事業者やＡＩ利用者の著作権侵害リスクの最小化の観点から論点整理が行われました。そして、令和6年（2024

1　Ball, P., (2023), "Is AI leading to a reproducibility crisis in science?", Nature 624, 22-25.
　　https://www.nature.com/articles/d41586-023-03817-6
2　Springer Nature社 "Nature Portofolio/Editorial Policies/Artificial Intelligence (AI)"
　　https://www.nature.com/nature-portfolio/editorial-policies/ai
3　Elsevier社 "Elsevier Policies/Policies - Publishing ethics" https://www.elsevier.com/about/policies-and-standards/publishing-ethics
4　ＮＳＦ "Notice to research community: Use of generative artificial intelligence technology in the NSF merit review process"
　　https://new.nsf.gov/news/notice-to-the-research-community-on-ai

年）３月、「ＡＩと著作権に関する考え方について」が取りまとめられ、「開発・学習段階」では、著作物に表現された思想又は感情の享受を目的としない場合は原則として著作権者の許諾なく利用することが可能としている著作権法第30条の４がどの範囲で適用されるのか（どういった場合に同条ただし書の「著作権者の利益を不当に害することとなる場合」に当たるのか等）、また「生成・利用段階」では、著作権侵害の要件である類似性[1]及び依拠性[2]に関して、ＡＩ生成物と、生成ＡＩの開発に用いられた既存の著作物との関係で依拠性をどう考えるのか等について、現行の著作権法における考え方の整理・明確化が行われています。今後、社会に分かりやすい形での周知・啓発を行

うほか、著作権侵害等に関する判例・裁判例をはじめとした具体的な事例の蓄積、ＡＩやこれに関連する技術の発展、諸外国における検討状況の進展等を踏まえながら引き続き議論を行っていくこととされています。

　また、特許については、米国特許商標庁や欧州特許庁をはじめとし、多くの国・地域の特許庁は、人間以外を発明者として認めない、という立場を取っており、我が国の特許庁からは令和３年（2021年）７月、「発明者の表示は、自然人に限られるものと解しており、願書等に記載する発明者の欄において自然人ではないと認められる記載、例えば人工知能（ＡＩ）等を含む機械を発明者として記載することは認めていません[3]」と発表されています。

1　後発の作品が既存の著作物と同一、又は類似していること。
2　既存の著作物に依拠して複製等がされたこと。
3　特許庁「発明者等の表示について」https://www.jpo.go.jp/system/process/shutugan/hatsumei.html

第5章	新時代を迎えたＡＩの社会へのインパクト

今後、公共部門や製造業はじめ様々な業界・業種で生成ＡＩ技術をはじめとする高度ＡＩ技術の利活用が進むと見込まれており（第1-5-1図）、効率性や生産性の向上、新たな価値の創出が期待されるとともに、産業構造や働き方、雇用市場等への影響についても様々な分析がなされています[1]。そのような状況の中、行政事務や行政サービス、知識労働分野等での活用可能性を検証する様々な実証研究が始まっています。また、ＡＩによる社会の便益を増大させ、より多くの人が恩恵を享受できるようにすることを目指した検討や実証も進められています。本章では、行政府や民間企業等における高度なＡＩの利活用に向けた取組事例を紹介します。

1．行政事務での活用に向けた取組

中央省庁における業務での生成ＡＩの利用については、デジタル社会推進会議で「ChatGPT等の生成ＡＩの業務利用に関する申合せ」を策定し、各府省庁のセキュリティポリシーに従って個別にリスク管理を行っていることを前提とした上で、生成ＡＩを巡る様々な課題や規制の在り方を巡る議論の動向等を踏まえながら適切な利活用を進めています。また、デジタル庁は、令和5年（2023年）6月から10月に生成ＡＩを利用した法制事務補助の実験を実施したほか、同年6月に内閣人事局とともに、「働き方改革促進のための生成ＡＩ活用ワークショップ」を開催するなど、生成ＡＩによる行政運営の効率化、行政サービスの質の向上に向けた検討や試行的取組を進めています。

■第1-5-1図／生成ＡＩの利活用分野別需要額見通し

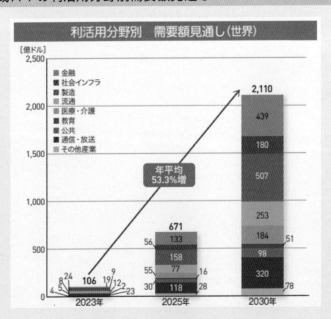

資料：（一社）電子情報技術産業協会「注目分野に関する動向調査2023」（令和5年（2023年）12月）

1　ＯＥＣＤ(2023)"OECD Employment Outlook 2023: Artificial Intelligence and the Labour Market"、内閣府経済社会総合研究所（2024年3月）「人工知能等の発展が労働市場に及ぼす影響に関するサーベイ」、みずほ銀行産業調査部（2023）「みずほ産業調査Vol.74 No.2【革新的技術シリーズ】生成ＡＩの動向と産業影響〜生成ＡＩは産業をどのように変えるか〜」、McKinsey & Company社（2023年6月）「生成ＡＩがもたらす潜在的な経済効果」等

地方公共団体でも、生成ＡＩの活用に向けて、ガイドラインの整備や試行的な取組が始まっています。例えば、東京都では、令和５年（2023年）８月、職員向けに「文章生成ＡＩ利活用ガイドライン」を作成するとともにMicrosoft社が提供するサービスを業務利用できる環境を整え[1]、さらに活用事例の共有[2]も行いながら、業務効率化、質の向上に資する利活用の取組が進められています。また、令和５年（2023年）10月、日本電気株式会社（ＮＥＣ）は、自社で開発した大規模言語モデルの自治体業務における活用に向けて、相模原市と協定を締結しました。相模原市が保有する知見を用いて個別の調整等を行いながら、相模原市の自治体業務に特化した大規模言語モデルを構築し、同年11月から実証実験を開始しています[3]。

２．行政サービスにおける活用に向けた取組

行政サービス利用者の利便性向上に資する高度ＡＩの活用に向けた、試行的な取組も始まっています。例えば、株式会社サイバーエージェントの「AI Lab」及び「GovTech開発センター」と、東京大学マーケットデザインセンターは、令和５年（2023年）11月より、省庁や自治体向けとなる生成ＡＩを活用したチャットボットの社会実装に向けた実証実験を開始しました。その一つ目の取組として、佐賀県佐賀市の協力の下、子供を保育施設に入れるために子育て支援の窓口に来訪した者の支援を行う、生成ＡＩを活用したチャットボットの実証実験を行いました[4]。

３．知識労働分野での活用に向けた取組

医療や金融などの知識労働分野における高度ＡＩの活用に向けた取組も進められています。例えば、医薬基盤・健康・栄養研究所は、生成ＡＩを活用した問診システム等、医療現場を支援する基盤システムの開発に着手しています[5]。

また、株式会社日立製作所は、統合システム運用管理における生成ＡＩの活用による、運用効率化・自動化に関する実証実験を開始しました。生成ＡＩを対話形式で容易に利用できる生成ＡＩアシスタントを用いて、運用オペレーターがシステム監視中に発生するメッセージに効率的に対応できるようになることを想定し、生成ＡＩの応答内容の正確性などについて検証しています[6]。

自動車のデザインにもＡＩの活用が始まっています。トヨタ・リサーチ・インスティテュート（ＴＲＩ）では、生成ＡＩを活用した迅速かつ効率的なデザイン手法の開発に取り組んでいます。例えば、デザイナーが「なめらか」、「モダン」等のテキストでの条件（プロンプト）を入力すると、空気抵抗のような定量的なパフォーマンス指標を最適化する方向で画像生成ＡＩがデザインを生成できることが発表されています[7]（第１-５-２図）。

加えて、ＴＲＩはロボットに新しい器用なスキルを迅速かつ確実に教える、拡散モデルに基づく画期的な生成ＡＩアプローチを発表しました。こうしたアプローチは、ロボットの実用性を大幅に向上させ、ロボットの「大規模行動モデル（ＬＢＭ[8]）」の構築に向けた一歩となり

1　東京都「『文章生成ＡＩ利活用ガイドライン』の策定について」
　　https://www.metro.tokyo.lg.jp/tosei/hodohappyo/press/2023/08/23/14.html
2　東京都「『都職員のアイデアが詰まった文章生成ＡＩ活用事例集』の公表について」
　　https://www.metro.tokyo.lg.jp/tosei/hodohappyo/press/2024/01/30/22.html
3　日本電気株式会社「ＮＥＣ、相模原市と生成ＡＩ活用に向けた共同検証を開始～相模原市の保有データを学習し、独自のＬＬＭで業務効率化の検証～」　https://jpn.nec.com/press/202310/20231020_02.html
4　東京大学マーケットデザインセンター「株式会社サイバーエージェントAI Lab・GovTech開発センターと官公庁・自治体向け生成ＡＩを活用したチャットボットの社会実装に向けた実証実験を開始」　https://www.mdc.e.u-tokyo.ac.jp/2023/12/19/ca-chatbot/
5　医薬基盤・健康・栄養研究所「戦略的イノベーション創造プログラム　ＡＩ（人工知能）ホスピタルによる高度診断・治療システム」
　　https://www.nibiohn.go.jp/sip/
6　株式会社日立製作所「統合システム運用管理『JP1 Cloud Service』において生成ＡＩを用いた運用効率化・自動化に関する実証実験を開始 障害対応の効率化に向け、生成ＡＩの応答内容の正確性などを検証」
　　https://www.hitachi.co.jp/Prod/comp/soft1/jp1/notice/2024/0201.html
7　トヨタ・リサーチ・インスティテュート "Toyota Research Institute Unveils New Generative AI Technique for Vehicle Design"
　　https://www.tri.global/news/toyota-research-institute-unveils-new-generative-ai-technique-vehicle-design
8　Large Behavior Model

ます。ＴＲＩは既に、液体を注ぐ、道具を使う、変形可能な物体を操作するなど、数多くの難易度の高い器用なスキルを、新しいコードを１行も書くことなくロボットに教えています[1]。

■第1-5-2図／生成ＡＩを活用した車体のデザイン

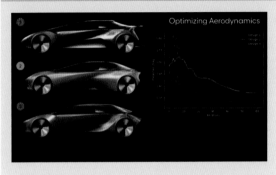

提供：トヨタ・リサーチ・インスティテュート

４．更なる利活用に向けた取組

　ＡＩによる社会への便益を増大させ、より多くの人が恩恵を享受できるようにしていくためには、どうしたらよいでしょうか。

　デジタル庁では、令和５年（2023年）12月、「ＡＩ時代の官民データの整備・連携に向けたアクションプラン」を取りまとめ、生成ＡＩの急速な進展に対応するため、生成ＡＩの学習に寄与する行政保有データのオープン化等につ

いて、検討を進めていくこととしています。

　また、対話型生成ＡＩなどのように専門家ではない人々でも利用できるインターフェースでのサービスの提供が広がったことで、いわゆる「ＡＩの民主化」が起こり、誰もが活用できる身近な技術となりつつあります。そのような中、ＡＩシステムの開発者だけでなく、幅広い世代や立場の技術・サービスの利用者も含め、ＡＩの複雑性やブラックボックス性といった特性や、意図的な悪用の可能性もあることなどを認識しながら、責任ある行動をとることができるようなリテラシー教育の重要性が指摘されています[2]。

　文部科学省が令和５年度（2023年度）に指定した「生成ＡＩパイロット校[3]」の中には、中学校技術科の中で生徒が、生成ＡＩを活用したオリジナルチャットボットを制作し、創造的な課題解決に生成ＡＩが有用であることを体感する取組や、「幻覚（ハルシネーション）」を体験してその仕組みを理解しながら、正しい情報であるかを確認すること、生成する情報の精度を高めるためにデータを学習させる必要性を学ぶことなどの試行的な取組も生まれています。

1　　トヨタ・リサーチ・インスティテュート "Toyota Research Institute Unveils Breakthrough in Teaching Robots New Behaviors" https://www.tri.global/news/toyota-research-institute-unveils-breakthrough-teaching-robots-new-behaviors
2　　前掲　ＡＩ戦略会議（令和５年）「ＡＩに関する暫定的な論点整理」
3　　文部科学省「リーディングＤＸスクール生成ＡＩパイロット校」事業　https://leadingdxschool.mext.go.jp/ai_school/

教育と生成ＡＩ

　2022年（令和４年）11月にOpenAI社（米国）から公開されたChatGPTは、チャットという使いやすいインターフェースを採用したことにより、利用者が急激に増加し、我が国でも極めて多くの人々が短期間に使用するという状況が発生しています。このようにＡＩを身近に活用できるという環境の変化は、教育分野にも急速に影響を与えています。

　こうした状況を受け、学校関係者が生成ＡＩの活用の適否を判断する際の参考となるよう令和５年（2023年）５月、文部科学省から各教育委員会等に対して、事務連絡「ChatGPT等の生成ＡＩの学校現場の利用に向けた今後の対応について」を発出しています。その後、同年７月に文部科学省は「初等中等教育段階における生成ＡＩの利用に関する暫定的なガイドライン」を公表しました。本ガイドラインは学校現場に一律の義務付けや制限を行うものではなく、令和５年（2023年）６月末日時点での知見を基に暫定的に取りまとめたものであり、「子供の発達の段階や実態を踏まえ、年齢制限・保護者同意等の利用規約の遵守を前提に、教育活動や学習評価の目的を達成する上で、生成ＡＩの利用が効果的か否かで判断することを基本とする」という暫定的な考え方を示しています。当該ガイドラインでは、学習指導要領において「情報活用能力」が学習の基盤となる資質・能力とされていることを踏まえ、全ての学校を対象に「情報活用能力」の育成強化を求めているほか、生成ＡＩを取り巻く懸念やリスクに十分な対策を講じることができる学校においてパイロット的な取組を推進し、知見の蓄積を進めることとしており、令和５年度（2023年度）には教育活動や校務において生成ＡＩの活用に取り組む生成ＡＩパイロット校を全国で37自治体・52校指定し、知見の蓄積を進めています（令和６年（2024年）３月末現在）。

　また、高等教育段階においても、事務連絡「大学・高専における生成ＡＩの教学面の取扱いについて（周知）」を、令和５年（2023年）７月に、各大学・高等専門学校の設置者に対して周知しています。この中では、「大学・高専における生成ＡＩの教学面の取扱いについては、それぞれの教育の実態等に応じ、今後の状況変化を踏まえて指針等の内容を見直すことも含め、主体的に対応いただくことが重要」としつつ、大学・高専の対応の参考となるよう、生成ＡＩに関して利活用が想定される場面例や留意すべき観点等についてまとめて周知し、各大学の自主的な取組を促しています。

コラム1-7　生成AI[1,2]が作成したコラム例

「AIと科学の未来」について、非専門家向けに500字程度でコラムを作成してください。

（生成AIが生成したテキスト）
　近年、AIとその応用分野である科学技術の進歩により、私たちの生活や働き方に大きな変化がもたらされています。AIの急速な発展により、自動化が進み、効率化が図られ、私たちの生活は便利になりました。また、新たな技術を生み出し、イノベーションを加速させるためにも、AIは活用されています。
　しかし、こうした急速な発展には、倫理的・社会的な懸念も生じさせています。AIが私たちの価値観やプライバシーを侵害したり、雇用の不平等を引き起こしたり、あるいはAIシステムの制御不能や人間の判断への干渉などです。また、AIがもたらす悪影響や、AIシステムの停止や破損、意図しない結果を避けるための人材配置やアクセスに関する規制を検討する必要性などについても指摘されている。
　こうした課題はあるものの、AIは科学研究のあり方を変え、私たちの想像を超えるような発見や技術革新を生み出す可能性を秘めている。バイオテクノロジー、材料科学、ナノテクノロジーなど、さまざまな分野でAIが活用され、新たな診断・治療法、効率的な製造プロセス、耐久性の高い電池、廃棄物を最小限に抑える持続可能な生産などが実現している。
　また、AIは気候変動や環境問題の解決にも一役買っている。大気汚染や海洋汚染、森林破壊などの複雑なデータを分析することで、AIは排出量削減のための政策提言を行い、早期警戒システムを改善し、より効果的なモデリングをサポートしている。
　全体として、AIと科学の未来は、社会的・経済的利益と倫理的配慮のバランスを慎重に見極めながら、成長と発展を遂げる可能性を秘めている。

上記のコラムを200字程度で要約してください。

（生成AIが生成したテキスト）
　近年、AIの急速な進歩により、私たちの生活や仕事は大きく変化している。一方で、AIが私たちの価値観やプライバシーを侵害したり、雇用の不平等を引き起こしたり、AIシステムの暴走によるリスクも指摘されている。こうした課題はあるものの、AIは科学研究を変え、新たな発見や技術革新を生み出す可能性を秘めている。

1　NIIの主宰するLLM勉強会（LLM-jp）が開発したパラメータ数130億の大規模言語モデル「LLM-jp-13B v2」
　　https://huggingface.co/llm-jp/llm-jp-13b-instruct-full-ac_001_16x-dolly-ichikara_004_001_single-oasst-oasst2-v2.0
　　なお、本モデルは、生成テキストに最も似ている文書を学習データの中から探索することも可能である。
2　テキストは確率的に生成しているため、同じプロンプトを与えても必ずしも同じテキストは生成されない。

最後に

　各章で紹介してきたように、ＡＩ技術の急速な発展と、専門家でなくても利用可能なインターフェースを用いたサービスの登場により、私たちの日常生活やビジネス、研究開発等における高度なＡＩ技術の利活用可能性が広がってきており、科学技術・イノベーション自体にも変革がもたらされようとしています。

　我が国では製造業やロボティクス等の分野で培ってきた強みを生かしつつ、ＡＩ分野の研究開発が大学や企業等で進められています。しかし、国際競争が激化する中、人材や研究資金、計算資源の確保といった課題も山積しています。

　他の国・地域の状況をみると、例えば、米国は技術革新とベンチャーキャピタルのエコシステムの強みを、中国は大量のデータと国家主導の戦略的投資の強みを生かしながら、大学や民間企業での研究開発を加速しています。欧州は、個人のプライバシーやデータ保護に対する強い意識を背景に、規制面でのリーダーシップを発揮しています。

　このような背景の中で、新時代を迎えたＡＩを生かして、国際競争力を強化し、我が国が目指す社会（Society 5.0）を実現していくためには、科学技術・イノベーション政策において、何が鍵になるでしょうか。

　例えば、ロボティクスや自動車等の我が国が強みとする分野でのＡＩの活用も含めた最先端技術の開発や人材育成への持続的な投資、国内外のトップレベルの研究者間の連携の強化、倫理的、社会的な問題に対応するための枠組みの構築などが挙げられます。第４章で紹介したように「AI for Science」の取組が様々な研究分野で展開され始め、国際競争も加速している中、科学の新たなパラダイムシフトに挑戦する我が国の研究者や研究機関等を支援していく

ことも重要でしょう。

　また、第１章で見てきたように、ＡＩ技術は、幾度もブームを繰り返しながら、進展してきていますが、特にこの数年での進展速度は、これまでになく非常に速いものとなっています。令和４年（2022年）４月に発表された「ＡＩ戦略2022」には生成ＡＩ技術の急速な進展を見通した取組等について言及はなく、官民の投資や取組、リスクへの対応を巡る議論が加速したのは、2022年（令和４年）11月のOpenAI社のChatGPTの公開等の動きが注目を集めた後の、翌年に入ってからでした。第４章で見てきた「AI for Science」の取組も含め、最先端科学技術の兆候や動向を敏感に捉え、リスクやインパクトを分析することも含めた、戦略性、柔軟性のあるガバナンス機能の強化の重要性が増してきているとも言えます。

　第５章で見てきたように、公共部門や製造業をはじめ様々な業界・業種での高度なＡＩ技術の利活用に向けた実証研究も始まっています。少子高齢化が進む中での生産性向上への寄与への期待とともに、雇用市場への影響等についても様々な分析がなされています。ＡＩとの共生を真に実現するためには、ＡＩ技術に利用されるのではなくＡＩ技術は活用するものであることや、ＡＩ技術の課題・限界について理解し、そして一人ひとりの多様な幸せを実現できる社会を目指して、ＡＩ技術を取り巻く環境や制度、文化等の変革を進めていくことも重要になるでしょう。

　新たな時代に向け、ＡＩ技術によりもたらされようとしている科学技術・イノベーション自体の変革を、我が国が目指す社会の実現につなげていけるよう、イノベーションを追求し続けていくことが求められています。

第2部
科学技術・イノベーション創出の振興に関して講じた施策

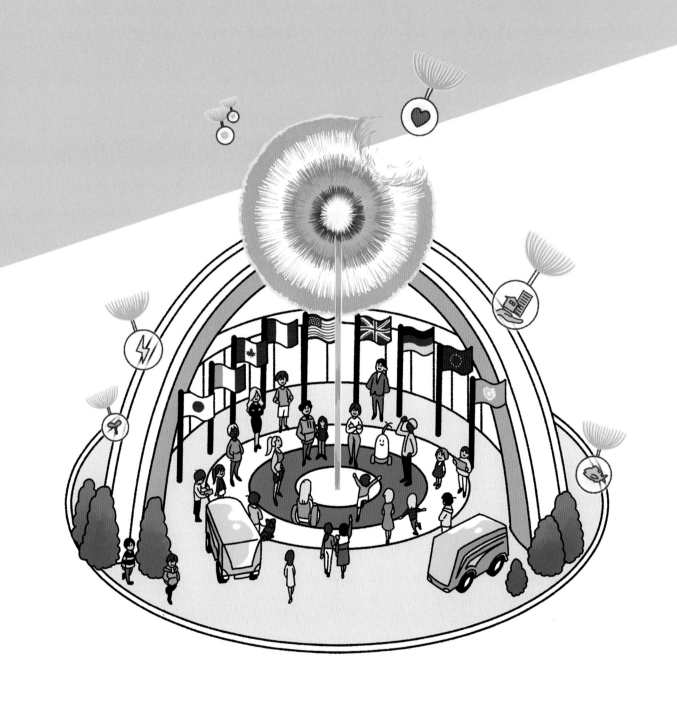

第２部では、令和５年度に科学技術・イノベーション創出の振興に関して講じられた施策について、第６期科学技術・イノベーション基本計画（令和３年３月26日閣議決定）に沿って記述する。

第１章　科学技術・イノベーション政策の展開

第１節　科学技術・イノベーション基本計画

政府は、「科学技術・イノベーション基本法」（平成７年法律第130号）に基づき、５年ごとに策定する科学技術・イノベーション基本計画（以下「基本計画」という。）にのっとり、科学技術・イノベーション行政を総合的かつ計画的に推進している。

これまで、第１期（平成８～12年度）、第２期（平成13～17年度）、第３期（平成18～22年度）、第４期（平成23～27年度）、第５期（平成28～令和２年度）の基本計画を策定し、これらに沿って政策を進めてきた（第１期～第５期までは科学技術基本計画）。

令和３年度から始まった第６期科学技術・イノベーション基本計画（令和３～７年度）（以下「第６期基本計画」という。）は令和２年６月の科学技術基本法の本格的な改正により、名称が「科学技術・イノベーション基本法」となってから初めての計画である。第６期基本計画の策定に向けた検討は、平成31年４月に内閣総理大臣から総合科学技術・イノベーション会議に対して第６期基本計画に向けた諮問（諮問第21号「科学技術基本計画について」）がなされて設置された基本計画専門調査会にて約２年間にわたり行われ、令和３年３月26日、第６期基本計画が閣議決定された。

第６期基本計画では、まず、第５期基本計画期間中に生じた社会の大きな変化として、先端技術（人工知能（ＡＩ）、量子等）を中核とした国家間の競争の先鋭化を起因とする世界秩序の再編、技術流出問題の顕在化とこれを防ぐ取組の強化、気候変動をはじめとするグローバル・アジェンダの現実化、情報社会（Society 4.0）の限界の露呈を挙げ、これらの変化が新型コロナウイルス感染症の拡大により加速されていることを指摘している。そして、科学技術・イノベーション政策の振り返りとして、Society 5.0の前提となる情報通信技術の本来の力を生かし切れなかったことや、我が国の論文に関する国際的地位の低下、若手研究者を取り巻く厳しい環境、さらには、科学技術基本法の改正により、「人文・社会科学」の振興と「イノベーションの創出」を法の対象に加えたことを挙げている。

これらの背景の下、第６期基本計画では、第５期基本計画で提示したSociety 5.0を具体化し、「直面する脅威や先の見えない不確実な状況に対し、持続可能性と強靱性を備え、国民の安全と安心を確保するとともに、一人ひとりが多様な幸せ（well-being）を実現できる社会」とまとめ、その実現のための具体的な取組を以下のとおり掲げた。

① 国民の安全と安心を確保する持続可能で強靱な社会への変革

我が国の社会を再設計し、世界に先駆けた地球規模課題の解決や国民の安全・安心を確保することにより、国民一人ひとりが多様な幸せを得られる社会への変革を目指す。

このため、サイバー空間（仮想空間）とフィジカル空間（現実空間）がダイナミックな好循環を生み出す社会へと変革させ、いつでも、どこでも、誰でも、安心してデータやＡＩを活用

できるようにする。そして、世界のカーボンニュートラルを牽引（けんいん）するとともに、自然災害や新型コロナウイルス感染症などのリスクを低減することなどにより強靱（きょうじん）な社会を構築する。

また、スタートアップを次々と生み出し、多様な主体が連携して価値を共創（きょうそう）する新たな産業基盤を構築するとともに、Society 5.0を先行的に実現する都市・地域（スマートシティ）を全国・世界に展開していく。

さらには、これらの取組を支えるとともに、新たな社会課題に対応するため、総合知を活用し、戦略的イノベーション創造プログラム（SIP[1]）第3期やムーンショット型研究開発制度等の社会課題解決のための研究開発や社会実装の推進、社会変革を支えるための科学技術外交の展開を進める。

② 知のフロンティアを開拓し価値創造の源泉となる研究力の強化

研究者の内在的な動機に基づく多様な研究活動と、自然科学や人文・社会科学の厚みのある「知」の蓄積は、知的・文化的価値以外にも新技術や社会課題解決に資するイノベーションの創出につながる。こうした「知」を育む研究力を強化するため、まず、博士後期課程学生や若手研究者の支援を強化する。また、人文・社会科学も含めた基礎研究・学術研究の振興や総合知の創出の推進等とともに、研究者が腰を据えて研究に専念しながら、多様な主体との知の交流を通じ、独創的な成果を創出する創発的な研究の推進を強化する。

そして、オープンサイエンスを含め、データ駆動型研究など、新たな研究システムの構築を進める。

我が国最大かつ最先端の「知」の基盤である大学について、個々の強みを伸ばして多様化し、研究力を高めるとともに、大学で学ぶ個人の多様な自己実現を後押しするよう大学改革を進

める。特に、世界最高水準の研究大学の実現に向けた10兆円規模の大学ファンドによる国際卓越研究大学への支援と、地域の中核大学や特定分野に強みを持つ研究大学に対して多様な機能を強化し、我が国の成長への駆動力へと転換させる「地域中核・特色ある研究大学総合振興パッケージ」による支援を両輪として推進し、我が国全体の研究力の底上げを図る。

③ 一人ひとりの多様な幸せ（well-being）と課題への挑戦を実現する教育・人材育成

社会の再設計を進め、Society 5.0の社会で価値を創造するために、個人の幸せを追求し、試行錯誤しながら課題に立ち向かっていく能力・意欲を持った人材を輩出する教育・人材育成システムの実現を目指す。具体的には、初等中等教育段階におけるSTEAM[2]教育の推進や、「GIGA[3]スクール構想」に基づく取組をはじめとした教育分野のDXの推進、外部人材・資源の学びへの参画・活用等により、好奇心に基づいた学びを実現し探究力を強化する。また、大学等における多様なカリキュラム等の提供、リカレント教育を促進する環境・文化の醸成をはじめ、学び続ける姿勢を強化する環境の整備を行う。

また、これらの科学技術・イノベーション政策を推進するため、第6期基本計画の期間中に、政府の研究開発投資の総額として約30兆円を確保するとともに、官民合わせた研究開発投資総額を約120兆円とすることを目標に掲げた。

さらに、第6期基本計画に掲げた取組を着実に行えるよう、総合知を活用する機能の強化と未来に向けた政策の立案、エビデンスシステム（e-CSTI[4]）の活用による政策立案機能強化と実効性の確保、毎年の統合戦略と基本計画に連動した政策評価の実施、司令塔機能の実効性確保を進めることとしている。

1　Cross-ministerial Strategic Innovation Promotion Program
2　Science, Technology, Engineering, Art(s) and Mathematics
3　Global and Innovation Gateway for All
4　Evidence data platform constructed by Council for Science, Technology and Innovation

第2節　総合科学技術・イノベーション会議

　総合科学技術・イノベーション会議は、内閣総理大臣のリーダーシップの下、我が国の科学技術・イノベーション政策を強力に推進するため、「重要政策に関する会議」として内閣府に設置されている。我が国全体の科学技術・イノベーションを俯瞰し、総合的かつ基本的な政策の企画立案及び総合調整を行うことを任務とし、議長である内閣総理大臣をはじめ、関係閣僚、有識者議員等により構成されている（第2

-1-1表）。

　また、総合科学技術・イノベーション会議の下に、重要事項に関する専門的な事項を審議するため、七つの専門調査会（基本計画専門調査会、科学技術イノベーション政策推進専門調査会、重要課題専門調査会、生命倫理専門調査会、評価専門調査会、世界と伍する研究大学専門調査会、イノベーション・エコシステム専門調査会）を設けている。

■第2-1-1表／総合科学技術・イノベーション会議議員名簿（令和6年4月1日現在）

閣僚	岸田　文雄	内閣総理大臣
	林　芳正	内閣官房長官
	高市　早苗	科学技術政策担当大臣
	松本　剛明	総務大臣
	鈴木　俊一	財務大臣
	盛山　正仁	文部科学大臣
	齋藤　健	経済産業大臣
有識者	上山　隆大（常勤議員）	元 政策研究大学院大学教授・副学長
	伊藤　公平（非常勤議員）	慶應義塾長 慶應義塾大学理工学部教授 日本学術会議会員 （一社）日本私立大学連盟常務理事
	梶原　ゆみ子（非常勤議員）	元 富士通株式会社執行役員　EVP　CSuO
	佐藤　康博（非常勤議員）	株式会社みずほフィナンシャルグループ特別顧問 （一社）日本経済団体連合会副会長
	篠原　弘道（非常勤議員）	日本電信電話株式会社（NTT）相談役 （一社）日本経済団体連合会・デジタルエコノミー推進委員会委員長 ヤマハ株式会社 社外取締役 株式会社みずほフィナンシャルグループ 社外取締役
	菅　裕明（非常勤議員）	東京大学大学院理学系研究科化学専攻教授 東京大学先端科学技術研究センター教授 日本学術会議会員 ミラバイオロジクス株式会社取締役
	波多野　睦子（非常勤議員）	東京工業大学工学院電気電子系教授 東京工業大学学長特別補佐
	光石　衛（非常勤議員）	日本学術会議会長　※関係機関の長

資料：内閣府作成

1 令和5年度の総合科学技術・イノベーション会議における主な取組

総合科学技術・イノベーション会議では「統合イノベーション戦略2023」（令和5年6月9日閣議決定）の策定、「戦略的イノベーション創造プログラム（SIP[1]）」及び「研究開発とSociety 5.0との橋渡しプログラム（BRIDGE[2]）」の運営等、政策・予算・制度の各面で審議を進めてきた。

令和5年度は、令和6年2月20日の総合科学技術・イノベーション会議において「統合イノベーション戦略2024」に向けた方向性として、同盟国・同志国やASEAN[3]をはじめとする国際社会との連携強化の必要性などについて示すとともに、地域中核・特色ある研究大学総合振興パッケージの改定を行った。

2 科学技術関係予算の戦略的重点化

総合科学技術・イノベーション会議は、政府全体の科学技術関係予算を重要な分野や施策へ重点的に配分し、基本計画や統合イノベーション戦略の確実な実行を図るため、予算編成において科学技術・イノベーション政策全体を俯瞰して関係府省の取組を主導している。

❶ 科学技術に関する予算等の配分の方針

総合科学技術・イノベーション会議は、中長期的な政策の方向性を示した基本計画の下、毎年の状況変化を踏まえ、統合イノベーション戦略において、その年度に重きを置くべき取組を示し、それらに基づいて、政府全体の科学技術関係予算の重要な分野や施策への重点的配分や政策のPDCAサイクルの実行等を図っている。

❷ 戦略的イノベーション創造プログラム（SIP）の推進

SIPは、総合科学技術・イノベーション会議が司令塔機能を生かして、府省や産学官の垣根を越えて、分野横断的な研究開発に基礎研究から出口（実用化・事業化）までの一気通貫で取り組むプログラムである。総合科学技術・イノベーション会議が定める方針の下、内閣府に計上する「科学技術イノベーション創造推進費」（令和5年度：555億円）を財源に実施した。

SIP第3期は、第6期基本計画に基づき、令和3年末に我が国が目指す将来像（Society 5.0）の実現に向けた15の課題候補を決定し、公募で決定したプログラムディレクター（PD）候補が座長となり、フィージビリティスタディ（FS）を実施した。FS結果に基づいた事前評価を経て、令和5年1月26日の総合科学技術・イノベーション会議のガバニングボードにおいて14課題の実施を決定し、課題ごとに「社会実装に向けた戦略及び研究開発計画」（戦略及び計画）を策定し、同年4月より課題の実施に着手した。

❸ 研究開発とSociety 5.0との橋渡しプログラム（BRIDGE）による社会実装の促進

BRIDGEは、令和4年度まで実施してきた官民研究開発投資拡大プログラム（PRISM[4]）の制度を見直し、これまで設定していた技術領域に限らず、SIPの成果や各省庁の研究成果を社会課題解決等に橋渡しする「イノベーション化」のための重点課題を設定する仕組みとし、名称も社会実装への橋渡しということからBRIDGEに変更した。令和5年度は、各省庁から重点課題を踏まえた施策として提案された39課題を実施した。

---

1 Cross-ministerial Strategic Innovation Promotion Program
2 programs for Bridging the gap between R&d and the IDeal society (society 5.0) and Generating Economic and social value
3 The Association of Southeast Asian Nations
4 Public/Private R&D Investment Strategic Expansion PrograM

❹　ムーンショット型研究開発制度の推進

　ムーンショット型研究開発制度[1]は、超高齢化社会や地球温暖化問題など重要な社会課題に対し、人々を魅了する野心的な目標（ムーンショット目標）を国が設定し、挑戦的な研究開発を推進するものである。総合科学技術・イノベーション会議はムーンショット目標 1 ～ 6 を令和 2 年 1 月に、健康・医療戦略推進本部はムーンショット目標 7 を令和 2 年 7 月に決定した。本制度では、社会環境の変化等に応じて目標を追加することとしており、コロナ禍による経済社会の変容や気候変動問題を踏まえ、総合科学技術・イノベーション会議は若手研究者の調査研究に基づき、新たにムーンショット目標 8 、9 を令和 3 年 9 月に決定した。「ムーンショット型研究開発制度に係るビジョナリー会議」で示されたヒューマン・セントリック（人間中心の社会）な考え方も踏まえ、最終的には、一人ひとりの多様な幸せ（well-being）を目指す（第 2 - 1 - 2 図）。

　令和 5 年度には、8 月に「ムーンショット型研究開発制度合同シンポジウム」を開催した。目標 1 ～ 9 をそれぞれ統括するＰＤ[2]9 名が一堂に会し、2040、2050年の未来社会やその実現に向けた新たな取組について意見を交わした。12月には、エネルギー問題と地球環境問題を同時に解決する次世代のエネルギーとして期待されるフュージョンエネルギーに関する目標10「2050年までに、フュージョンエネルギーの多面的な活用により、地球環境と調和し、資源制約から解き放たれた活力ある社会を実現」を新たに決定した（第70回総合科学技術・イノベーション会議）。

1　ムーンショット型研究開発制度
　　https://www8.cao.go.jp/cstp/moonshot/index.html

2　研究開発プロジェクト
　　https://www8.cao.go.jp/cstp/moonshot/project.html

■第2-1-2図／ムーンショット目標

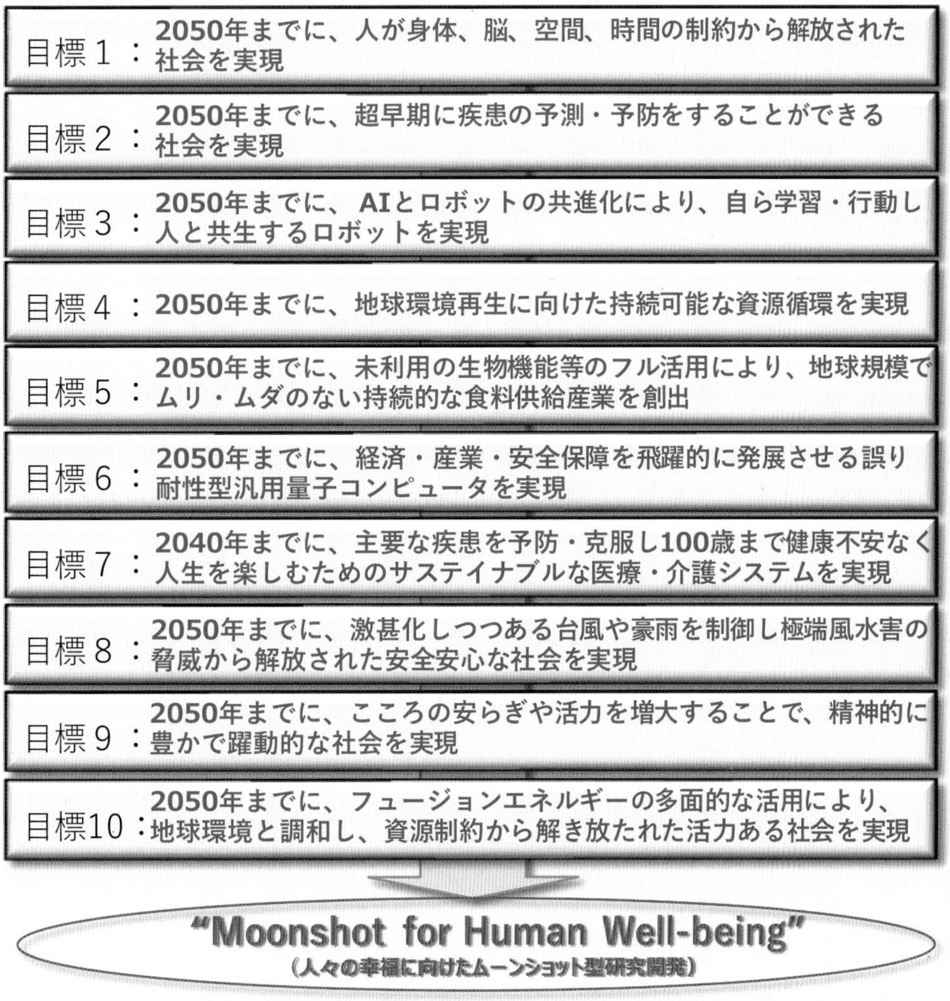

目標1：	2050年までに、人が身体、脳、空間、時間の制約から解放された社会を実現
目標2：	2050年までに、超早期に疾患の予測・予防をすることができる社会を実現
目標3：	2050年までに、AIとロボットの共進化により、自ら学習・行動し人と共生するロボットを実現
目標4：	2050年までに、地球環境再生に向けた持続可能な資源循環を実現
目標5：	2050年までに、未利用の生物機能等のフル活用により、地球規模でムリ・ムダのない持続的な食料供給産業を創出
目標6：	2050年までに、経済・産業・安全保障を飛躍的に発展させる誤り耐性型汎用量子コンピュータを実現
目標7：	2040年までに、主要な疾患を予防・克服し100歳まで健康不安なく人生を楽しむためのサステイナブルな医療・介護システムを実現
目標8：	2050年までに、激甚化しつつある台風や豪雨を制御し極端風水害の脅威から解放された安全安心な社会を実現
目標9：	2050年までに、こころの安らぎや活力を増大することで、精神的に豊かで躍動的な社会を実現
目標10：	2050年までに、フュージョンエネルギーの多面的な活用により、地球環境と調和し、資源制約から解き放たれた活力ある社会を実現

"Moonshot for Human Well-being"
（人々の幸福に向けたムーンショット型研究開発）

資料：内閣府作成

3 国家的に重要な研究開発の評価の実施

総合科学技術・イノベーション会議は、「内閣府設置法」（平成11年法律第89号）第26条第1項第3号に基づき、国の科学技術政策を総合的かつ計画的に推進する観点から、各府省が実施する大規模研究開発[1]等の国家的に重要な研究開発を対象に評価を実施している。

また、同会議は、「特定国立研究開発法人による研究開発等の促進に関する特別措置法」（平成28年法律第43号）第5条及び「福島復興再生特別措置法」（平成24年法律第25号）に

基づき、特定国立研究開発法人の中長期目標期間の最終年度においては、基本計画等の国家戦略との連動性の観点等から見込評価等や次期中長期目標案に対して、また、令和5年度から設置された福島国際研究教育機構に対しては新たな中期目標案等に対して、意見を述べている。

文部科学省では、「国の研究開発評価に関する大綱的指針」（平成28年12月21日内閣総理大臣決定）を受けて改定した、「文部科学省における研究及び開発に関する評価指針」（平成14年6月20日文部科学大臣決定、平成29年4

1　国費総額約300億円以上の研究開発のうち、科学技術政策上の重要性に鑑み、評価専門調査会が評価すべきと認めたもの

月1日最終改定）を踏まえ、科学技術・学術審議会　研究計画・評価分科会等において研究開発課題の評価を実施するとともに、研究開発プログラム評価の実施に向け、議論や試行を重ねるなどして、より一層実効性の高い研究開発評価を実施することにより、優れた研究開発が効果的・効率的に推進されることを目指している。

4 専門調査会等における主な審議事項

❶ 評価専門調査会

第6期基本計画では、「指標を用いながら進捗状況の把握、評価を評価専門調査会において継続的に実施」するとされており、これを受けて評価専門調査会の体制を見直した。

令和4年度以降は、同基本計画における評価対象事例を増やすとともに、進捗状況を把握していくこととしている。

また、新体制の評価専門調査会では、従来実施している「国家的に重要な研究開発の評価」について、各省評価における評価項目の設定や評価基準の考え方と、「基本計画」や「大綱的指針」との整合を図ることを目的とした評価を開始した。

❷ 生命倫理専門調査会

生命倫理専門調査会では、受精胚核置換等の取扱いについて検討を行い、令和5年6月に、「『ヒト胚の取扱いに関する基本的考え方』見直し等に係る報告（第二次及び第三次）」についての補遺を取りまとめた。今後、ヒト受精胚に関する新たな技術が出現した場合等、科学技術に関する生命倫理上の課題が生じたときには、生命倫理専門調査会において、最新の科学的知見や社会的妥当性の評価に基づく検討を行っていくこととしている。

第3節　統合イノベーション戦略

　政府は、Society 5.0の実現に向け、関連施策を府省横断的かつ一体的に推進するため、統合イノベーション戦略を策定している。本戦略は1年間の国内外における科学技術・イノベーションを巡る情勢を分析し、強化すべき課題、新たに取り組むべき課題を抽出して、施策の見直しを行っている。

　統合イノベーション戦略2023は、第6期基本計画の実行計画に位置付けられる3年目の年次戦略である。先端技術の急進展や、ウクライナ情勢の長期化によるサプライチェーンの重要性拡大などを背景とした科学技術・イノベーションへの期待の高まりを踏まえ、今後1年間で取り組む科学技術・イノベーション政策の具体化を行った。

　統合イノベーション戦略2023においては、以下の三つの基軸を政策の中心に据えている。
① 先端科学技術の戦略的な推進

　生成AIを契機とした対応強化、量子・フュージョンエネルギーの戦略強化やシンクタンク、経済安全保障重要技術育成プログラムやSIP等を通じ、我が国の未来を支える技術を育て社会実装につながる取組を加速
② 知の基盤と人材育成の強化

　大学ファンドと地域中核・特色ある研究大学の振興の両輪による研究力強化や、創造的な研究をリードする多様な人材の育成強化と活躍のキャリアパスの拡大、G7を契機としたパートナー国との連携強化や、国際頭脳循環形成、学術ジャーナルを巡る対応強化を通じ、イノベーションと価値創造の源泉となる知を持続的に創出
③ イノベーション・エコシステムの形成

　イノベーションの担い手として我が国が強みを持つディープテックをはじめとするスタートアップの徹底支援、グローバル・スタートアップ・キャンパス構想実現に向けた

本格始動や拠点都市の取組の推進などによるエコシステム形成強化を通じ、科学技術・イノベーションの恩恵を国民や社会、地域に還元

　さらに、戦略的に取り組む分野について、量子分野では、ここ数年の量子産業を巡る国際競争の激化など外部環境が変化する中で、我が国の優位性を獲得し、有志国と強固な関係を構築することで、将来の量子技術の社会実装や量子産業の強化を実現するため、実用化・産業化に向け重点的・優先的な取組をまとめた「量子未来産業創出戦略」（令和5年4月14日統合イノベーション戦略推進会議決定）を策定した。令和2年1月に策定した「量子技術イノベーション戦略」と令和4年4月に策定した「量子未来社会ビジョン」に掲げた目標達成に向け、官民一体となった量子技術イノベーションに関する総合的かつ戦略的な取組を強力に推進している。

　また、AI分野では生成AIなどの技術の変化や国際的な議論を踏まえて、新たに設置された「AI戦略会議」において「AIに関する暫定的な論点整理」が令和5年5月に取りまとめられ、AIに関する国際的な議論と多様なリスクへの対応、AIの最適な利用、AI開発力の強化等に向けて取組が進められている。

　フュージョンエネルギー分野では、国家戦略として初めて、「フュージョンエネルギー・イノベーション戦略」（令和5年4月14日統合イノベーション戦略推進会議決定）を策定した。同戦略を踏まえ、フュージョンエネルギーをエネルギー・環境問題の解決策としてだけでなく、新たな産業と位置付け、産業育成戦略、技術開発戦略、推進体制の構築等に一体的に取り組むこととしている。具体的には、ITER[1]計画/BA[2]活動、原型炉開発と続くアプローチに

1　International Thermonuclear Experimental Reactor
2　Broader Approach

加え、フュージョンエネルギーの実用化に向けて、産業協議会の設立やスタートアップ等の研究開発、安全規制に関する議論、ムーンショット型研究開発制度を活用した新興技術の支援強化、教育プログラムの提供等の取組を推進している。

第4節　科学技術・イノベーション行政体制及び資金循環の活性化

1 科学技術・イノベーション行政体制

　政府は、総合科学技術・イノベーション会議による様々な答申等を踏まえ、関係行政機関がそれぞれの所掌に基づき、国立試験研究機関、国立研究開発法人及び大学等における研究の実施、各種の研究制度による研究の推進や研究開発環境の整備等を行っている。

　文部科学省は、各分野の具体的な研究開発計画の作成及び関係行政機関の科学技術に関する事務の調整を行うほか、先端・重要科学技術分野の研究開発の実施、創造的・基礎的研究の充実・強化等の取組を総合的に推進している。また、科学技術・学術審議会を置き、文部科学

大臣の諮問に応じて科学技術の総合的な振興や学術の振興に関する重要事項についての調査審議とともに、文部科学大臣に対し意見を述べること等を行っている。

　科学技術・学術審議会における主な決定・報告等は、第2-1-3表に示すとおりである。

　我が国の科学者コミュニティの代表機関として、210人（定員）の会員及び約1,900人の連携会員から成る日本学術会議は、内閣総理大臣の所轄の下に置かれ、科学に関する重要事項を審議し、その実現を図るとともに、科学に関する研究の連携を図り、その能率を向上させることを職務としている（第2-1-4図）。

■第2-1-3表／科学技術・学術審議会の主な決定・報告等（令和5年度）

年　月　日	主な報告等
令和5年4月26日	〔資源調査分科会〕 日本食品標準成分表（八訂）増補2023年
令和5年6月27日	〔学術分科会　研究環境基盤部会〕 中規模研究設備の整備等に関する論点整理
令和5年8月30日	〔学術分科会　人文学・社会科学特別委員会〕 人文学・社会科学研究の振興に向けた当面の施策の方向性について
令和5年12月11日	〔情報委員会〕 オープンサイエンスの推進について（一次まとめ）
令和5年12月22日	〔総会〕 災害の軽減に貢献するための地震火山観測研究計画（第3次）の推進について（建議）

資料：文部科学省作成

■第2-1-4図／日本学術会議の構成

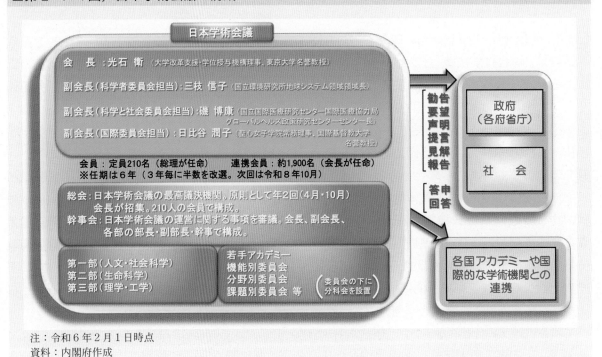

注：令和6年2月1日時点
資料：内閣府作成

日本学術会議においては、「日本学術会議のより良い役割発揮に向けて」（令和3年4月22日日本学術会議総会）を踏まえて、国民の幅広い理解や支持の下でナショナルアカデミーとしての機能をより良く発揮できるよう、国際活動や科学的助言機能の強化等をはじめとした具体的な取組を進めている一方で、更なる改革の必要性も強く指摘されている。

令和5年度においては、意思の表出として、勧告1件、声明2件、回答1件、提言7件、見解36件、報告25件を公表した[1]。

また、日本学術会議では、協力学術研究団体（2,142団体：令和5年度末時点）等の科学者コミュニティ内のネットワークの強化と活用に取り組むとともに、各種シンポジウム・記者会見等を通じて、科学者コミュニティ外との連携・コミュニケーションを図っている。

さらに、国際学術会議（ＩＳＣ[2]）をはじめとする42の国際学術団体に、我が国を代表し

て参画するなど、国際学術交流事業を推進している。令和5年度は閣議口頭了解を得て9件の共同主催国際会議を開催したほか、令和5年（2023年）7月に、インドでサイエンス20会合（G20各国の科学アカデミーがG20サミットに向けて科学的提言を行う枠組み）に参加し、気候変動・ヘルス・科学と文化についての共同声明の取りまとめに貢献した。また、令和5年（2023年）10月には、科学技術と人類の未来に関する国際フォーラム（ＳＴＳフォーラム[3]）において、日本学術会議がアカデミー・プレジデント会議を主催し、海洋の生物多様性保全に関する議論を行った。

なお、日本学術会議の在り方については、令和5年12月に日本学術会議の在り方に関する有識者懇談会において取りまとめられた「中間報告」を踏まえ、同月、日本学術会議を国から独立した法人格を有する組織とすることを内容とする「日本学術会議の法人化に向けて」（令

1　日本学術会議ウェブサイト「提言・報告等」　https://www.scj.go.jp/ja/info/index.html

2　International Science Council
3　Science and Technology in Society forum

和5年12月22日内閣府特命担当大臣決定）を公表した。今後、同決定に示した考え方に沿って、日本学術会議の意見も聴きながら、内閣府において法制化に向けた具体的な検討を進めることとしている。

② 知と価値の創出のための資金循環の活性化

❶ 科学技術関係予算

我が国の令和5年度当初予算における科学技術関係予算は4兆7,882億円であり、そのうち一般会計分は3兆5,170億円、特別会計分は1兆2,712億円となっている。令和5年度補正予算における科学技術関係予算は4兆1,397億円であり、そのうち一般会計分は3兆4,702億円、特別会計分は6,695億円となっている（令和6年2月時点）。科学技術関係予算（当初予算）の推移は第2-1-5表、府省別の科学技術関係予算は第2-1-6表のとおりである。

■第2-1-5表／科学技術関係予算の推移

（単位：億円）

年度 項目	平成30年度	令和元年度	令和2年度	令和3年度	令和4年度	令和5年度
科学技術振興費　　　　（A）	13,175	13,597	13,639	13,638	13,788	13,942
対前年度比　　　％	101.0	103.2	100.3	100.0	101.1	101.1
その他の研究関係費（B）	17,340	20,584	22,129	19,769	22,041	21,228
対前年度比　　　％	113.0	118.7	107.5	89.3	111.5	96.3
一般会計中の科学技術関係予算　（C）＝（A）＋（B）	30,515	34,182	35,768	33,407	35,829	35,170
対前年度比　　　％	107.5	112.0	104.6	93.4	107.3	98.2
特別会計中の科学技術関係予算　（D）	7,908	8,237	8,094	7,776	8,040	12,712
対前年度比　　　％	105.5	104.2	98.3	96.1	103.4	158.1
科学技術関係予算　（E）＝（C）＋（D）	38,423	42,419	43,862	41,183	43,869	47,882
対前年度比　　　％	107.1	110.4	103.4	93.9	106.5	111.6
国の一般会計予算　　　（F）	977,128	1,014,571	1,026,580	1,066,097	1,075,964	1,143,812
対前年度比　　　％	100.3	103.8	101.2	103.8	101.0	106.3
国の一般歳出予算　　　（G）	588,958	619,639	634,972	669,023	673,746	727,317
対前年度比　　　％	100.9	105.2	102.5	105.4	100.7	108.0

注：1．各年度とも当初予算額である。
　　2．各種積算と合計欄の数字は、四捨五入の関係で一致しないことがある。
資料：内閣府作成

■第2-1-6表／府省別科学技術関係予算

（単位：億円）

事項／府省等名	令和4年度（当初予算額）				令和4年度（補正予算額）				令和5年度（当初予算額）				令和5年度（補正予算額）			
	一般会計	科学技術振興費	特別会計	総額	一般会計	科学技術振興費	特別会計	総額	一般会計	科学技術振興費	特別会計	総額	一般会計	科学技術振興費	特別会計	総額
国　　会	12	11	-	12	-	-	-	-	11	11	-	11	-	-	-	-
内閣官房	626	-	-	626	199	-	-	199	626	-	-	626	275	-	-	275
内閣府	1,223	953	-	1,223	2,895	2,397	-	2,895	1,218	948	-	1,218	1,645	960	-	1,645
警察庁	22	20	-	22	3	3	-	3	23	20	-	23	1	1	-	1
金融庁	-	-	-	-	6	-	-	6	-	-	-	-	-	-	-	-
消費者庁	30	-	-	30	-	-	-	-	34	-	-	34	50	-	-	50
こども家庭庁	-	-	-	-	-	-	-	-	-	-	-	-	10	-	-	10
デジタル庁	58	-	-	58	55	-	-	55	49	-	-	49	35	-	-	35
復興庁	-	-	299	299	-	-	-	-	-	-	391	391	-	-	-	-
総務省	1,065	661	-	1,065	880	788	-	880	1,060	704	-	1,060	944	638	-	944
法務省	11	-	-	11	-	-	-	-	12	-	-	12	-	-	-	-
外務省	1,302	-	-	1,302	30	-	-	30	637	-	-	637	52	-	-	52
財務省	11	10	-	11	1	1	-	1	10	10	-	10	4	4	-	4
文部科学省	19,514	8,863	1,086	20,599	11,288	6,978	148	11,436	19,494	8,920	1,086	20,579	10,402	9,555	201	10,602
厚生労働省	2,205	647	658	2,863	551	52	-	551	1,673	669	672	2,345	788	79	-	788
農林水産省	1,997	943	-	1,997	322	93	-	322	1,925	945	-	1,925	414	133	-	414
経済産業省	1,722	1,104	4,708	6,430	27,631	17,588	759	28,390	1,730	1,122	9,313	11,043	19,403	16,225	5,820	25,223
国土交通省	3,948	284	95	4,044	1,016	117	-	1,016	4,034	295	93	4,127	637	93	-	637
環境省	436	290	1,193	1,630	19	14	259	278	434	296	1,157	1,591	45	21	674	719
防衛省	1,645	-	-	1,645	-	-	-	-	2,199	-	-	2,199	-	-	-	-
合　　計	35,829	13,788	8,040	43,869	44,898	28,031	1,166	46,064	35,170	13,942	12,712	47,882	34,702	27,708	6,695	41,397

注：1．補正予算額は、当初予算額同様の統一的な基準による集計ではなく、府省ごとの判断に基づく集計である。
　　2．各種積算と合計欄の数字は、四捨五入の関係で一致しないことがある。
資料：内閣府作成

❷ 民間の研究開発投資促進に向けた税制措置

政府は、我が国の研究開発投資総額の約7割を占める民間企業の研究開発投資を維持・拡大し、イノベーション創出につながる中長期的・革新的な研究開発を促すことを目的に、「研究開発税制」と呼ばれる税制措置を設けている。

「研究開発税制」とは、研究開発を行う企業の法人税額から、試験研究費の額に応じて、一定割合を控除できる制度である（第2-1-7図）。

イノベーションの国際競争が激化する中、研究開発拠点としての立地競争力を強化し、民間による無形資産投資を後押しすることを目的として、特許権等の知的財産権から生じる所得に減税措置を適用するイノベーション拠点税制（イノベーションボックス税制）を令和6年度税制改正において創設することとなった（第2-1-8図）。

■第 2-1-7 図／研究開発税制（令和 5 年 4 月～令和 7 年度末までの措置）

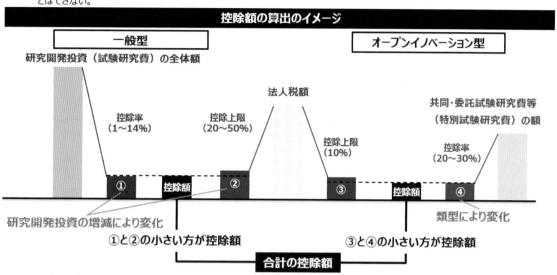

研究開発税制の全体像

● **研究開発税制は、研究開発投資額の一定割合を法人税額から税額控除**できる制度です。

● **研究開発投資の全体額に適用可能な一般型（※ 1）と、2 者以上が関わる共同研究等において適用可能なオープンイノベーション型（※ 2）が存在**します。

※ 1　資本金 1 億円以下等の中小企業は、一般型よりも高い控除率を措置している「中小企業技術基盤強化税制」が適用可能。
※ 2　オープンイノベーション型を適用した試験研究費の額については、「一般型」及び「中小企業技術基盤強化税制」を適用することはできない。

控除額の算出のイメージ

一般型　オープンイノベーション型

研究開発投資（試験研究費）の全体額

控除率（1～14%）　控除上限（20～50%）　法人税額　控除上限（10%）　共同・委託試験研究費等（特別試験研究費）の額　控除率（20～30%）

①　控除額　②　③　控除額　④

研究開発投資の増減により変化　類型により変化

①と②の小さい方が控除額　③と④の小さい方が控除額

合計の控除額

資料：経済産業省作成

■第 2-1-8 図／イノベーション拠点税制（令和 7 年 4 月～令和 13 年度末までの措置）

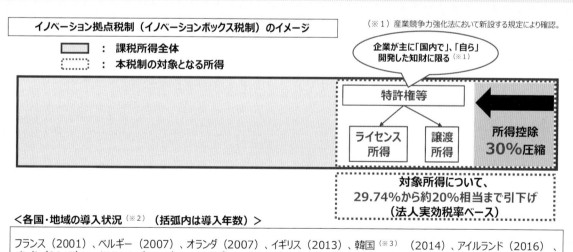

イノベーション拠点税制（イノベーションボックス税制）のイメージ

□　：　課税所得全体
┈┈　：　本税制の対象となる所得

（※ 1）産業競争力強化法において新設する規定により確認。

企業が主に「国内で」、「自ら」開発した知財に限る（※ 1）

特許権等
ライセンス所得　譲渡所得
所得控除 30% 圧縮

対象所得について、29.74% から約 20% 相当まで引下げ（法人実効税率ベース）

＜各国・地域の導入状況（※ 2）（括弧内は導入年数）＞

フランス（2001）、ベルギー（2007）、オランダ（2007）、イギリス（2013）、韓国（※ 3）（2014）、アイルランド（2016）、インド（2017）、イスラエル（2017）、シンガポール（2018）、スイス（2020）、香港（2024 目標）

（※ 2）米国には、無形資産由来の所得に係る制度として、FDII、GILTI が存在　　（※ 3）韓国では中小企業を対象とした制度

資料：経済産業省作成

第2章　Society 5.0の実現に向けた科学技術・イノベーション政策

第1節　国民の安全と安心を確保する持続可能で強靱^{きょうじん}な社会への変革

我が国の社会を再設計し、世界に先駆けた地球規模課題の解決や国民の安全・安心を確保することにより、国民一人ひとりが多様な幸せ（well-being）を得られる社会への変革を目指しており、そのために行っている政府の取組を報告する。

1　サイバー空間とフィジカル空間の融合による新たな価値の創出

第6期基本計画では、Society 5.0の実現に向け、サイバー空間とフィジカル空間を融合し、新たな価値を創出できることを目指している。具体的には質の高い多種多様なデータによるデジタルツインをサイバー空間に構築し、それを基にAIを積極的に用いながらフィジカル空間を変化させ、その結果をサイバー空間へ再現するという、常に変化し続けるダイナミックな好循環を生み出す社会へと変革することを目指すこととしている。

❶　サイバー空間を構築するための戦略、組織

デジタル庁では、規制・制度のデジタル原則への適合性の点検・見直しを進め、デジタル化の恩恵を国民や事業者が享受し、成長を実感できるよう、現場で人の目に頼る規制等、アナログ的な手法を用いる規制について、デジタル技術の活用可能性を踏まえた規制の横断的な点検・見直しを推進している。令和4年12月には、アナログ規制に関する約1万条項についての見直し方針及び見直しに向けた工程表を確定し、現在これに基づいて見直し作業を進めている。

また、こうした取組と並行して、規制所管省庁や企業等と協力し、アナログ規制の類型と、その見直しに活用可能な技術の対応関係を整理、可視化した「テクノロジーマップ」の初版を公表した。今後も技術検証の結果や技術の進展等を踏まえ随時更新していくこととしている。

また、データの利活用による社会的課題の解決と国際競争力の維持・向上を図るため、包括的データ戦略を統合した「デジタル社会の実現に向けた重点計画」を踏まえて、ベース・レジストリの整備、政府相互運用性フレームワーク（GIF[1]）の見直し及び実装への取組整理等を行った。

❷　データプラットフォームの整備と利便性の高いデータ活用サービスの提供

デジタル庁は、教育、防災等の準公共・相互連携分野において、デジタル化、データ連携を推進し、ユーザーに個別化したサービスを提供するため、府省庁横断的な体制の下、それぞれの分野での調査・実証等を進めている。

情報処理推進機構に設置しているデジタルアーキテクチャ・デザインセンター（DADC）では、我が国の産業競争力の強化及び安全・安心なデータ流通を実現するため、異なる事業・分野間で個別に整備されたシステムやデータをつなぐための標準を含むアーキテクチャの設計を、サイバー空間とフィジカル空間を高度に融合するSociety 5.0の社会実現を目指すウラノス・エコシステムの一環として推進している。

内閣府は、戦略的イノベーション創造プログラム（SIP[2]）「ビッグデータ・AIを活用し

1　Government Interoperability Framework
2　Cross-ministerial Strategic Innovation Promotion Program

たサイバー空間基盤技術」で、分野を超えたデータ連携を実現する「分野間データ連携基盤技術」を令和4年度までに開発した。同技術は一般社団法人データ社会推進協議会のDATA-EXに活用され、社会実装が進められている。

　国土技術政策総合研究所は、デジタル社会の実現を見据え、人流ビッグデータを利用して建物用途ごとの発生集中原単位等の利用者の交通特性を推計する手法の開発に関する研究を行っている。

❸ データガバナンスルールなど信頼性のあるデータ流通環境の構築

　デジタル庁は、令和4年7月に公表した「トラストを確保したDX推進サブワーキンググループ報告書」を踏まえ、「本人確認ガイドラインの改定に向けた有識者会議」においてデジタルにおける本人確認の国際的な通用性を踏まえた議論を実施した。また、令和4年3月に策定された「プラットフォームにおけるデータ取扱いルールの実装ガイダンス ver1.0」については、準公共分野[1]の一部において参照し、また、デジタル田園都市国家構想交付金の一部の採択団体に対して参照状況を調査し、当該ガイダンスの利用を促進した。

❹ デジタル社会に対応した次世代インフラやデータ・AI利活用技術の整備・研究開発

1．デジタル社会に対応した次世代インフラの整備

　総務省は、Society 5.0におけるネットワーク通信量の急増、サービス要件の多様化やネットワークの複雑化に対応するため、1運用単位当たり5Tbps[2]を超える光伝送システムの実用化を目指した研究開発及びAIを活用した通信ネットワーク運用の自動化等を実現するための研究開発を実施した。また、第5世代移動通信システム（5G）の更なる普及に資するため、基地局端末間の協調による動的ネットワーク制御に関する研究開発を行っている。

　さらに、2030年代のあらゆる産業・社会活動の基盤になると想定される次世代の情報通信インフラBeyond 5G（6G）の実現に向け、令和5年3月に情報通信研究機構に新たに設置した基金を活用し、社会実装・海外展開を目指した研究開発・国際標準化を推進している。

　情報通信研究機構は、テラヘルツ波を利用した100Gbps級の無線通信システムの実現を目指したデバイス技術や集積化技術、信号源や検出器等に関する基盤技術の研究開発を行った。また、ICT利活用に伴う通信量及び消費電力の急激な増大に対処するため、ネットワーク全体の超高速化と低消費電力化を同時に実現する光ネットワークに関する研究開発を推進した。

　経済産業省では、更に超低遅延や多数同時接続といった機能が強化された5G（以下「ポスト5G」という。）について、今後、スマート工場や自動運転といった多様な産業用途への活用が見込まれているため、ポスト5Gに対応した情報通信システムや当該システムで用いられる半導体等の関連技術を開発するとともに、ポスト5Gで必要となる先端的な半導体の製造技術の開発に取り組んだ。また、産業のIoT化や電動化が進展し、それを支える半導体関連技術の重要性が高まる中、我が国が保有する高水準の要素技術等を活用し、エレクトロニクス製品のより高性能な省エネルギー化を実現するため、次世代パワー半導体や半導体製造装置の高度化に向けた研究開発に取り組んだ。

2．AI利活用技術の研究開発

　政府においては、令和4年4月にAIに関する国家戦略として「AI戦略2022」（令和4年4月22日統合イノベーション戦略推進会議決定）を策定した。また、その後の生成AIなど

1　健康・医療・介護、教育、こども、防災、モビリティ、農業・水産業・食関連産業、港湾、インフラ
2　Tera bit per second：ビットパーセカンド（bps）はデータ伝送速度の単位の一つで1秒間に何ビットのデータを伝送できるかを表す。毎秒1兆ビット（1テラビット）のデータを伝送できるのが1Tbpsである。

の技術の変化や国際的な議論を踏まえて、新たに設置した「ＡＩ戦略会議」において「ＡＩに関する暫定的な論点整理」を令和５年５月に取りまとめ、ＡＩに関する国際的な議論と多様なリスクへの対応、ＡＩの最適な利用、ＡＩ開発力の強化等に向けた取組を進めている。例えば、ＡＩの安全性の評価手法の検討などを行う「ＡＩセーフティ・インスティテュート」の設立、行政事務における生成ＡＩの活用、計算資源の整備・拡充などが進められている。

　関係府省庁における取組として、総務省は、情報通信研究機構において、脳活動分析技術を用い、人の感性を客観的に評価するシステムの開発や、脳活動を模倣して多様な情報処理が可能なアルゴリズム（人工脳）の開発などを実施しており、脳活動等に現れる無意識での価値判断等に応じた効率的な情報処理プロセスの開発や脳情報通信技術によるＡＩの普及によって生じる倫理的・法的・社会的課題（ＥＬＳＩ[1]）に関する取組等を実施し、社会実装に向けた取組を実施している。また、誰もが分かり合えるユニバーサルコミュニケーションの実現を目指して、音声、テキスト、センサーデータ等の膨大なデータを用いた深層学習技術等の先端技術により、多言語翻訳、対話システム、行動支援等の研究開発・実証を実施している。

　文部科学省は、理化学研究所に設置した革新知能統合研究センターにおいて、①深層学習の原理解明や汎用的な機械学習の基盤技術の構築、②我が国が強みを持つ分野の科学研究の加速や我が国の社会的課題の解決のためのＡＩ等の基盤技術の研究開発、③ＡＩ技術の普及に伴って生じるＥＬＳＩに関する研究などを実施している。具体的には、従来の深層学習を超える、信頼性の高い次世代ＡＩ基盤技術の理論構築や、医療分野・防災分野における最先端のＡＩ基盤技術の社会実装に向けた研究開発などを進めている。このほか、科学技術振興機構

において、ＡＩ等の分野における若手研究者の独創的な発想や、新たなイノベーションを切り拓く挑戦的な研究課題に対する支援（ＡＩＰ[2]ネットワークラボ）を一体的に推進している。

　経済産業省は、平成27年５月、産業技術総合研究所に設置した「人工知能研究センター」に優れた研究者・技術を結集し、大学等と産業界のハブとして目的基礎研究の成果を社会実装につなげていく好循環を生むエコシステムの形成に取り組んでいる。具体的には、①人と共に進化するＡＩシステムの基盤技術開発、②実世界で信頼できるＡＩの評価手法の確立、③容易に構築・導入できるＡＩ技術の開発に取り組んでいる。また、産業技術総合研究所情報・人間工学領域において、大規模で省電力の計算システム「ＡＩ橋渡しクラウド（ＡＢＣＩ[3]2.0)」を運用し、国内の開発需要の増加を踏まえ、令和５年度補正予算を措置して、本計算システムの大幅な拡充に取り組んでいる。さらに、経済産業省では「ＩｏＴ[4]社会実現に向けた次世代人工知能・センシング等中核技術開発」事業として、新エネルギー・産業技術総合開発機構を通じて、人との協調性や信頼性を実現するＡＩシステムの研究開発や、リモートシステムに必要なＡＩ技術の研究開発、信頼性を担保して高精度にリアルデータを取得するためのセンシングデバイス・システム開発等を実施している。加えて、平成30年度よりエネルギー需給構造の高度化に向けた「次世代人工知能・ロボットの中核となるインテグレート技術開発」事業として、エネルギー需給の高度化に貢献するＡＩ技術の実装加速化に向けた研究開発やＡＩ導入を飛躍的に加速させる基盤技術開発、ものづくり分野の設計や製造現場に蓄積されてきた「熟練者の技・暗黙知（経験や勘）」の伝承・効率的活用を支えるＡＩ技術開発に取り組んでいる。

　また、経済産業省は、ＩｏＴ社会の到来によ

1　Ethical, Legal and Social Issues
2　Advanced Integrated Intelligence Platform
3　AI Bridging Cloud Infrastructure
4　Internet of Things

り増加した膨大な量の情報を効率的に活用するため、ネットワークのエッジ側で動作する超低消費電力の革新的ＡＩチップに係るコンピューティング技術、新原理により高速化と低消費電力化を両立する次世代コンピューティング技術（脳型コンピュータ、量子コンピュータ、光分散コンピュータ等）の開発に取り組んだ。

❺　デジタル社会を担う人材育成

近年では、イノベーションが急速に進展し、技術がめまぐるしく進化する中、Society 5.0の実現に向け、ＡＩ・ビッグデータ・ＩｏＴ等の革新的な技術を社会実装につなげるとともに、そうした技術による産業構造改革を促す人材を育成する必要性が高まっている。

文部科学省は、ＡＩ戦略2022の目標である「文理を問わず全ての大学・高専生（約50万人卒／年）が初級レベルの能力を習得すること」、「大学・高専生（約25万人卒／年）が自らの専門分野への応用基礎力を習得すること」の実現のため、数理・データサイエンス・ＡＩ教育の基本的考え方、学修目標・スキルセット、教育方法などを体系化したモデルカリキュラム（リテラシーレベル・応用基礎レベル）を策定・活用するとともに、教材等の開発や、教育に活用可能な社会の実課題・実データの収集・整備等を通じて全国の大学などへの普及・展開を推進している。また、「ＡＩ戦略2019」（令和元年6月11日統合イノベーション戦略推進会議決定）では、大学・高等専門学校における数理・データサイエンス・ＡＩ教育のうち、優れた教育プログラムを政府が認定することとされており、令和5年度時点でリテラシーレベル382件、応用基礎レベル147件の教育プログラムを認定している。本認定制度は、各大学等の取組について、政府だけでなく産業界をはじめとした社会全体として積極的に評価する環境を醸成し、より質の高い教育を牽引していくことを目指している。

さらに、デジタル等の成長分野を牽引する高度専門人材の育成に向けて、意欲ある大学・高等専門学校が成長分野への学部転換等の改革に予見可能性を持って踏み切れるよう、令和4年度第2次補正予算において措置された3,002億円の基金により機動的かつ継続的な支援を行っている。

また、各分野の博士人材等について、データサイエンス等を活用しアカデミア・産業界を問わず活躍できるトップクラスのエキスパート人材を育成する研修プログラムの開発を目指す「データ関連人材育成プログラム」を平成29年度より実施しているほか、高度な統計学のスキルを有する人材の育成及び統計人材育成エコシステムの構築を目的とした「統計エキスパート人材育成プロジェクト」に令和3年度より取り組んでいる。

経済産業省は、情報処理推進機構を通じて、ＩＴを駆使してイノベーションを創出することのできる独創的なアイディアと技術を有するとともに、これらを活用していく能力を有する優れた個人（ＩＴクリエータ）を発掘・育成する「未踏ＩＴ人材発掘・育成事業」等を実施している。

❻　デジタル社会の在り方に関する国際社会への貢献

デジタル庁は、我が国が主催した令和5年（2023年）4月のＧ7デジタル・技術大臣会合も踏まえ、信頼性のある自由なデータ流通（ＤＦＦＴ[1]）の推進に向け、データ流通に関するグローバルな枠組みを構築するため、データ品質、プライバシー、セキュリティ、インフラ等の相互信頼やルール、標準等、国際的なデータ流通を促進する上での課題解決に向けた方策を実行することとしている。

総務省は、2025年日本国際博覧会（大阪・関西万博）も見据え、「グローバルコミュニケーション計画2025」（令和2年3月）に基づき情

1　Data Free Flow with Trust

報通信研究機構の多言語翻訳技術の更なる高度化により、ビジネスや国際会議における議論等の場面にも対応したＡＩによる「同時通訳」を実現するための研究開発を実施している。

外務省及び国際協力機構は、政府開発援助事業において開発途上国のデジタル社会構築に資する協力を推進するため、開発の各分野でのデジタルの利活用、その基盤となるデジタル化を担う人材・産業の育成、サイバーセキュリティの能力強化等に取り組んでいる。

❼　新たな政策的課題

内閣府及びデジタル庁は、関係省庁の議論の動向を踏まえつつ、令和5年5月に取りまとめられた「ＡＩに関する暫定的な論点整理」や、「デジタル社会の実現に向けた重点計画」などに基づく各種の取組を通じて、新たな政策的な課題への対応等の検討を進めている。

②　地球規模課題の克服に向けた社会変革と非連続なイノベーションの推進

脱炭素、エネルギー安定供給、経済成長の三つを同時に実現するグリーントランスフォーメーション（ＧＸ）実現のため、令和5年2月に「ＧＸ実現に向けた基本方針～今後10年を見据えたロードマップ～」、7月に「脱炭素成長型経済構造移行推進戦略」（以下「ＧＸ推進戦略」という。）が閣議決定された。

こうした、2050年までに、温室効果ガスの排出を全体としてゼロにする、2050年カーボンニュートラルの実現に向けた取組に加え、健全で効率的な廃棄物処理及び高度な循環経済（サーキュラーエコノミー）の実現に向けた対応をしていくことで、グリーン産業の発展を通じた経済成長へとつなげ、経済と環境の好循環が生み出されるような社会の構築を目指している。

❶　革新的環境イノベーション技術の研究開発・低コスト化の促進

1．カーボンニュートラルに向けた研究開発の推進

「2050年カーボンニュートラルに伴うグリーン成長戦略」やＧＸ推進戦略に基づき、革新的な技術開発に対する継続的な支援を行う「グリーンイノベーション基金事業」等を活用し、革新的技術の研究開発・実証とその社会実装を推進している。

文部科学省及び科学技術振興機構は、2050年カーボンニュートラルの実現等への貢献を目指し、従来の延長線上にない非連続なイノベーションをもたらす革新的技術を創出するため、令和5年度から新たに「革新的ＧＸ技術創出事業（ＧｔｅＸ[1]）」及び「戦略的創造研究推進事業 先端的カーボンニュートラル技術開発（ＡＬＣＡ－Ｎｅｘｔ[2]）」を開始した。ＧｔｅＸでは「蓄電池」、「水素」、「バイオものづくり」の三つの重点領域におけるオールジャパンのチーム型研究開発を、ＡＬＣＡ－Ｎｅｘｔでは幅広い領域におけるチャレンジングな基礎研究により様々な技術シーズを育成する探索型の研究開発を実施している。また、「未来社会創造事業『地球規模課題である低炭素社会の実現』領域」において、2050年の社会実装を目指し、温室効果ガスの大幅削減に資する革新的技術の研究開発を実施している。

経済産業省は、二酸化炭素を資源として捉え、これを回収し、燃料、化学品、コンクリート等に再利用することで、大気中への二酸化炭素排出を抑制するカーボンリサイクルの取組を推進している（第2-2-1図）。そして従来の技術開発に加えて、カーボンリサイクルの定義・意義、現状、課題、今後の見通しを取りまとめた「カーボンリサイクルロードマップ」を令和5年6月に策定した。中でもカーボンリサイクルの分野においては、広島県・大崎上島における実証研究拠点の整備・運営や、コ

1　Green Technologies of Excellence
2　Advanced Technologies for Carbon-Neutral

■第2-2-1図／二酸化炭素の循環利用・削減のイメージ

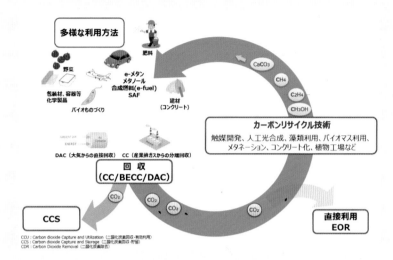

資料：経済産業省作成

スト高や反応効率性等の課題に対応するためグリーンイノベーション基金も活用しながら技術の社会実装を進めている。今後、社会実装に向けては、二酸化炭素の排出者と利用者を連携させる産業間連携の取組が重要であり、新エネルギー・産業技術総合開発機構を通じて、様々な二酸化炭素の集約・利活用の構想についての実現可能性調査を実施している。

また、二酸化炭素回収・有効利用・貯留（CCUS[1]）技術の実用化を目指し、二酸化炭素大規模発生源から分離・回収・輸送した二酸化炭素を利用・地中（地下1,000m以深）に貯留する一連のトータルシステムの実証を行ったことに加え、現在は、コストの大幅低減や安全性向上に向けた技術開発を進めている。鉄鋼製造においては、製鉄プロセスにおける省エネ化を目指し、低品位原料を有効活用して製造するコークス（フェロコークス）を用いて鉄鉱石の還元反応を低温化・高効率化するための技術開発を行った。また、水素還元等プロセス技術の開発事業（COURSE50[2]）の成果を踏まえ、「グリーンイノベーション基金／製鉄プロセスにおける水素活用」において、大幅な二酸化炭素

排出削減を目指し、水素を用いて鉄鉱石を還元する技術の開発を行っている。

環境省は、火力発電所の排ガスから二酸化炭素の大半を分離・回収する場合のコストや環境影響等の評価のための実用規模の二酸化炭素分離・回収設備による実証、いまだ実用化されていない浮体式洋上圧入技術の実現に向けて輸送及びモニタリング等の技術の確立を進めている。また、平成30年度からは二酸化炭素回収・有効利用（CCU[3]）に関する実証事業を行っており、人工光合成やメタネーション等といった取組及びこれらのライフサイクルを通じた二酸化炭素削減効果の検証・評価を行っている。

また、「地域共創・セクター横断型カーボンニュートラル技術開発・実証事業」において、地球温暖化対策の強化につながる二酸化炭素排出削減効果の高い技術開発・実証を行っている。例えば、既存建築物のZEB[4]化普及拡大に向けた高意匠・高性能な建材一体型太陽光発電システムの開発や、スピーキング・プラント・アプローチ型環境制御を組み込んだ園芸施設であるセミクローズド・パイプハウスの開発・

1　Carbon dioxide Capture, Utilization and Storage
2　CO₂ Ultimate Reduction System for Cool Earth 50
3　Carbon dioxide Capture and Utilization
4　Net Zero Energy Building

実証等を実施している。令和５年度からはスタートアップ企業の事業化検討に必要な実現可能性調査や概念実証を支援するスタートアップ枠を新設し、あらゆる分野で更なる二酸化炭素削減が可能なイノベーションを創出し、革新的技術の早期社会実装に取り組んでいる。

経済産業省は、航空分野における脱炭素化の取組に寄与する持続可能な航空燃料（ＳＡＦ[1]）の商用化に向け、ＡＴＪ[2]技術（触媒技術を利用してアルコールからＳＡＦを製造）や、ガス化・ＦＴ[3]合成技術（木材等を水素と一酸化炭素に気化し、ガスと触媒を反応させてＳＡＦを製造）、カーボンリサイクルを活用した微細藻類の培養技術を含むＨＥＦＡ[4]技術に係る実証事業等を実施している。

また、「グリーンイノベーション基金／ＣＯ$_2$等を用いた燃料製造技術開発」事業において、ＳＡＦの大量生産が可能となる技術（ＡＴＪ技術）を支援している。

メタネーションについては、大量供給を可能とする、合成メタンの大規模かつ高効率な生産技術の確立が必要である。このため、サバティエ反応によるメタネーション設備大型化に向けた技術開発・実証を実施している。さらに、「グリーンイノベーション基金／ＣＯ$_2$等を用いた燃料製造技術開発」事業により、生産効率を飛躍的に高める革新的メタネーション技術の開発を開始している。

バイオものづくりについては、カーボンニュートラルの実現に向けた有力な選択肢のひとつとなっている。「グリーンイノベーション基金／バイオものづくり技術によるＣＯ$_2$を直接原料としたカーボンリサイクルの推進」において、バイオものづくりの中核を担う微生物等改変プラットフォーム事業者と二酸化炭素を直接原料にして大規模発酵生産等を担う事業会社等の育成・強化を図るとともに、微生物等が持つ二酸化炭素固定能力を最大限に引き出し、二酸化炭素を原料としたバイオものづくりによるカーボンリサイクルを推進する取組を開始している。さらに、「バイオものづくり革命推進基金」により、未利用資源の収集・資源化、微生物等の改変技術、生産・分離・精製・加工技術、社会実装に必要な制度や標準化等のバイオものづくりのバリューチェーン構築に必要となる技術開発及び実証を一貫して支援し、二酸化炭素の排出量を抑えながら燃料や素材を生産する技術を開発している。

理化学研究所は、石油化学製品として消費され続けている炭素等の資源を循環的に利活用することを目指し、植物科学、ケミカルバイオロジー、触媒化学、バイオマス工学等を融合した先導的研究を実施している。また、バイオマスを原料とした新材料の創成を実現するための革新的で一貫したバイオプロセスの確立に必要な研究開発を実施している。

２．ムーンショット型研究開発制度における取組

ムーンショット型研究開発制度（第１章第２節 ② ❹ 参照）の目標４においては「2050年までに、地球環境再生に向けた持続可能な資源循環を実現」という目標を掲げ、地球環境再生のために持続可能な資源循環の実現による地球温暖化問題の解決（Cool Earth）と環境汚染問題の解決（Clean Earth）を目指している。また、目標５においては「2050年までに、未利用の生物機能等のフル活用により、地球規模でムリ・ムダのない持続的な食料供給産業を創出」という目標を掲げ、食料生産と地球環境保全の両立を目指している。

３．ゼロエミッション国際共同研究センターについて

令和２年１月29日に産業技術総合研究所はゼロエミッション国際共同研究センターを設

1　Sustainable Aviation Fuel
2　Alcohol To Jet
3　Fischer-Tropsch
4　Hydroprocessed Esters and Fatty Acids

置した。同センターにおいては、国際連携の下、次世代太陽電池、蓄電池、水素、二酸化炭素分離・利用・固定化、人工光合成等、「革新的環境イノベーション戦略」（令和2年1月21日統合イノベーション戦略推進会議決定）の重要技術の基盤研究を実施しているほか、クリーンエネルギー技術に関するG20各国・地域の国立研究所等のリーダーによる国際会議（RD20）や、東京湾岸ゼロエミッションイノベーション協議会（ゼロエミベイ）の事務局を担うなど、イノベーションハブとしての活動を推進している。

4．農林水産業に関する取組

持続可能な開発目標（SDGs[1]）や環境を重視する国内外の動きが加速する中、我が国としても持続可能な食料システムを構築し、国内外を主導していくことが急務となっている。このため、農林水産省では、令和3年5月に、我が国の食料・農林水産業の生産力向上と持続性の両立をイノベーションで実現する「みどりの食料システム戦略」（以下「みどり戦略」という。）を策定し、その実現に向けた「環境と調和のとれた食料システムの確立のための環境負荷低減事業活動の促進等に関する法律（みどりの食料システム法）」（令和4年法律第37号）が令和4年に制定・施行された。同法に基づく事業者の計画認定制度において、令和5年度末時点で64事業者の計画を認定し、税制・金融措置等により、化学肥料の使用低減に寄与する可変施肥機、化学農薬の使用低減や有機農業の取組拡大に寄与する水田用除草機など、環境負荷の低減に資する新技術の開発・普及を促進している。また、みどり戦略では、2050年までに目指す姿として、14の数値目標（KPI[2]）を掲げており、みどり戦略本部において、毎年、進捗状況を報告している（令和5年12月実施）。令和5年（2023年）4月には、宮崎県宮崎市でG7宮崎農業大臣会合を開催し、我が国から

は、みどり戦略の紹介によって、農業の生産性向上と持続可能性の両立を強調しながら、イノベーションの創出に向けた技術の開発・普及の重要性を主張した。また、同年10月には、ASEAN地域における強靱で持続可能な農業・食料システムの構築に向けた「日ASEANみどり協力プラン」が日ASEAN農林大臣会合において採択され、みどり戦略を通じて我が国が培ってきた技術・イノベーションの活用により、ASEAN地域の生産力向上と持続性の両立、ひいては食料安全保障に貢献することが期待されている。

農林水産省では、イノベーションの創出に向け、生産現場が直面する課題を解決するための研究開発や地球温暖化対策等、中長期的な視点で取り組むべき研究開発を総合的に推進している。令和5年度においては、食料・農業・農村基本計画に基づく「農林水産研究イノベーション戦略2023」を策定し、みどり戦略の実現に向けた研究開発を加速するため、二酸化炭素ゼロエミッションの達成や、化学農薬・化学肥料の使用量の低減に貢献する研究開発、生産力の強化に関する研究開発、先端技術に対する理解の増進を推進するとともに、労働人口減少に対応するスマート農林水産業の加速、持続可能で健康な食の実現、バイオ市場獲得に貢献する研究開発を推進した。

また、衛星測位情報や画像データ等を活用した農業機械の自動走行システム、野菜・果樹の自動収穫ロボット等のスマート農業技術の開発や全国217地区で生産現場への導入効果を経営面から明らかにするスマート農業実証プロジェクトを展開し、実証で培われた技術・ノウハウを有する生産者、民間事業者等から成るスマートサポートチームによる新たな産地へのスマート農業技術の展開を推進した。

食料安定供給・農林水産業基盤強化本部において令和5年12月に決定された「『食料・農業・農村政策の新たな展開方向』に基づく具体的な

1　Sustainable Development Goals
2　Key Performance Indicatorの略であり、「重要業績評価指標」のこと

施策の内容」に即し、人口減少下においても生産水準が維持できる生産性の高い食料供給体制を確立するため、政府は「農業の生産性の向上のためのスマート農業技術の活用の促進に関する法律案」を第213回通常国会に提出した。

農林水産分野におけるAI研究については、「研究開発とSociety 5.0との橋渡しプログラム（BRIDGE[1]）」の活用により、地域・品種に応じた高精度な生育・収量予測等を行うAIをスタートアップ等が迅速かつ低コストに開発できる環境の整備及び農業者の経営判断や販売戦略を支援する生成AIの開発を行っている。

加えて、農業現場におけるデータ活用の促進に向けて、これまでのオープンAPI[2]の整備やデータ形式の標準化、データ利用権限等の取扱いルールの策定に加え、これらを活用した異なる種類・メーカーの機器やシステムから取得されるデータの連携実証を実施した。

このほか、様々なデータの連携・提供が可能なデータプラットフォーム「農業データ連携基盤（WAGRI[3]）」を活用した農業者向けのICTサービスが展開されているほか、生産から加工・流通・販売・消費までのデータの相互活用が可能なスマートフードチェーンプラットフォームを活用し、農業データの川下とのデータ連携実証を実施した。

また、令和5年4月1日に設立した福島国際研究教育機構において、現場が新たに直面している課題の解消に資する現地実証や社会実装に向けた取組を推進するとともに、「福島イノベーション・コースト構想」の実現に向け、ICTやロボット技術などを活用した農林水産分野の先端技術の開発を行った。

内閣府は、SIP第3期「豊かな食が提供される持続可能なフードチェーンの構築」において、食料やその生産に必要となる肥料等、海外依存度の高い現状のフードチェーンを、持続可能な形で国内に再構築することを目的とした研究開発を令和5年度より開始した。

土木研究所は、農業の成長産業化や強靱化に資する積雪寒冷地の農業生産基盤の整備・保全管理技術の開発、水産資源の生産力向上に資する寒冷海域の水産基盤の整備・保全に関する研究開発を実施している。

農林水産省は、農林水産分野における気候変動緩和技術として、バイオ炭やブルーカーボン、木質バイオマスのマテリアル利用による炭素吸収源対策技術の開発に取り組んでいるほか、水田・畑作・園芸施設等の現場における温室効果ガス排出削減と生産性向上を両立する気候変動緩和技術の開発、炭素貯留能力に優れた造林樹種の育種期間を大幅に短縮する技術の開発に取り組んでいる。また、牛の消化管内発酵由来メタン排出削減技術等の開発や、東南アジアの小規模農家が実施可能な温室効果ガス排出削減技術の開発を推進している。さらに、気候変動適応技術として、高温に強い品種や温暖化に適応した生産技術の開発に取り組むとともに、流木災害防止・被害軽減技術、病害虫や侵略的外来種の管理技術の開発に取り組んでいる。

また、民間企業等における海外の有用な植物遺伝資源を用いた新品種開発を支援するため、特にアジア地域の各国との二国間共同研究を推進し、海外植物遺伝資源の調査・収集と評価に加え、それらの情報を効率的に供給するためのデータベースを構築し、情報の拡充を進めている。農業・食品産業技術総合研究機構は、「農業生物資源ジーンバンク事業」として、農業に係る生物遺伝資源の収集・保存・評価・提供を行っている。

5．社会インフラ設備の省エネ化・ゼロエミッション化に向けた取組

国土交通省は、技術のトップランナーを中核

1　　programs for Bridging the gap between R&d and the IDeal society (society 5.0) and Generating Economic and social value
2　　Application Programming Interface
3　　和(WA)-AGRIculture

とした海事産業の集約・連携強化を図るため、次世代船舶（ゼロエミッション船等）の技術開発支援を行うとともに、環境省と連携し、ＬＮＧ[1]燃料システム及び最新の省ＣＯ₂機器を組み合わせた先進的な航行システムの普及を図るためのＬＮＧ燃料船の導入促進事業を行った。

海上・港湾・航空技術研究所は、船舶からの二酸化炭素排出量の大幅削減に向け、ゼロエミッションを目指した環境インパクトの大幅な低減と社会合理性を兼ね備えた環境規制の実現に資する基盤的技術に関する研究を行っている。

また、国内外に広く適用可能なブルーカーボンの計測手法を確立することを目的に、大気と海水間のガス交換速度や海水と底生系間の炭素フロー等の定量化など、沿岸域における現地調査や実験を推進している。

土木研究所は、社会構造の変化に対応した資源・資材活用・環境負荷低減技術の開発を実施している。

国土技術政策総合研究所は、省エネ住宅の高性能化を踏まえたエネルギー消費性能の合理的な評価手法の開発、省ＣＯ₂に資するコンクリート系新材料の建築物への適用のための性能指標に関する研究を行っている。

海上・港湾・航空技術研究所は、海中での施工、洋上基地と海底の輸送・通信等に係る研究開発、海洋資源・エネルギー開発に係る基盤的技術の基礎となる海洋構造物の安全性評価手法及び環境負荷軽減手法の開発・高度化に関する研究を行っている。

コラム2-1　ロボット技術でズワイガニの資源管理の課題解決に挑戦！

農林水産省では、「みどりの食料システム戦略」を推進しており、ＫＰＩの一つとして、2030年までに漁獲量を2010年と同程度まで回復することを目指し、資源管理を推進しています。

ここでは、令和6年2月の第6回「日本オープンイノベーション大賞」農林水産大臣賞を受賞した水産分野の資源管理に係る取組をご紹介します。

近年の福井県ではズワイガニ漁獲量が減少しており、ズワイガニの巣となる魚礁の設置や作澪と呼ばれる海底に溝を掘る手法による資源保護管理を行っていますが、適切な保護管理には精度の高い資源量推定技術が求められます。

現行の資源量推定は、主にトロール網や曳航式カメラによって行われていますが、トロール網では魚礁内のカニが採捕できないため正確な分布状況が把握できず、また、曳航式カメラでは正確な水中位置が把握できないため作澪状況の詳細な把握が難しい等の課題があります。

これらの課題を解決するため、いであ株式会社は東京大学や九州工業大学等から技術移転を受け、ホバリング型ＡＵＶ（自律型水中ロボット）による新たな調査手法の導入を開始しました。本ＡＵＶは、曳航ケーブルがないため魚礁内を自由に動き回ることができ、また障害物回避機能や水中測位によって全自動で安全かつ正確な資源量調査を実現します。今後、保護する魚礁や作澪箇所のデータ取得が可能となり、高精度なズワイガニ資源量推定と魚礁内の海底環境モニタリングの実現が期待されます。

魚礁回避試験状況
提供：いであ株式会社

（参考）第6回日本オープンイノベーション大賞ウェブサイト
https://www8.cao.go.jp/cstp/openinnovation/prize/2023.html

1　Liquefied Natural Gas

コラム2-2　食品産業における食品ハンドリング技術の革新と社会実装

　食品製造業は一般的に労働集約型の産業であり、慢性的な労働力不足が課題となっています。また、他の製造業に比べて労働生産性が約6割と低いことが課題です。これは食品が不定形で傷つきやすく、繊細な扱いが求められるため、検品や食材の加工、盛付等の工程においては人手に頼っているためです。このような工程の自動化を進めることで、人手不足の解消と効率化が期待できます。食品特有の事情を考慮しつつ製造ラインの自動化を進めるためには、近年発展著しいAIによる画像認識技術やロボットハンドで食材を掴む技術等の先端技術を用いることが有効です。

ロボットによる和惣菜盛り付け
提供：コネクテッドロボティクス株式会社

　農林水産省では、農林水産省中小企業イノベーション創出推進事業により、令和5年度からロボットによる惣菜盛り付けシステムの社会実装に向けた大規模実証を支援しています。様々な惣菜の盛り付けに対応するためのハンドの多様化や、業界全体へ本技術を普及するための低価格化、盛り付け容器の供給や小袋の移載も含めた惣菜盛り付けに係る一連の工程を自動化するシステムの開発等が予定されており、惣菜製造分野の生産性向上と人手不足の解消が期待されます。

コラム2-3　果樹の開花に必要な低温積算時間を一目で把握－スマホで果樹の促成栽培管理を支援－

　モモやニホンナシなどの落葉果樹が春に開花するためには、秋冬季にある温度範囲の低温に一定時間以上さらされること（低温積算）が必要ですが、近年の秋冬季の温暖化傾向により、開花に必要な低温積算時間の到達時期が以前より遅くなっています。このため、経験に基づき暦日で決めていた促成栽培（通常の収穫・出荷時期より早めに収穫・出荷する栽培方法）のための加温を行うと、適切な時期より早く加温を開始することになり、開花不良や燃料の無駄が生じます。

　これらの課題を解決するため、農業・食品産業技術総合研究機構では「果樹の開花に必要な低温積算時間」を把握できるシステムを開発し、令和5年1月に公開しました。本システムは、簡単な操作によりスマートフォンやPCなどの端末のウェブブラウザに、指定した園地の低温積算時間の実況及び予報値が表示されます。これにより、低温積算時間を地点ごとにリアルタイムで把握できることで、促成栽培の加温開始を適切な時期に行えるようになり、開花率の向上や開花時期の斉一化のほか、燃料利用の効率化により省エネ化が図られ、新たな機械・装置を導入しなくても簡易かつ低コストで生産性の向上につながることが期待されます。現在、お試し版は無料公開しており、会員登録をすれば利用可能となっています。令和5年度においては普及誌への掲載や講演での発表により普及が進み、令和5年4月時点で257人であった登録者数は令和6年4月時点では1,287人となり、大幅に増加しています。

任意の場所（図中の青ピン）における低温積算時間の表示
（現在値及び200時間ごとに低温積算時間の到達日（青字）と
到達予定日（赤字）が表示される）
提供：農業・食品産業技術総合研究機構

果樹アプリトップページへアクセス
https://fruitforecast.jp/
低温積算時間アイコンより、果樹の低温積算時間表示システムへ移動

果樹アプリ（お試し版）へのアクセス方法
提供：農業・食品産業技術総合研究機構

6．地球環境の観測技術の開発と継続的観測
（1）地球観測等の推進

　気候変動の状況等を把握するため、世界中で様々な地球観測が実施されている。気候変動問題の解決に向けた全世界的な取組を一層効果的なものとするためには、国際的な連携により、観測データ及び科学的知見への各国・機関のアクセスを容易にするシステムが重要である。「全球地球観測システム（ＧＥＯＳＳ[1]）」は、このような複数のシステムから構成される国際的なシステムであり、その構築を推進する国際的な枠組みとして、地球観測に関する政府間会合（ＧＥＯ[2]）（第2章第1節 6 ❺参照）が設立され、我が国はＧＥＯの執行委員国の一つとして主導的な役割を果たしている。

　環境省は、「環境研究総合推進費」における戦略的研究課題の一つとして、気候変動影響予測及び気候変動適応策に関する最新の科学的情報の創出を目的とする「気候変動影響予測・適応評価の総合的研究（S-18）」を実施している。これらの戦略的研究をはじめとして、気候変動及びその影響の観測・監視並びに予測・評価及びその対策に関する研究を環境研究総合推進費等により総合的に推進している。

1　Global Earth Observation System of Systems
2　Group on Earth Observations

（２）　人工衛星等による観測

宇宙航空研究開発機構は、気候変動観測衛星「しきさい」（GCOM－C[1]）、水循環変動観測衛星「しずく」（GCOM－W[2]）、陸域観測技術衛星２号「だいち２号」（ALOS－2[3]）等の運用や、先進レーダ衛星（ALOS－4[4]）、降水レーダ衛星（PMM[5]）等の研究開発などを行い、人工衛星を活用した地球観測の推進に取り組んでいる（第２章第１節 ③ ❺参照）。

環境省は、気候変動とその影響の解明に役立てるため、関係府省庁及び国内外の関係機関と連携して、温室効果ガス観測技術衛星「いぶき」（GOSAT[6]）や「いぶき２号」（GOSAT－２）による全球の二酸化炭素及びメタン等の観測技術の開発及び観測に加え、航空機・船舶・地上からの観測を継続的に実施している。GOSATは、気候変動対策の一層の推進に貢献することを目指して、二酸化炭素及びメタンの全球の濃度分布、月別及び地域別の排出・吸収量の推定を実現するとともに、平成21年の観測開始から二酸化炭素及びメタンの濃度がそれぞれ季節変動を経ながら年々上昇し続けている傾向を明らかにするなどの成果を上げている。また、人間活動により発生した温室効果ガスの排出源と排出量を特定できる可能性を示した。後継機であるGOSAT－２はGOSATの観測対象である二酸化炭素やメタンの観測精度を高めるとともに、新たに一酸化炭素を観測対象として追加した。二酸化炭素は、工業活動や燃料消費等の人間活動だけでなく、森林や生物の活動によっても排出されている。一方、一酸化炭素は、人間の活動から排出されるものの、森林や生物活動からは排出されない（自然火災を除く）。そのため二酸化炭素と一酸化炭素を組み合わせて観測して解析することによ

り、「人為起源」の二酸化炭素の排出量の推定を目指している。GOSAT－２は、平成30年10月に打ち上げられ、GOSATのミッションである全球の温室効果ガス濃度の観測を継承するほか、人為起源排出源の特定と排出量推計精度を向上するための新たな機能により、各国・地域のパリ協定に基づく排出量報告の透明性向上への貢献を目指している。なお、令和元年度から水循環観測と温室効果ガス観測のミッションの継続と観測能力の更なる強化を目指してGCOM－Wの後継センサである高性能マイクロ波放射計３（AMSR3[7]）とGOSAT－２の後継センサである温室効果ガス観測センサ３型（TANSO－3[8]）を相乗り搭載する「温室効果ガス・水循環観測技術衛星」（GOSAT－GW[9]）の開発を進めている。

また、パリ協定に基づく世界各国・地域が実施する気候変動対策の透明性向上に貢献するために、GOSATシリーズの観測データによる排出量推計技術等の国際標準化に向けた海外での検証と展開を推進している。環境省では、平成30年度（2018年度）より、モンゴル国政府の協力の下で本技術の高度化に取り組み、GOSAT観測データから推計した二酸化炭素の排出量が、統計データ等から同国が算出した排出量の算定値と高い精度で一致するまで技術を高めることに成功した。また、同国は、このGOSATによる二酸化炭素排出量推計値を検証として組み込んだ世界初の報告事例となる第二回隔年更新報告書（BUR２）を2023年（令和５年）11月15日に国連気候変動枠組条約（UNFCCC）に提出した。さらに、令和３年度（2021年度）よりモンゴル国以外の各国への展開を推進しており、令和５年度（2023年度）までに中央アジアの３か国に対

1　　Global Change Observation Mission-Climate
2　　Global Change Observation Mission-Water
3　　Advanced Land Observing Satellite - 2
4　　Advanced Land Observing Satellite - 4
5　　Precipitation Measuring Mission
6　　Greenhouse gases Observing SATellite
7　　Advanced Microwave Scanning Radiometer 3
8　　Total Anthropogenic and Natural emissions mapping SpectrOmeter-3
9　　Global Observing SATellite for Greenhouse gases and Water cycle

して排出量推計技術の展開に係る協力関係を構築した。

（3）地上・海洋観測等

近年、北極域の海氷の減少、世界的な海水温の上昇や海洋酸性化の進行、プラスチックごみによる海洋の汚染など、海洋環境が急速に変化している。海洋環境の変化を理解し、海洋や海洋資源の保全・持続可能な利用、地球環境変動の解明を実現するため、海洋研究開発機構は、漂流フロート、係留ブイや船舶による観測等を組み合わせ、統合的な海洋の観測網の構築を推進している。

海洋研究開発機構と気象庁は、文部科学省等の関係機関と連携し、世界の海洋内部の詳細な変化を把握し、気候変動予測の精度向上につなげる高度海洋監視システム（アルゴ計画[1]）に参画している。アルゴ計画は、アルゴフロートを全世界の海洋に展開することによって、常時全海洋を観測するシステムを構築するものである。

文部科学省は、地球環境変動を顕著に捉えることが可能な南極地域及び北極域における研究諸分野の調査・観測等を推進している。「南極地域観測事業」では、南極地域観測第Ⅹ期6か年計画（令和4〜9年度）を開始し、南極氷床融解メカニズムと物質循環の実態解明など、南極地域における調査・観測等を実施している。

北極域は、様々なメカニズムにより温暖化が最も顕著に進行している場所として知られている。一方で、夏季海氷融解により、我が国を含め様々な利用可能性が期待されている。これら全球的な気候変動への対応や北極域の持続的利用への貢献の両面において、基盤となる科学的知見の充実は不可欠である。

このため、令和2年度（2020年度）に開始した「北極域研究加速プロジェクト（ＡｒＣＳⅡ[2]）」において、国際連携拠点や海洋地球研究船「みらい」などを利用し、北極域の環境変化の実態把握とプロセスの解明、その影響についての定量的な予測と対応策等の検討に向け、文理連携により北極域の持続可能な利用のための取組を実施している。令和5年度（2023年度）は、海洋地球研究船「みらい」の21回目になる太平洋側北極海の観測において、人材育成・研究力強化の一環として国際的な研究公募により採択された若手研究者の提案課題の観測と乗船を実施し、国際連携の推進に貢献した。

さらに、令和3年度（2021年度）から、観測データの空白域となっている海氷域の観測が可能な観測・研究プラットフォームである北極域研究船「みらいⅡ」の令和8年度就航に向けて、建造を着実に進めている。

海洋研究開発機構は、国際研究プラットフォームとしての運用に向けた取組として、令和5年11月に12か国118名の参加の下で第1回北極域研究船国際ワークショップを開催した。

気象庁は、地球温暖化をはじめとする気候変動等の監視に資するため、国内及び南極昭和基地において大気中の温室効果ガスの観測を行っているほか、海洋気象観測船により北西太平洋の洋上大気や海水中の温室効果ガス、及び航空機により上空の温室効果ガスの観測を行っている。また、エアロゾル、日射放射、オゾン層・紫外線の観測や解析も実施しており、温室効果ガスを含め、これらのデータを公開している。気象庁が観測したデータに加え、世界中から収集した船舶・アルゴフロート・衛星等の観測データも活用して地球環境に関連した海洋変動を解析し、現状と今後の見通しを「海洋の健康診断表」として取りまとめ、公開している。

1　全世界の海洋を常時観測するため、日本、米国等30以上の国や世界気象機関（ＷＭＯ：World Meteorological Organization）、ユネスコ政府間海洋学委員会（ＩＯＣ：Intergovernmental Oceanographic Commission）等の国際機関が参加する国際プロジェクト
2　Arctic Challenge for Sustainability Ⅱ

コラム2-4　両極域でのアイスコア研究で過去から未来を探る

　約100万年前を境に氷期-間氷期サイクルの周期が４万年から10万年へと遷移しましたが、その原因やメカニズムの解明には、過去の大気中二酸化炭素濃度や南極の気温などを復元可能なアイスコアが不可欠です。そのため、南極地域観測隊は東南極の内陸にあるドームふじの近傍において、100万年以上まで遡ることが可能なアイスコアの採取を最大の目的とする、第３期ドームふじ深層掘削を開始しました。

　ドームふじ基地での第１期及び第２期のアイスコア掘削（3,035m）により、72万年間の地球環境が復元されましたが、この地点の氷床底面は地熱により融解し、より古い時代の氷は存在しません。古い氷は氷床が岩盤に凍結している場所にあるはずですが、氷床下の基盤地形は複雑で、氷床流動は基盤地形や地熱の影響を受けるため、掘削地点の選定は容易ではありません。そのため、氷床レーダで周辺の基盤地形と氷床内部層を調べ、氷床モデルにより氷の温度と年代を推定するなど、約６年にわたる調査と研究により、ドームふじ基地から約５km離れた地点を令和４年12月に決定し、「ドームふじ観測拠点Ⅱ」として掘削場を建設しました。令和５年度にはアイスコアの解析処理室や貯蔵庫の建設、深層アイスコアにつながる浅層コア掘削（126m）や、掘削孔の拡張作業（リーミング）、掘削孔のケーシングパイプ設置、深層ドリルのマスト組立てを経て、深層ドリル本体の組立てまで順調に進めました。令和６年度から、いよいよ約2,735mの深層アイスコア掘削に挑みます。

写真１：ドームふじ観測拠点Ⅱ全景
（黄色いテント部分は掘削場の屋根）
提供：情報・システム研究機構国立極地研究所

写真２：完成した掘削場と深層掘削ドリル
提供：情報・システム研究機構国立極地研究所

　グリーンランドでは近年、氷床融解や海への氷の流出が加速しており、海面上昇や、海への淡水流入が招く急激な気候変動の発生が懸念されています。過去の気候変動や氷床変動を研究することで、そのメカニズムの解明や将来予測の精緻化に貢献することができるため、グリーンランドでは、デンマークが主導する国際共同研究の下で、氷床コアの掘削プロジェクトが進められてきました。我が国は1990年代から、2,000mの深さを超える四つの氷床コア掘削プロジェクトに参加しました。2023年（令和５年）７月には最新のプロジェクトである東グリーンランド深層氷床掘削プロジェクト（ＥＧＲＩＰ[1]）の下で実施された掘削が終了しました。我が国は、他の参加国と共同で氷床コアの分析を通じて、最終氷期に生じた急激な温暖化や寒冷化の速度とタイミング、気候変動に伴う環境変動、さらに全球の気候とのリンクなどについて研究しています。我が国が開発した様々な最先端の氷床コア分析技術を使うことで、新しい知見が得られることが期待されます。ＥＧＲＩＰは従来の掘削地点とは異なり、氷の流動が速い場所で掘削を行ったので、過去の気候・環境変動だけでなく、氷床流動のメカニズムの理解も大きく進展することが期待されています。

写真３：グリーンランドＥＧＲＩＰにおける
氷床コア掘削
提供：情報・システム研究機構国立極地研究所

1　The East Greenland Ice-core Project

（4）スーパーコンピュータ等を活用した気候変動の予測技術等の高度化

文部科学省は、「気候変動予測先端研究プログラム」において、地球シミュレータ等のスーパーコンピュータを活用し、気候モデル等の開発を通じて気候変動の予測技術等を高度化することによって、気候変動対策に必要となる基盤的情報を創出するための研究開発を実施している。これまで文部科学省が推進してきた気候変動研究の成果の一つとして、日本全国を対象にした5kmメッシュの過去、2度上昇、4度上昇実験のアンサンブル気候予測データセットを、令和4年12月に公開した「気候予測データセット2022」に加えるとともに「データ統合・解析システム（DIAS[1]）」を通じて公開した。当該データセットは、政府をはじめとする各主体による気候変動適応策の検討に活用されている。

また、「地球環境データ統合・解析プラットフォーム事業」において、地球環境ビッグデータ（観測データ、予測データ等）を蓄積・統合・解析・提供するDIASを活用し、地球環境ビッグデータを利活用した気候変動、防災等の地球規模課題の解決に貢献する研究開発を推進している。

気象研究所は、エアロゾルが雲に与える効果、オゾンの変化や炭素循環なども表現できる温暖化予測地球システムモデルを構築し、気候変動に関する10年程度の近未来予測及びIPCC[2]の排出シナリオに基づく長期予測を行っている。また、我が国特有の局地的な現象を表現できる分解能を持った精緻な雲解像地域気候モデルを開発して、領域温暖化予測を行っている。

海洋研究開発機構は、大型計算機システムを駆使した最先端の予測モデルやシミュレーション技術の開発により、地球規模の環境変動が我が国に及ぼす影響を把握するとともに、気候変動問題の解決に海洋分野から貢献している。

❷ 多様なエネルギー源の活用等のための研究開発・実証等の推進

政府は、令和3年10月に「エネルギー基本計画」を閣議決定した。その中で、2050年カーボンニュートラルの実現に向け、「産業・業務・家庭・運輸・電力部門のあらゆる経済活動に共通して、様々なイノベーションに挑戦・具現化し、新たな脱炭素技術の社会実装を進めていくことが求められる」としており、技術開発・イノベーションの重要性について明記している。また、2050年カーボンニュートラルの実現を目指す中であっても、安全の確保を大前提に、安定的で安価なエネルギー供給を確保していくことが重要であり、そのため、再生可能エネルギー、原子力、水素、二酸化炭素回収・有効利用・貯留（CCUS[3]）などあらゆる選択肢を追求していくこととしている。

1．太陽光発電システムに係る発電技術

経済産業省は、薄型軽量のため設置制約を克服できるペロブスカイト太陽電池[4]等の革新的な新構造太陽電池の実用化へ向けた要素技術、低コストリサイクル技術の開発を行っている。

科学技術振興機構は、「未来社会創造事業『地球規模課題である低炭素社会の実現』領域」において、革新的な太陽光利用に係る研究開発を実施している。

2．浮体式洋上風力発電システムに係る発電技術

経済産業省は、浮体式洋上風力発電システムの導入拡大と、アジア市場への展開も見据えた

1　Data Integration and Analysis System
2　Intergovernmental Panel on Climate Change
3　Carbon dioxide Capture, Utilization and Storage
4　ペロブスカイトと呼ばれる結晶構造を持つ物質を使った我が国発の太陽電池。塗布や印刷などの簡易なプロセスが適用できるため、製造コストの大幅低減が期待されている。

浮体式洋上風力発電のコスト低減に向け、グリーンイノベーション基金による要素技術開発・浮体式洋上風力実証支援に着手した。

環境省は、我が国で初となる2MW（メガワット）浮体式洋上風力発電機の開発・実証を行い、関連技術等を確立した。本技術開発・実証の成果として、平成28年より国内初の洋上風力発電の商用運転が開始されており、風車周辺に新たな漁場が形成されるなどの副次効果も生じている。また、浮体式洋上風力発電の本格的な普及拡大に向け、低炭素化・高効率化させる新たな施工手法等の確立を目指す取組を行った。令和5年度は、脱炭素化ビジネスが促進されるよう、地産地消型の浮体式洋上風力発電の早期普及に貢献するための手引の作成や、前年度に引き続き、地域が浮体式洋上風力発電によるエネルギーの地産地消を目指すに当たって必要な各種調査、当該地域における事業性・二酸化炭素削減効果の見通しなどの検討を行った。

国土交通省は、平成30年度より、浮体式洋上風力発電施設の安全性と経済合理性を両立させることを目的として、その構造や設備の要件を定めた技術基準等の見直しや拡充を図るための検討を行っている。

3．地熱発電に係る技術開発

経済産業省は、地熱発電について、資源探査の段階における高いリスクやコスト、発電段階における運転の効率化や出力の安定化といった課題を解決するため、探査精度を向上させる技術開発や、開発・運転を効率化、出力を安定化させる技術開発を行っている。また、発電能力が高く開発が期待されている次世代の地熱発電（超臨界地熱発電）に関する資源量評価等の検討を行っている。

4．高効率石炭火力発電及び二酸化炭素の分離回収・有効利用技術開発

経済産業省は、火力発電の低炭素化を目指し、次世代の高効率石炭火力発電技術として開発してきたIGCC[1]について、2023年度（令和5年度）からは、石炭とバイオマスの混合燃料によるガス化技術の実証に着手した。また、火力発電から発生する二酸化炭素回収・有効利用（CCU／カーボンリサイクル[2]）技術の開発を行っている。

5．その他技術開発

経済産業省は、国内製油所のグリーン化に向けて、重質油の組成を分子レベルで解明し、反応シミュレーションモデル等を組み合わせたペトロリオミクス技術を活用して、重質油等の成分と反応性を事前に評価することにより、二次装置の稼働を適切に組み合わせ、製油所装置群の非効率な操業を抑制し、二酸化炭素排出量の削減に寄与する革新的な石油精製技術の開発等を進めている。

6．原子力に関する研究開発等

内閣府原子力委員会は、原子力利用全体を見渡し、専門的見地や国際的教訓等を踏まえた独自の視点から、今後の原子力政策について政府としての長期的な方向性を示す羅針盤となる「原子力利用に関する基本的考え方」（以下「基本的考え方」という。）を平成29年に策定し、原子力を取り巻く環境変化等を踏まえ、令和5年2月に改定を行った。「基本的考え方」では、エネルギーに関する原子力利用のみならず、東京電力ホールディングス株式会社（以下「東電」という。）福島第一原子力発電所事故の反省と教訓、国際協力、核不拡散・核セキュリティの確保、国民からの信頼回復、廃止措置及び放射性廃棄物の対応、放射線・ラジオアイソトープ（放射性同位元素：RI）利用、研究開発、人材育成といった幅広い分野に関する理念・基本目標を示している。「基本的考え方」は、原子力委員会で改定された後、閣議にて尊重する旨、決定されている。

---

1 Integrated Coal Gasification Combined Cycle
2 Carbon dioxide Capture and Utilization/Carbon Recycling

文部科学省は、令和5年10月から原子力科学技術委員会において、今後の原子力科学技術に関する政策の方向性を検討するための議論を開始した。原子力研究開発・基盤・人材作業部会や原子力バックエンド作業部会等の部会も活用しながら、新試験研究炉の開発・整備の推進、次世代革新炉の開発に資する技術基盤の整備・強化、廃止措置を含むバックエンド対策の抜本的強化、原子力科学技術に関する研究・人材基盤の強化、東電福島第一原子力発電所事故への対応等の課題について検討を進めている。

経済産業省は、「エネルギー基本計画」（令和3年10月閣議決定）を踏まえて原子力を活用していくため、GX実現に向けた基本方針等に基づき、原子力の安全性向上を目指し、新たな安全メカニズムを組み込んだ次世代革新炉の開発・建設に取り組むとともに、研究開発や人材育成、サプライチェーン維持・強化を進めている。

（1）原子力利用に係る安全性・核セキュリティ向上技術

経済産業省は、「原子力の安全性向上に資する技術開発事業」により、東電福島第一原子力発電所の事故で得られた教訓を踏まえ、原子力発電所の包括的なリスク評価手法の高度化等、更なる安全対策高度化に資する技術開発及び基盤整備を行っている。また、我が国は、国際原子力機関（IAEA[1]）、米国等と協力し、核不拡散及び核セキュリティに関する技術開発や人材育成における国際協力を先導している。日本原子力研究開発機構は「核不拡散・核セキュリティ総合支援センター」を設立し、核不拡散及び核セキュリティに関する研修等を行うとともに、IAEAとの核セキュリティ分野における協働センターとして研修の共同開催やカリキュラムの共同開発、講師の相互派遣、人材育成支援に関する情報交換等を行っている。また、中性子を利用した核燃料物質の非破壊測定、不法な取引による核物質の起源が特定可能な核鑑識の技術開発等を行うとともに、包括的核実験禁止条約機関（CTBTO[2]）との放射性希ガス共同観測プロジェクトに基づく幌延（ほろのべ）及びむつでの観測を通して核実験検知能力の向上に貢献している。

（2）原子力基礎・基盤研究開発

文部科学省は、原子力研究開発・基盤・人材作業部会において、原子力利用の安全性・信頼性・効率性を抜本的に高める新技術等の開発や、産学官の垣根を越えた人材・技術・産業基盤の強化に向けた研究開発・基盤整備・人材育成等の課題について、総合的に検討を行った。この検討結果を踏まえ、「原子力システム研究開発事業」では、原子力イノベーション創出につながる新たな知見の獲得や課題解決を目指し、将来の社会実装に向けて取り組むべき戦略的なテーマを設定し、経済産業省と連携して我が国の原子力技術を支える戦略的な基礎・基盤研究を推進した。日本原子力研究開発機構は、核工学・炉工学、燃料・材料工学、原子力化学、環境・放射線科学、分離変換、計算科学、先端原子力科学、中性子・放射光利用等の基礎・基盤研究を行っている。

また、RIについては、医療分野や工業・農業分野等における活用が進められてきている。特に医療分野については、RIを用いた診断・治療の普及を通じ、我が国の医療体制を充実し、もって国民の福祉向上に貢献することが重要であることに鑑み、現在は多くを輸入に依存している重要RIの国産化等を実現することが求められている。このため、「医療用等ラジオアイソトープ製造・利用推進アクションプラン」（令和4年5月原子力委員会決定）に従い、試験研究炉や加速器を用いた研究開発から実用化、普及に至るまでの取組を一体的に推進している。

1　International Atomic Energy Agency
2　The Preparatory Commission for the Comprehensive Nuclear-Test-Ban Treaty Organization

（3）革新的な原子力技術の開発

　原子力は実用段階にある脱炭素化の選択肢であり、安全性等の向上に加え、多様な社会的要請に応える原子力技術のイノベーションを促進することが重要である。経済産業省は令和元年度より「社会的要請に応える革新的な原子力技術開発支援事業」により、民間企業等による安全性・経済性・機動性に優れた原子力技術の開発の支援を開始した。

　また、日本原子力研究開発機構は、高速実験炉「常陽」の運転再開に向けて、その前提となる原子炉設置変更許可を取得する等の準備を進めるとともに、文部科学省の原子力研究開発・基盤・人材作業部会においても高速実験炉「常陽」の運転再開後の課題に関する議論を実施する等、革新的な原子力技術の開発に必要な研究開発基盤の維持・発展を図った。さらに、発電、水素製造など多様な産業利用が見込まれ、固有の安全性を有する高温ガス炉について、安全性の高度化、原子力利用の多様化に資する研究開発等を推進した。

　加えて、GX実現に向けた基本方針においては、エネルギー基本計画を踏まえて原子力を活用していくため、新たな安全メカニズムを組み込んだ次世代革新炉の開発・建設に取り組むとされており、関係府省庁において必要な取組を推進していくとされた。経済産業省は、GX経済移行債を活用した支援策として、令和5年度から「高速炉実証炉開発事業」及び「高温ガス炉実証炉開発事業」を開始し、高速炉と高温ガス炉の実証炉開発に向けた設計や研究開発等を進めている。令和5年7月に実証炉開発の中核企業を選定し、同年8月より実証炉開発事業を実施している。

（4）原子力人材の育成・確保

　原子力人材の育成・確保は、原子力分野の基盤を支え、より高度な安全性を追求し、原子力施設の安全確保や古い原子力施設の廃炉を円滑に進めていく上で重要である。

　文部科学省は、「国際原子力人材育成イニシアティブ事業」により、産学官の関係機関が連携し、人材育成資源を有効に活用することによる効果的・効率的・戦略的な人材育成の取組を支援している。令和3年度には、これまで各機関の取組を個別に支援していたのに対し、大学や研究機関等の複数機関が連携して一体的に人材育成を行う体制として「未来社会に向けた先進的原子力教育コンソーシアム（ANEC[1]）」を創設した。また、平成28年12月の原子力関係閣僚会議において、高速増殖原型炉「もんじゅ」を廃止措置に移行する旨の政府方針を決定した際、将来的に「もんじゅ」サイトを活用して新たな試験研究炉を設置するとした。平成29年度から設置すべき炉型等について審議会等を通じて検討し、中性子ビーム利用を主目的とした試験研究炉に絞り込んだ。令和2年から概念設計等を開始し、令和5年3月に詳細設計段階へと移行した。試験研究炉は研究開発、人材育成基盤として重要であり、原子力研究開発・基盤・人材作業部会における議論も踏まえて、引き続き、新試験研究炉の設置に必要な取組を着実に進めていくこととしている。

　経済産業省は、「原子力産業基盤強化事業」により、現場技術者の技術開発力強化・運転保守業務の技能向上・事故への対応能力強化のための講義や実習等を行い、原子力産業の現場を支える人材の育成をしている。

（5）東電福島第一原子力発電所の廃止措置技術等の研究開発

　経済産業省、文部科学省及び関係省庁等は、東電福島第一原子力発電所の廃止措置等に向けて、「東京電力ホールディングス（株）福島第一原子力発電所の廃止措置等に向けた中長期ロードマップ」（令和元年12月27日改訂）に基づき、連携・協力しながら対策を講じている。この対策のうち、燃料デブリの取出し技術の開

1　Advanced Nuclear Education Consortium for the Future Society

発や原子炉格納容器内部の調査技術の開発等の技術的難易度が高く、かつ国も前面に立って取り組む必要がある研究開発については、事業者を支援している。

文部科学省は、国内外の英知を結集し、安全かつ着実に廃止措置等を実施するため、英知を結集した原子力科学技術・人材育成推進事業など、「日本原子力研究開発機構 廃炉環境国際共同研究センター」（福島県双葉郡富岡町）を中核とし、中長期的な廃炉現場のニーズに対応する研究開発及び人材育成の取組を推進している。

また、廃炉に関する技術基盤を確立するための拠点整備も進めており、日本原子力研究開発機構においては、遠隔操作機器・装置の開発・実証施設（モックアップ施設）として「楢葉遠隔技術開発センター」（福島県双葉郡楢葉町）が、平成28年4月から本格運用を開始している。加えて、ＡＬＰＳ処理水の第三者分析、燃料デブリや放射性廃棄物などの分析手法、性状把握、処理・処分技術の開発等を行う「大熊分析・研究センター」（福島県双葉郡大熊町）が平成30年3月に施設管理棟の運用を開始し、令和4年10月に第1棟の運用を開始している。さらに、第2棟の整備を進めている。

（6）核燃料サイクル技術

エネルギー基本計画において、「使用済燃料の処理・処分に関する課題を解決し、将来世代のリスクや負担を軽減するためにも、高レベル放射性廃棄物の減容化・有害度低減や、資源の有効利用等に資する核燃料サイクルについて、これまでの経緯等も十分に考慮し、引き続き関係自治体や国際社会の理解を得つつ取り組むこととし、再処理やプルサーマル[1]等を推進する」こととしており、また、「米国や仏国等と国際協力を進めつつ、高速炉等の研究開発に取り組む」方針としている。開発工程や体制について具体化を図るため、高速炉開発に係る「戦略ロードマップ」が改訂された（令和4年12月

23日原子力関係閣僚会議決定）。本ロードマップでは、高速炉の実証炉開発に向けた概念設計や研究開発等を進めていくとしている。

（7）放射性廃棄物処理・処分に向けた技術開発等

高レベル放射性廃棄物の減容化や有害度の低減に資する可能性のある研究開発として、高速炉や加速器を用いた核変換技術や群分離技術に係る基礎・基盤研究を進めている。

また、研究施設や医療機関などから発生する低レベル放射性廃棄物の処分に向けては、「埋設処分業務の実施に関する基本方針」（平成20年12月文部科学大臣及び経済産業大臣決定）に即して日本原子力研究開発機構が定めた「埋設処分業務の実施に関する計画」（平成21年11月認可、令和元年11月変更認可）に従い、「低レベル放射性廃棄物等の処理・処分に関する考え方について（見解）」（令和3年12月原子力委員会）を踏まえつつ必要な取組を進めている。

（8）日本原子力研究開発機構が保有する施設の廃止措置

日本原子力研究開発機構は、総合的な原子力の研究開発機関として重要な役割を担っており、その役割を果たすためにも、研究の役割を終えた施設については、国民の理解を得ながら安全確保を最優先に、着実に廃止措置を進めることが必要である。日本原子力研究開発機構は、保有する施設全体の廃止措置に係る長期方針である「バックエンドロードマップ」を平成30年12月に公表した。文部科学省は、日本原子力研究開発機構が保有する原子力施設の安全かつ着実な廃止措置を進めていくため、原子力バックエンド作業部会において、廃棄物発生量の少ない比較的規模の小さい施設の廃止措置促進に向けた仕組み整備等について議論を開始し、取組を支援している。

---

1 使用済燃料から再処理によって分離されたプルトニウムをウランと混ぜて、混合酸化物燃料に加工し、使用すること

高速増殖原型炉「もんじゅ」については、廃止措置計画に基づいて平成30年よりおおむね30年間の廃止措置が進められている。令和5年度からは廃止措置計画の第二段階に移行し、水・蒸気系等発電設備の解体作業等を進めている。今後も高速増殖原型炉「もんじゅ」の廃止措置については、立地地域の声に向き合いつつ、安全、着実かつ計画的に進めていくこととしている。

新型転換炉原型炉「ふげん」については、廃止措置計画に基づき、原子炉周辺機器等の解体撤去を進めるとともに、令和13年度の使用済燃料搬出完了に向けた仏国事業者との契約に基づく準備を進めている。また、今後の原子炉本体の解体撤去に向けて、解体時の更なる安全性向上を図るための新たな技術開発などを進めている。

東海再処理施設については、廃止措置計画に基づき、保有する高放射性廃液の早期のリスク低減を最優先課題とし、高放射性廃液のガラス固化、高放射性廃液貯蔵場等の安全確保に取り組むとともに、施設の高経年化対策と安全性向上対策を着実に進めている。

（9）国民の理解と共生に向けた取組

文部科学省は、立地地域をはじめとする国民の理解と共生のための取組として、立地地域の持続的発展に向けた取組、原子力やその他のエネルギーに関する教育への取組に対する支援などを行っている。

（10）国際原子力協力

外務省は、ＩＡＥＡによる原子力科学技術の平和的利用の促進及びこれを通じたＩＡＥＡ加盟国の「持続可能な開発目標（ＳＤＧｓ）」の達成に向けた活動を支援している。例えば、「原子力科学技術に関する研究、開発及び訓練のための地域協力協定（ＲＣＡ[1]）」に基づくア

ジア太平洋における技術協力や平和的利用イニシアティブ（ＰＵＩ[2]）拠出金等によるＩＡＥＡに対する財政的支援、専門的知見・技術を有する国内の大学、研究機関、企業とＩＡＥＡの連携強化等を通じた開発途上国の能力構築の推進、さらには我が国の優れた人材・技術の国際展開を支援している。また、ＩＡＥＡは我が国と協力し、2013年（平成25年）に福島県の施設を「ＩＡＥＡ緊急時対応能力研修センター（ＩＡＥＡ―ＲＡＮＥＴ―ＣＢＣ）」に指定しており、国内外の関係者を対象として、緊急事態の準備及び対応分野での能力強化のための研修を実施している。さらに、令和元年11月に東京にて、核物質等の輸送セキュリティに関する国際シンポジウムを日本原子力研究開発機構核不拡散・核セキュリティ総合支援センターと協力して開催するなど、核セキュリティの国際的強化のための取組を実施した。

文部科学省は、ＩＡＥＡや経済協力開発機構原子力機関（ＯＥＣＤ／ＮＥＡ[3]）などの国際機関の取組への貢献を通じて、原子力平和的利用と核不拡散の推進をリードするとともに、内閣府が主導しているアジア原子力協力フォーラム（ＦＮＣＡ[4]）の枠組みの下、アジア地域を中心とした参加国に対して放射線利用・研究炉利用等の分野における研究開発・基盤整備等の協力を実施している。

経済産業省は、日仏、日米協力をはじめとする国際協力の枠組みを活用して、放射性廃棄物の有害度の低減及び減容化等に資する高速炉の実証技術の確立に向けた研究開発を進めた。

また、米国やフランスをはじめとする原子力先進国との間で、第4世代原子力システム国際フォーラム（ＧＩＦ[5]）等の活動を通じ、原子力システムの研究開発等、多岐にわたる協力を行っている。

1　Regional Cooperative Agreement for Research, Development and Training Related to Nuclear Science and Technology
2　Peaceful Uses Initiative
3　OECD Nuclear Energy Agency
4　Forum for Nuclear Cooperation in Asia
5　Generation IV International Forum

（11）原子力の平和的利用に係る取組

　我が国は、ＩＡＥＡとの間で1977年（昭和52年）に締結した日・ＩＡＥＡ保障措置協定及び1999年（平成11年）に締結した同協定の追加議定書に基づき、核物質が平和目的に限り利用され、核兵器などに転用されていないことをＩＡＥＡが確認する「保障措置」を受け入れている。これを受け、我が国は「核原料物質、核燃料物質及び原子炉の規制に関する法律（原子炉等規制法）」（昭和32年法律第166号）に基づき、国内の核物質を計量及び管理し、国としてＩＡＥＡに報告したり、ＩＡＥＡの査察を受け入れたりするなどの所要の措置を講じている。

7．フュージョンエネルギー（核融合エネルギー）実現に向けた研究開発

ＩＴＥＲ（国際熱核融合実験炉）の建設状況（2023年9月）
（仏サン＝ポール＝レ＝デュランス市カダラッシュ）
提供：ＩＴＥＲ Organization

　フュージョンエネルギーは、燃料資源が豊富で、発電過程で温室効果ガスを発生せず、少量の燃料から大規模な発電が可能という特徴がある。そのため、エネルギー問題と地球環境問題を同時に解決する次世代のエネルギーとして期待されている。近年、諸外国においてフュージョンエネルギーに対する民間投資が増加するなど国際競争が激化している状況を踏まえ、フュージョンエネルギーの産業化をビジョンに掲げ、令和5年4月に「フュージョンエネルギー・イノベーション戦略」を策定した[1]。我が国は、世界7極35か国の協力により、国際約束に基づき、実験炉の建設・運転を通じてフュージョンエネルギーの科学的・技術的実現可能性を実証するＩＴＥＲ（イーター）計画[2]に参画している。建設地のフランスではＩＴＥＲの建設作業が本格化している。超伝導トロイダル磁場コイルについては、我が国が製作を担当し、2023年（令和5年）12月に最終号機が建設地に納入された。あわせて、我が国は、ＩＴＥＲ計画を補完・支援し、原型炉に必要な技術基盤を確立するための日欧協力による先進的研究開発である幅広いアプローチ（ＢＡ[3]）活動を推進している。ＢＡ活動では、茨城県那珂市にある世界最大のトカマク型超伝導プラズマ実験装置「ＪＴ－60ＳＡ」が2023年（令和5年）10月に初めてプラズマを生成した。今後もＪＴ－60ＳＡを活用し、原型炉開発につながる成果をいち早く創出するとともに、将来を担う人材を育成することとしている[4]。

　また、我が国は、フュージョンエネルギーの実現に向けて、平成30年7月に科学技術・学術審議会核融合科学技術委員会が策定した「原型炉研究開発ロードマップについて（一次まとめ）」等に基づき、ＩＴＥＲ計画、ＢＡ活動を推進するとともに、「ＬＨＤ[5]」（自然科学研究

1　フュージョンエネルギー・イノベーション戦略
　　https://www8.cao.go.jp/cstp/fusion/index.html

2　日本・欧州・米国等の7極35か国による国際約束に基づき、核融合実験炉の建設・運転を通じて、その科学的・技術的実現可能性を実証する国際共同プロジェクト
3　Broader Approach
4　核融合研究ＨＰ　Fusion Energy〜Connect to the Future
　　https://www.mext.go.jp/a_menu/shinkou/fusion/

5　Large Helical Device

機構核融合科学研究所）、レーザー方式（大阪大学レーザー科学研究所）など多様な学術研究も推進しており、世界を先導する成果を上げている。令和5年度は、第2回チェックアンドレビューの実施方針や、次年度の原型炉実現に向けた研究開発、人材育成、アウトリーチ活動の進め方等について検討が行われた。

さらに、フュージョンエネルギーの実用化に向けて、産業協議会の設立やスタートアップ等の研究開発、安全規制に関する議論、ムーンショット型研究開発制度を活用した新興技術の支援強化、教育プログラムの提供等の取組を推進している。

8．その他長期的なエネルギー技術の開発

経済産業省では、宇宙太陽光発電の実現に必要な発電と送電を一つのパネルで行う発送電一体型パネルを開発するとともに、その軽量化や、マイクロ波による無線送電技術の効率の改善に資する送電部の高効率化のための技術開発等を行っている。

宇宙航空研究開発機構では、宇宙太陽光発電の実用化を目指した要素技術の研究開発を行っている。

❸ 経済社会の再設計（リデザイン）の推進

1．「脱炭素社会」への移行に向けた取組

環境省では、住宅・建築物の高断熱化改修等の省エネルギー性能の向上やネット・ゼロ・エネルギー化（ZEH[1]・ZEB）の支援を行っており、HEMS[2]やBEMS[3]の導入による太陽光発電と家電等の需要側設備のエネルギー管理や、充放電設備の導入によるEV[4]・PHEV[5]との組合せ利用を促進している。加えて、再エネ設備とEV・PHEVを同時導入し、カーシェアとして供する公共団体・事業者を支援することで、「ゼロカーボン・ドライブ」

の普及も推進している。

環境省は、気候変動への適応について、気候変動適応法（平成30年法律第50号）（以下「適応法」という。）の規定に基づき、令和2年12月に気候変動影響評価報告書を公表するとともに、政府は同報告書を踏まえて令和3年10月に気候変動適応計画を改定した。気候変動影響評価については、令和7年度に次期影響評価報告書の公表を予定しており、令和5年度は科学的知見の収集・整理や評価尺度の検討等を実施した。また、気候変動適応計画に基づく施策の進捗状況やKPIの実績値の年度ごとの変化を毎年確認し、関係府省庁により構成される「気候変動適応推進会議」において「フォローアップ報告書」として取りまとめており、令和4年度に実施した施策の「フォローアップ報告書」については令和5年10月に公表した。

平成30年12月の適応法施行に伴い、国立環境研究所に気候変動適応センターが設立され、「気候変動適応情報プラットフォーム（A－PLAT[6]）」を通じて、関係府省庁及び関係研究機関との連携の下、気候変動影響や適応に関する最新の情報を提供している。また、気候変動適応センターでは、気候変動影響予測研究等を行っているほか、地方公共団体等に対する情報提供や助言等の支援を行っている。令和5年3月には「気候変動適応広域協議会」（全国7ブロック）の活動の一環として気候変動適応に係る広域アクションプランが策定され、それに基づき、地域の関係者による取組が進められている。

文部科学省は、地域の脱炭素化を加速し、その地域モデルを世界に展開するための大学等のネットワーク構築に取り組んだ。また、国立環境研究所気候変動適応センターのA－PLATを通じて、ニーズを踏まえた気候変動予測情報等の研究開発成果を地方公共団体等に提供している。

1　　net Zero Energy House
2　　Home Energy Management Service
3　　Building and Energy Management System
4　　Electric Vehicle
5　　Plug-in Hybrid Electric Vehicle
6　　Climate Change Adaptation Information Platform

２．地球温暖化対策に向けた研究開発

（１）水素・蓄電池等の蓄エネルギー技術を活用したエネルギー利用の安定化

　経済産業省は、蓄電池や燃料電池に関する技術開発・実証等を実施している。具体的には、再生可能エネルギーの導入拡大に伴い、系統安定化を図るために必要となる系統用の大型蓄電池について、最適な制御・管理手法の技術の確立のための実証試験を実施した。また、蓄電池の導入支援により、蓄電池の導入コスト低減等を通じた蓄電池ビジネスモデルの確立に向けた取組等を行っている。また、電気自動車やプラグインハイブリッド車など、次世代自動車用の蓄電池[1]について、性能向上とコスト低減を目指した技術開発を実施した。燃料電池自動車（ＦＣＶ[2]）や家庭用などの定置用が主な用途である燃料電池については、耐久性・効率性向上、低コスト化のための技術開発を行うとともに、新たな用途への展開を目指した実証も行った。さらに、燃料電池自動車の更なる普及拡大に向けて、四大都市圏を中心に、令和６年２月末時点で162か所（他12か所整備中）の水素ステーションの整備を行った。

　環境省は、「再エネ等由来水素を活用した自立・分散型エネルギーシステム構築事業」において、将来の再生可能エネルギー大量導入社会を見据え、地域の実情に応じて、蓄電池や水素を活用することにより系統に依存せず再生可能エネルギーを電気・熱として供給できるシステムを構築し、自立型水素エネルギー供給システムの導入・活用方策を確立することを目指す取組を進めている。また、地域の資源を用い、水素エネルギーシステムを構築し、地域で活用することを目指した「水素サプライチェーン実証事業」を実施し、地域の特性や多様な技術に対応できるよう進めている。

　文部科学省及び科学技術振興機構は、Ｇ t e Ｘの蓄電池領域及び水素領域において、材料等の開発やエンジニアリング、評価・解析等を統

合的に行うオールジャパンのチーム型研究開発を実施している。さらに、「共創の場形成支援プログラム（ＣＯＩ－ＮＥＸＴ）」の先進蓄電池研究開発拠点において、産学共創の研究開発を実施している。また、「未来社会創造事業大規模プロジェクト型」において、水素発電、余剰電力の貯蔵、輸送手段等の水素利用の拡大に貢献する高効率・低コスト・小型長寿命な革新的水素液化技術の研究開発を、「未来社会創造事業『地球規模課題である低炭素社会の実現』領域」において、再生可能エネルギーから持続的に水素製造を可能にする水電解技術の研究開発を実施している。

（２）新規技術によるエネルギー利用効率の向上と消費の削減

　内閣府は、令和５年度よりＳＩＰ第３期において「スマートエネルギーマネジメントシステムの構築」に取り組み、再生可能エネルギーを主力エネルギー源とするため、従来のひとつの建物やひとつの地域における電力マネジメントの枠を超えて、熱・水素・合成燃料なども包含するエネルギーマネジメントシステムを構築して次世代の社会インフラを確立することを目指し、社会実装に向けた研究開発を進めている。

　経済産業省は、電力グリッド上に散在する再生可能エネルギーや蓄電池等の分散型エネルギー設備、ディマンドリスポンス等の需要側の取組を遠隔に統合して制御し、電力の需給調整に活用する実証を行っている。

　環境省は、地球温暖化の防止に向け、革新技術の高度化・社会実装を図り、必要な技術イノベーションを推進するため、再生可能エネルギーの利用、エネルギー使用の合理化だけでなく、窒化ガリウム（ＧａＮ）やセルロースナノファイバー（ＣＮＦ）といった省ＣＯ₂性能の高い革新的な部材・素材の活用によるエネルギー消費の大幅削減、燃料電池や水素エネルギー、蓄電池、ＣＣＵＳ等に関連する技術の開発・実証、普及を促進

1　全固体電池やリチウムイオン電池よりも高いエネルギー密度を有する革新型蓄電池
2　Fuel Cell Vehicle

した。

環境省は、公共施設等に再エネや自営線等を活用した自立・分散型エネルギーシステムを導入し、地域の再エネ比率を高めるためのエネルギー需給の最適化を行うことにより、地域全体で費用対効果の高い二酸化炭素排出削減対策を実現する先進的モデルを確立するための事業を実施している。

科学技術振興機構は、「未来社会創造事業 大規模プロジェクト型」において、環境中の熱源（排熱や体温等）をセンサ用独立電源として活用可能とする革新的熱電変換技術の研究開発を推進している。

理化学研究所は、物性物理、超分子化学、量子情報エレクトロニクスの3分野を糾合し、新物質や新原理を開拓することで、発電・送電・蓄電をはじめとするエネルギー利用技術の革新を可能にする全く新しい物性科学を創成し、エネルギー変換の高効率化やデバイスの消費電力の革新的低減を実現するための研究開発を実施している。

文部科学省は、航空科学技術委員会において、電動ハイブリッド推進システム技術、水素航空機に適用可能な水素燃料電池を利用したエンジン技術といった二酸化炭素排出低減技術の研究開発の方策を研究開発ビジョンとして取りまとめ、これを反映した分野別研究開発プランの実施を推進している。

宇宙航空研究開発機構は、航空機の燃費向上・環境負荷低減等に係る研究開発としてエンジンの低ＮＯ×化・高効率化技術や航空機の電動化技術等の研究開発に取り組んでおり、さらに、産業界等との連携により成果の社会実装を見据えながら、国際競争力強化のための取組を加速させている。

新エネルギー・産業技術総合開発機構は、省エネルギー技術の研究開発や普及を効果的に推進するため、「省エネルギー技術戦略」に掲げる重要技術を軸に、提案公募型事業である「脱炭素社会実現に向けた省エネルギー技術の研究開発・社会実装促進プログラム」を実施している。

建築研究所は、住宅・建築・都市分野において環境と調和した資源・エネルギーの効率的利用のための研究開発等を行っている。

（3）革新的な材料・デバイス等の幅広い分野への適用

文部科学省は、「革新的パワーエレクトロニクス創出基盤技術研究開発事業」において、我が国が強みを有する窒化ガリウム（ＧａＮ）等の次世代パワー半導体の研究開発と、その特性を最大限活用したパワーエレクトロニクス機器等の実用化に向けて、回路システムや受動素子等のトータルシステムとして一体的な研究開発を推進している。また、「次世代Ｘ－ｎｉｃｓ半導体創生拠点形成事業」において、2035年から2040年頃の社会で求められる半導体集積回路の創生に向けた新たな切り口による研究開発と将来の半導体産業を牽引（けんいん）する人材の育成を推進するため、アカデミアにおける中核的な拠点の形成を進めている。令和5年12月には、「次世代半導体のアカデミアにおける研究開発等に関する検討会」を設置し、地球規模課題の解決や未来社会の創造に資する半導体技術の創出に向けて、産学官の現在の取組、課題、文部科学省への要望事項等を確認し、技術的ボトルネックや必要な人材像などについて議論を開始した。

科学技術振興機構は、「未来社会創造事業『地球規模課題である低炭素社会の実現』領域」において、革新的な材料開発・応用及び化学プロセス等の研究開発を実施している。

物質・材料研究機構では、多様なエネルギー利用を促進するネットワークシステムの構築に向け、高効率太陽電池や蓄電池の研究開発、エネルギーを有効利用するためのエネルギー変換・貯蔵用材料の研究開発、省エネルギーのための高出力半導体や高輝度発光材料等におけるブレークスルーに向けた研究開発、低環境負荷社会に資する高効率・高性能な輸送機器材料やエネルギーインフラ材料の研究開発等、エネルギーの安定的な確保とエネルギー利用の

効率化に向けて、革新的な材料技術の研究開発を実施している。

経済産業省は、廃プラスチック・廃ゴムからプラスチック原料を製造するケミカルリサイクル技術等に加えて、二酸化炭素から機能性化学品を製造する技術等の開発、機能性化学品の製造手法を従来のバッチ法からフロー法へ置き換える技術の開発、全固体リチウムイオン電池材料の性能・特性を的確かつ迅速に評価できる材料評価技術の開発とともに、セルロースナノファイバーについて、製造プロセスにおけるコスト低減、製造方法の最適化、量産効果が期待できる用途に応じた複合化・加工技術等の開発や、安全性評価・ＬＣＡ[1]評価に必要な基盤情報の整備を行っている。

（4）地域の脱炭素化加速のための基盤的研究開発

文部科学省は、カーボンニュートラル実現に向けて、「大学の力を結集した、地域の脱炭素化加速のための基盤研究開発」にて人文学・社会科学から自然科学までの幅広い知見を活用して、大学等と地域が連携して地域のカーボンニュートラルを推進するためのツール等に係る分野横断的な研究開発を推進している。あわせて、「カーボンニュートラル達成に貢献する大学等コアリション」を通じて、各大学等による情報共有やプロジェクト創出を促進している。

国土技術政策総合研究所は、カーボンニュートラル、脱炭素化社会実現のため、既存オフィスビル等の省エネ化に向けた現況診断に基づく改修設計法の開発、既存マンションにおける省エネ性能向上のための改修効果の定量化手法の開発、木造住宅の長寿命化に資する外壁内の乾燥性能の評価法の開発に関する研究を行っている。

3．「循環経済（サーキュラーエコノミー）」への移行に向けた取組

循環経済（サーキュラーエコノミー）への移行に向けて、令和4年4月に「プラスチックに係る資源循環の促進等に関する法律」（令和3年法律第60号）が施行され、プラスチックの資源循環を加速している。

内閣府では令和5年度よりＳＩＰ第3期において「サーキュラーエコノミーシステムの構築」に取り組み、素材・製品開発といった動脈産業とリサイクルを担う静脈産業が連携して素材、製品、回収、分別、リサイクルの各プレーヤーが循環に配慮した取組を通じてプラスチックのサーキュラーエコノミーバリューチェーンを構築することを目指し、社会実装に向けた研究開発を進めている。

プラスチックの資源循環に係る促進策として、経済産業省は、「プラスチック有効利用高度化事業」により、プラスチックの資源効率や資源価値を高めるための技術の実用化に係る研究開発並びに海洋生分解性プラスチック開発・導入普及に向けて、将来的に求められる用途や需要に応えるための新たな技術・素材の開発及び海洋生分解性プラスチックの国際標準化に向けた研究開発を推進している。

環境省は、化石由来資源プラスチックからバイオプラスチック等の再生可能資源への素材代替やリサイクルが困難な複合素材プラスチック等のリサイクルに関する技術実証を支援している。

また、可燃ごみ指定収集袋など、その利用用途から一義的に焼却せざるを得ないプラスチックをバイオマス化するため、「地方公共団体におけるバイオプラスチック等製ごみ袋導入のガイドライン」を公表している。

また、自動車リサイクルおいて高品質な再生材の利用拡大に向けて、ＡＩ等を活用した脱炭素型の高度な自動車部品解体プロセス等の技術実証、リサイクル阻害となる残留性有機汚染

1　Life Cycle Assessment

物質（POPs[1]）を含む廃プラスチックの高度選別技術の実機の実証事業を行っている。

さらに、G20大阪サミットで我が国が提唱した「大阪ブルー・オーシャン・ビジョン」を踏まえ、第5回国連環境総会決議に基づき、プラスチック汚染に関する法的拘束力のある国際文書（条約）の策定に向けた政府間交渉委員会への参加や東南アジアを中心とした途上国支援、海洋プラスチックごみ対策の基盤となる科学的知見の集積強化、発生抑制対策の検討などを実施し、国内外で積極的に海洋プラスチックごみ対策に取り組んでいる。

4.「循環共生型社会」を構成する生物多様性への対応

環境省は、「循環共生型社会」を構成する生物多様性への対応については、絶滅危惧種の保護や侵略的外来種の防除に関する技術、二次的自然を含む生態系のモニタリングや維持・回復技術、遺伝資源を含む生態系サービスと自然資本の経済・社会的価値の評価技術及び持続可能な管理・利用技術等の研究開発を推進し、「自然との共生」の実現に向けて取り組んでいる。

「生物多様性及び生態系サービスに関する政府間科学一政策プラットフォーム（IPBES[2]）」は、生物多様性及び生態系サービスに関する科学と政策の連携強化を目的として、評価報告書等の作成を行っている。平成31年（2019年）2月には、侵略的外来種に関する評価のための技術支援機関が公益財団法人地球環境戦略研究機関（IGES）に設置され、その活動を支援した。また、IPBESの生物多様性等のシナリオ・モデルに関する専門的なグループである「シナリオ・モデルタスクフォース」を支援する技術支援機関のホスト国・機関について公募が行われ、我が国が応募した。IPBESのビューロー（幹事）等による選考を経て、当該技術支援機関が2024年3月IGESに設

置された。さらに、IPBES総会第10回会合の結果報告会を2023年（令和5年）9月に、IPBESに関わる国内専門家及び関係省庁による国内連絡会を令和5年9月と令和6年2月に、シンポジウム「ネイチャーポジティブ社会に向けた社会変革と行動変容」を令和6年2月にそれぞれ開催した。

我が国は、生物多様性に関するデータを収集して全世界的に利用されることを目的とする地球規模生物多様性情報機構（GBIF[3]）に、日本からのデータ提供拠点である国立遺伝学研究所、国立環境研究所及び国立科学博物館と連携しながら、生物多様性情報を提供した。GBIFで蓄積されたデータは、IPBESでの評価の際の重要な基盤データとなることが期待されている。

製品評価技術基盤機構は、生物遺伝資源の収集・保存・分譲を行うとともに、これらの資源に関する情報（系統的位置付け、遺伝子に関する情報等）を整備・拡充し、幅広く提供している。また、微生物遺伝資源の保存と持続可能な利用を目指した14か国・地域30機関のネットワーク活動に参加し、各国との協力関係を構築するなど、生物多様性条約を踏まえたアジア諸国における生物遺伝資源の利用を積極的に支援している。さらに、微生物等の生物資源データを集約した横断的データベースとして「生物資源データプラットフォーム（DBRP[4]）」を構築し、生物資源とその関連情報へワンストップでアクセスできるデータプラットフォームとして運用している。

食料生産や気候調整等で人間社会と密接に関わる海洋生態系は、近年、汚染・温暖化・乱獲等の環境ストレスにさらされており、これらを踏まえた海洋生態系の理解・保全・利用が課題となっている。このため、文部科学省は、「海洋資源利用促進技術開発プログラム」のうち「海洋生物ビッグデータ活用技術高度化」にお

1　　Persistent Organic Pollutants
2　　Intergovernmental science-policy Platform on Biodiversity and Ecosystem Services
3　　Global Biodiversity Information Facility
4　　Data and Biological Resource Platform

いて、既存のデータやデータ取得技術を基にビッグデータから新たな知見を見いだすことで、複雑で多様な海洋生態系を理解し、保全・利用へと展開する研究開発を行っている。

❹　国民の行動変容の喚起

環境省はナッジ等の行動科学の知見とＡＩ／ＩｏＴ等の先端技術の組合せ（ＢＩ−Ｔｅｃｈ）により、日常生活の様々な場面での自発的な脱炭素型アクションを後押しする行動変容モデルの構築・実証を進めている。令和5年度では、ナッジ等の効果の異質性（地域差・個人差）や持続性（複数年に及ぶ行動の維持・習慣化）を明らかにするため、小規模での予備実証や、規模を拡大しての大規模実証を順次実施した。

また、成果を順次取りまとめ、国内及び国際会議において諸外国のナッジ・ユニット等とともに基調講演やパネルディスカッションを実施するなど、広く一般も含めた情報共有や連携を図っている。

環境省は、国立環境研究所等と連携し、全国で約10万組の親子を対象とした大規模かつ長期の出生コホート調査「子どもの健康と環境に関する全国調査（エコチル調査）」[1]を平成22年度から実施している。同調査においては、臍帯血、血液、尿、母乳、乳歯等の生体試料を採取保存・分析するとともに、質問票等によるフォローアップを行っている。

これまでに発表された成果論文は、423本に上り（令和5年12月末時点）、化学物質のばく露や生活環境といった環境要因が、妊娠・分娩時の異常や出生後の成長過程における子供の健康状態に与える影響等についての研究が着実に進められている。また、エコチル調査参

加者のデータは、内閣府食品安全委員会における健康影響評価、妊婦の体重増加曲線や乳幼児の発達指標の作成等に活用されている。

これまでの成果は、シンポジウムの開催やステークホルダーとの対話事業等を通じて発信されており、健康リスクを低減するための国民の行動変容を促進することに取り組んでいる。

3 レジリエントで安全・安心な社会の構築

頻発化・激甚化する自然災害に対し、レジリエントな社会の構築を目指している。あわせて、サイバー空間等の新たな領域における攻撃や、新たな生物学的な脅威から、国民生活及び経済社会の安全・安心を確保するとともに、先端技術の研究開発を推進し、適切な技術流出対策の実施も行っていくこととしている。

❶　頻発化、激甚化する自然災害への対応
1．予防力の向上

防災科学技術研究所では、将来起こり得る首都直下地震や南海トラフ地震等による大規模地震災害への備えとして、実大三次元震動破壊実験施設（Ｅ−ディフェンス）を活用し、都市空間内の構造物、地盤等の被害過程の解明、被害状況推定や被害リスク予測等の評価手法に関する研究開発、対策技術適用性の検討・実証に関する研究開発を実施している。

国土交通省は、海上・港湾・航空技術研究所等との相互協力の下、全国港湾海洋波浪情報網（ＮＯＷＰＨＡＳ[2]）の構築・運営を行っており、全国各地で観測された波浪・潮位観測データを収集し、ウェブサイトを通じてリアルタイムで広く公開している[3]。

1　子どもの健康と環境に関する全国調査（エコチル調査）
　　http://www.env.go.jp/chemi/ceh/

2　Nationwide Ocean Wave information network for Ports and HArbourS
3　http://www.mlit.go.jp/kowan/nowphas/

土木研究所は、水災害の激甚化に対する流域治水の推進技術の開発、顕在化した土砂災害へのリスク低減技術の開発、極端化する雪氷災害に対応する防災・減災技術の開発を実施している。

建築研究所は、自然災害による損傷や倒壊の防止等に資する建築物の構造安全性を確保するための技術開発や建築物の継続使用性を確保するための技術開発等を実施している。

海上・港湾・航空技術研究所は、地震災害の軽減及び地震後の早期復旧・復興のため、沿岸域における地震による構造物の変形・性能低下を予測し、沿岸域施設の安全性・信頼性の向上を図るための研究を実施している。

気象研究所は、線状降水帯の発生等のメカニズム解明研究のため、大学や研究機関と協力した観測や解析を実施している。さらに、気象研究所は、局地的大雨をもたらす極端気象現象を、二重偏波レーダやフェーズドアレイレーダ、GPS等を用いてリアルタイムで検知する観測・監視技術の開発に取り組んでいる。また、局地的大雨を再現可能な高解像度の数値予報モデルの開発など、局地的な現象による被害軽減に寄与する気象情報の精度向上を目的とし研究を推進している。

2．予測力の向上

我が国の地震調査研究は、地震調査研究推進本部（本部長：文部科学大臣）（以下「地震本部」という。）の下、関係行政機関や大学等が密接に連携・協力しながら行われている。

地震本部は、これまで地震の発生確率や規模等の将来予測（長期評価）を行っている。隣接する複数の領域を震源域とする東北地方太平洋沖地震や活断層を起因とする熊本地震、令和6年能登半島地震の発生を踏まえ、長期評価の評価手法や公表方法を順次見直しつつ実施している。また、東北地方太平洋沖地震での津波による甚大な被害を踏まえ、様々な地震に伴う津波

の評価を実施している。

文部科学省は、南海トラフ地震を対象とした「防災対策に資する南海トラフ地震調査研究プロジェクト」において、「通常と異なる現象」が観測された場合の地震活動の推移を科学的に評価する手法開発や、被害が見込まれる地域を対象とした防災対策の在り方などの調査研究を実施している。

阪神・淡路大震災以降、陸域に地震観測網の整備が進められてきた一方、海域の観測網については、陸域の観測網に比べて観測点数が非常に少ない状況であった。このため、防災科学技術研究所では、南海トラフ地震の想定震源域において、地震計、水圧計等を備えたリアルタイムで観測可能な高密度海底ネットワークシステムである「地震・津波観測監視システム（DONET[1]）」を運用している。また、今後も大きな余震や津波が発生するおそれがある東北地方太平洋沖において、地震・津波を直接検知し、災害情報の正確かつ迅速な伝達に貢献する「日本海溝海底地震津波観測網（S－net[2]）」を運用している。さらに、南海トラフ地震の想定震源域のうち、まだ観測網を設置していない高知県沖から日向灘の海域において、「南海トラフ海底地震津波観測網（N－net[3]）」の構築を進めている（第2-2-2図）。

■第2-2-2図／南海トラフ海底地震津波観測網（N－net）のイメージ図

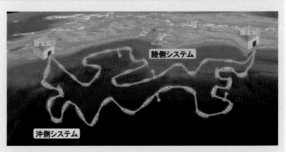

資料：文部科学省作成

1　Dense Oceanfloor Network system for Earthquakes and Tsunamis
2　Seafloor observation network for earthquakes and tsunamis along the Japan Trench
3　Nankai Trough Seafloor Observation Network for Earthquakes and Tsunamis

火山分野においては、平成26年の御嶽山の噴火等を踏まえ、「次世代火山研究・人材育成総合プロジェクト」を開始し、火山災害の軽減に貢献するため、従前の観測研究に加え、他分野との連携・融合を図り、「観測・予測・対策」の一体的な研究の推進及び広範な知識と高度な技術を有する火山研究者の育成を行っている。また、令和3年度から開始した「火山機動観測実証研究事業」において、火山の噴火切迫期や噴火発生時などの緊急時等に、迅速かつ効率的な機動観測を実現するために必要な体制構築に係る実証研究を実施している。

さらに、令和5年の活動火山対策特別措置法の改正に基づき、令和6年4月に文部科学省に、火山に関する観測、測量、調査及び研究を一元的に推進するための火山調査研究推進本部が設置されることとなり、準備を進めた。

国土技術政策総合研究所は、土砂・洪水氾濫発生時の土砂到達範囲・堆積深を高精度に予測するための計算手法の開発等の「激甚化する災害への対応」を行っている。

防災科学技術研究所は、日本全国の陸域を均一かつ高密度に覆う約1,900点の高性能・高精度な地震計により、人体に感じない微弱な震動から大きな被害を及ぼす強震動に至る様々な「揺れ」の観測を行っている。海域においては約200点の地震計・津波計を運用しているほか、国内16火山の「基盤的火山観測網（Ｖ−ｎｅｔ[1]）」を含む、全国の陸域と海域を網羅する地震・津波・火山観測網である「陸海統合地震津波火山観測網（ＭＯＷＬＡＳ[2]）」を平成29年11月より運用している。ＭＯＷＬＡＳを用いた地震や津波の即時予測、火山活動の観測・予測の研究、実装を進めており、気象庁に観測データの提供を実施するほか、各研究機関や地方公共団体及び鉄道事業者をはじめとする民間での観測データの活用を推進した。

また、マルチセンシング技術と数値シミュレーション技術、さらに大型降雨実験施設及び雪氷防災実験施設等の先端的実験施設を活用し、風水害、土砂災害、雪氷災害等の気象災害の被害の軽減に資する研究等を実施している。例えば、ＡＩを用いた積雪・冠水などの道路状況判別、過去の雨量統計情報に基づく大雨の「稀さ」を踏まえた豪雨災害危険域の抽出、レーダと積雪変質モデル等を用いた高解像度面的降積雪情報など新しい情報の創出を進めている。さらに「雪おろシグナル」の提供地域拡大、科学的根拠に基づくスキー場の安全管理を目指したニセコ吹きだまり情報サイトの構築、気象雲レーダを用いたゲリラ豪雨や突風・降雹・雷等を伴う危険な積乱雲等の早期予測技術の開発等に取り組んでおり、開発された技術の社会実装や民間企業との協働によるイノベーション創出を進めている。

気象庁は、文部科学省と協力して地震に関する基盤的調査観測網のデータを収集し、処理・分析を行い、その成果を防災情報等に活用するとともに地震調査研究推進本部地震調査委員会等に提供している。また、自動震源決定処理手法（ＰＦ[3]法）を開発して導入するとともに、緊急地震速報については、東北地方太平洋沖地震で課題となった同時多発地震及び巨大地震に対応するため、発表基準に長周期地震動階級を追加したほか、ＩＰＦ法[4]及びＰＬＵＭ法[5]を導入し、更なる高度化のための技術開発を防災科学技術研究所等と協力して進めている。津波については、沖合の津波観測波形から沿岸の津波の高さを精度良く予測する手法（ｔＦＩＳＨ[6]）を導入している。

気象研究所は、津波災害軽減のための津波地震などに対応した即時的規模推定や沖合の津波観測データを活用した津波予測の技術開発、南海トラフで発生する地震の規模、破壊領域や

1 　The Fundamental Volcano Observation Network
2 　Monitoring of Waves on Land and Seafloor
3 　Phase combination Forward search
4 　Integrated Particle Filter法：同時に複数の地震が発生した場合でも、震源を精度良く推定する手法。京都大学防災研究所と協力して開発。
5 　Propagation of Local Undamped Motion法：強く揺れる地域が非常に広範囲に及ぶ大規模地震でも、震度を適切に予測する手法。
6 　tsunami Forecasting based on Inversion for initial sea-Surface Height

ゆっくりすべりの即時把握に関する研究、火山活動評価・予測の高度化のための監視手法の開発などを実施している。

産業技術総合研究所は、防災・減災等に資する地質情報整備のため、活断層・津波堆積物調査や活火山の地質調査を行い、その結果を公表している。全国の主要活断層に関しては、地震発生確率や最新活動時期が不明な活断層のうち9断層（津軽山地西縁、横手盆地東縁、長野盆地西縁、身延、屏風山・恵那山—猿投山、筒賀、弥栄、布田川、宮古島）を調査しているほか、社会的に重要かつ自治体等から調査の要望が高い活断層（水前寺断層、立田山断層、周防灘西部海域）についても調査し、地震発生確率や規模の算出に必要なデータ等を着実に取得している。また、活断層データベースの活用を促進するため、調査地241地点及び活断層線20件に関する位置情報のデータ精度向上に関する作業や表示システム改善に係る作業を実施している。津波堆積物については、三重県南伊勢町において湖底堆積物を採取し、そこから過去に発生した海水の浸水履歴を推定した。この浸水のうち、5回あるいは6回は歴史時代（文献等で過去の地震・噴火等の自然災害の発生が確認できる時代）に発生した南海トラフの巨大津波に対応する可能性が示された。そのほか、南海トラフ巨大地震の短期予測に資する地下水等総合観測点を運用し、地下水位（水圧）、地殻ひずみや地震波の常時観測を継続するとともに、新たに香川県綾川町に1地点整備した。

火山に関しては気象庁による常時観測50火山を中心に現地調査や噴出物の解析等を行い、7火山（羅臼・知床硫黄山、雌阿寒岳、岩木山、御嶽山、箱根山、伊豆東部火山群、伊豆大島）で過去の噴火の規模・様式等の解明や今後の活動推移予測に資する情報を取得している。これら調査で得た結果を日本列島の火山全体を対象に「日本の火山」データベースとして整備し、活火山においては火口位置データや噴火時に降灰した火山灰データの作成を行っている。

海洋研究開発機構は、南海トラフの想定震源域や日本周辺海域・西太平洋域において、研究船や各種観測機器等を用いて海域地震や火山に関わる調査・観測を大学等の関係機関と連携して実施している。さらに、これら観測によって得られるデータを解析する手法を高度化し、大規模かつ高精度な数値シミュレーションにより地震・火山活動の推移予測を行っている。

国土地理院は、電子基準点[1]等によるGNSS[2]連続観測、超長基線電波干渉法（VLBI[3]）、干渉SAR[4]等を用いた地殻変動やプレート運動の観測、解析及びその高度化のための研究開発を実施している。また、気象庁、防災科学技術研究所、神奈川県温泉地学研究所、京都大学防災研究所等による火山周辺のGNSS観測点のデータも含めた火山GNSS統合解析を実施し、干渉SAR時系列解析と組み合わせて火山周辺の地殻変動のより詳細な監視を行っている。

海上保安庁は、GNSS測位と音響測距を組み合わせた海底地殻変動観測や海底地形等の調査を推進し、その結果を随時公表している。

気象庁は、線状降水帯の予測精度向上等に向けた取組を強化している。令和5年5月から、線状降水帯の発生をいち早く知らせる情報を、予測技術を活用し、最大で30分程度前倒しして発表する運用を開始した。また、スーパーコンピュータ「富岳」を活用した、観測データの高度利用に関する大学・研究機関との共同研究を開始した。

1　令和6年3月末現在で、全国に約1,300点
2　Global Navigation Satellite System
3　Very Long Baseline Interferometry：数十億光年の彼方から、地球に届く電波を利用し、数千kmもの距離を数mmの誤差で測る技術
4　Synthetic Aperture Radar：合成開口レーダ

コラム2-5　南海トラフ地震想定震源域に初めて「ゆっくりすべり」観測監視システムを展開

　駿河湾から日向灘沖にわたってフィリピン海プレートがユーラシアプレートの下に沈み込んでいる溝状の地形は「南海トラフ」と呼ばれており、100年から200年の間隔で巨大地震が発生することが知られています。前回の昭和東南海地震及び昭和南海地震から既に約80年が経過しており、地震調査研究推進本部地震調査委員会によると今後30年以内にマグニチュード8〜9クラスの巨大地震が高確率で発生するとして、非常に切迫した状態にあると考えられています。近年の研究において、この巨大地震の発生に大きく関わっていることが分かったのが「ゆっくりすべり」と呼ばれる現象です。この「ゆっくりすべり」はひずみを蓄積しているプレート境界において断層がひずみを解消する運動で、地震波を発しないほど非常に微小な動きであるため、従来の観測手法では捉えることが困難とされてきました。海洋研究開発機構では、地球深部探査船「ちきゅう」により海底下深くまで掘削した孔内に超高感度なセンサーを設置し、地震・津波観測監視システム（D

「ちきゅう」船上における長期孔内
観測システム設置作業の様子
提供：海洋研究開発機構

ONET）に接続することにより常時リアルタイムで「ゆっくりすべり」の観測・監視を行うためのシステムを開発しました（長期孔内観測システム）。東南海地震の想定域にあたる熊野灘においては、平成30年までに3基の長期孔内観測システムを設置し、「ゆっくりすべり」を常時リアルタイムで観測することに世界で初めて成功しています。この観測データを用いた研究開発により、この海域における「ゆっくりすべり」の実態が徐々に明らかになってきています。

　その後も長期孔内観測システムの改良に向けた研究開発を進め、光ファイバーの伸縮によってひずみを計測する光ファイバーひずみ計を搭載した新型の長期孔内観測システムを開発しました。この新型システムは、従来型よりも大幅に感度・計測範囲が向上し、「ゆっくりすべり」から巨大地震まで余すことなく観測することが可能となりました。令和5年11月に、これまで「ゆっくりすべり」の観測点が存在していなかった南海地震の想定域にあたる紀伊半島沖の海底下約500mの地点に新型システムを設置し、その約1か月後の令和6年1月にDONET2に接続し、この海域における「ゆっくりすべり」の常時リアルタイム観測を開始しました。今後は高知沖や日向灘など更に西側の海域に長期孔内観測システムを展開し、より広域をカバーすることを目指して開発を進めていきます。

　こうして取得した「ゆっくりすべり」の観測データは気象庁南海トラフ沿いの地震に関する評価検討会や地震調査研究推進本部地震調査委員会等に提供し、南海トラフ地震に関する状況把握を通じて政府による防災減災対策の立案に役立てられます。

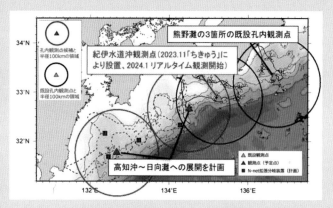

「長期孔内観測システム」展開図
提供：海洋研究開発機構

3．対応力の向上

SIP第1期「レジリエントな防災・減災機能の強化」（平成26〜30年度）において開発した、災害情報を電子地図上で集約し、関係機関での情報共有を可能とするシステムである「基盤的防災情報流通ネットワーク（SIP4D[1]）」や、SIP第2期「国家レジリエンス（防災・減災）の強化」（平成30〜令和4年度）において開発した衛星データ即時一元化・共有システム「ワンストップシステム」等については、実災害への対応に活用されている。例えば、令和6年能登半島地震において、内閣府（防災担当）が運用する「災害時情報集約支援チーム（ISUT[2]）」は、SIP4D等を活用し、関係府省庁や地方公共団体、指定公共機関の災害対応に対して情報面からの支援を行った。また、令和5年度から開始したSIP第3期「スマート防災ネットワークの構築」においては、社会全体の被害軽減や早期復興の実現を目指し、巨大地震や頻発・激甚化する風水害等に対し、企業・市町村の対応力の強化、国民一人ひとりの命を守る防災行動、関係機関による迅速かつ的確な災害対応に資する研究開発及び社会実装に向けた取組を実施している。

また、準天頂衛星システム「みちびき」のサービスを平成30年11月1日に開始し、みちびきを経由して防災気象情報の提供を行う災害・危機管理通報サービス及び避難所等における避難者の安否情報を収集する安否確認サービスの提供を行っている。

総務省は、情報通信等の耐災害性の強化や被災地の被災状況等を把握するためのICTの研究開発を行っている。また、これまで総務省が実施してきた災害時に被災地へ搬入して通信を迅速に応急復旧させることが可能な通信設備（移動式ICTユニット）等の研究成果の社会実装や国内外への展開を推進している。

防災科学技術研究所は、各種自然災害の情報を共有・利活用するシステムの開発に関する研究を実施するとともに、必要となる実証と、指定公共機関としての役割に基づく行政における災害対応の情報支援を行っている。令和5年の石川県能登半島地方を震源とする地震、令和5年の梅雨前線による大雨及び台風第2号、令和6年能登半島地震においては、SIP4Dに収集された情報や被災地で収集された情報を一元的に集約し、各災害に関連した過去の情報や分析結果等と共に、「防災クロスビュー」（bosaiXview；一般公開）やISUT-SITE（災害対応機関に限定公開）と呼ばれる地図を表示するウェブサイトを介して災害対応機関へ情報発信を行い、状況認識の統一等を支援した。

消防庁消防研究センターでは自然災害への対応として、令和3年度からの5年計画で①ドローンなどを活用した土砂災害時の消防活動能力向上に係る研究開発、②地震発生時の市街地火災による被害を抑制するための研究開発、③危険物施設における地震災害を抑制するための研究を進めている。

情報通信研究機構は、天候等にかかわらず災害発生時における被災地の地表状況を随時・臨機に観測可能な航空機搭載合成開口レーダ（Pi-SAR[3]）に関する実証観測を実施している。また、情報通信研究機構等が開発した、公衆通信網途絶地域において情報を同期して共有できるシステムについては、一部地域の地方公共団体への導入・活用が行われていることを皮切りに、他の地方公共団体への導入のための取組等が行われている。なお、通信途絶領域においてSIP4Dとのデータ連携を可能とする可搬型通信装置について、SIP第2期で開発した「ポータブルSIP4D」をベースにして、SIP第3期でも開発を継続している。加えて、SNSへの投稿をリアルタイムに分析し

1　Shared Information Platform for Disaster Management
2　Information Support Team
3　Polarimetric and Interferometric Airborne Synthetic Aperture Radar

災害関連情報を抽出する情報分析技術は、民間企業により地方公共団体等への導入等が進められており、情報通信研究機構としても技術面での支援を継続している。

コラム2-6　令和6年能登半島地震における研究開発成果の活用事例

　令和6年1月1日16時10分、能登半島を震源とする最大震度7の地震が発生しました。石川県能登地方で発生した一連の地震活動は、気象庁により「令和6年能登半島地震」と名称が定められ、政府は非常災害対策本部を設置し、被災者の救命・救助や被災者支援等の対応に当たりました。こうした災害対応においても、これまでの研究開発成果が災害現場での情報集約支援等に活用されています。

　例えば、気象庁が発表する緊急地震速報は、気象庁や防災科学技術研究所（防災科研）が運用する地震計・震度計の観測データを基に、初動（P波）の情報から、主要動（S波）が到達する前に揺れの情報を伝達する即時震源推定技術によって、観測点のデータから震源やマグニチュードが迅速かつ精度良く推定されています。

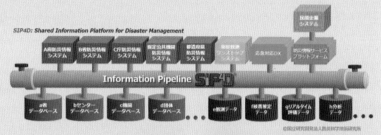

（上）ＳＩＰ４Ｄの概念図
（下）ＩＳＵＴ活動と
ＳＩＰ４Ｄ/bosaiXviewを介した情報集約支援の様子
提供：防災科学技術研究所

　災害対応は時間との戦いであり、迅速な対応を行うためには、正確な情報を速やかに取得し、それを関係者で共有することが重要です。令和6年能登半島地震の対応においても、防災科研が開発した基盤的防災情報流通ネットワーク（ＳＩＰ４Ｄ）を使って、情報集約・共有の円滑化を実現しました。ＳＩＰ４Ｄを介して集約された道路、電気、水道等のインフラに関する情報、浸水域等の被害情報、避難所に関する情報等は、政府機関・指定公共機関をはじめ、災害対応機関に共有されるとともに、一般向けには防災科研のＨＰに特設サイト「bosaiXview：令和6年能登半島地震」を開設し、情報発信を行っています。

　また、令和6年能登半島地震に関する調査研究として、海洋研究開発機構は東京大学地震研究所等の関係機関と共同で、所有する学術研究船「白鳳丸」を用いて、地震断層の実態や地震・津波の発生メカニズムを明らかにするとともに、地震活動の推移の把握等を目的とした緊急調査航海を実施しています。

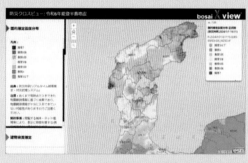

bosaiXviewで公開された震度分布図
提供：防災科学技術研究所

　さらに、能登地方では令和5年5月にも規模の大きな地震が発生しており、文部科学省は同年6月から科学研究費助成事業（科研費）の特別研究促進費によって大学や研究機関等による、総合調査に対する助成を行っていたところですが、今回の地震で地震活動の範囲が拡大したことを受けて、同調査に対する追加助成を行っています。

　これらの調査研究の成果は、地震調査研究推進本部における地震活動の評価や、政府や地方公共団体における災害対策等にも活用されるものと期待されます。

　このように、実際に災害が発生した際にも、研究開発されてきた成果が役立てられており、今後も防災・減災に係る研究開発を着実に進めます。

学術研究船「白鳳丸」
提供：海洋研究開発機構

国土技術政策総合研究所は、災害時の継続利用の観点等からの住宅・建築物の性能評価技術の開発、事前防災対策による安全な市街地形成のための避難困難性評価手法の開発に関する研究を行っている。そのほか、新技術等の活用により、地域防災力の向上や総合的な市街地の防災性能評価等に係る技術開発を行う「新技術等を用いた既成市街地の効果的な地震防災・減災技術の開発」を行っている。

土木研究所は、大規模地震に対するインフラ施設の機能確保技術の開発を実施している。

宇宙航空研究開発機構は、ＡＬＯＳ－２などの人工衛星を活用した様々な災害の監視や被災状況の把握に貢献している。

４．観測・予測データを統合した情報基盤の構築等

文部科学省は、「地球環境データ統合・解析プラットフォーム事業」において、気候変動等の地球規模課題の解決に貢献するため、地球環境ビッグデータ（観測データ、予測データ等）を蓄積・統合・解析・提供する「データ統合・解析システム（ＤＩＡＳ）」の長期的・安定的運用をするとともに、地球環境ビッグデータを利活用する研究開発等を推進している。

また、宇宙航空研究開発機構が情報通信研究機構と共同で開発した超伝導サブミリ波リム放射サウンダ（ＳＭＩＬＥＳ[1]）で取得されたデータを解析することにより、新たな知見に基づく地球環境変動への警告を行うとともに、観測データの無償公開を令和２年度より開始した。また、温室効果ガス観測技術衛星ＧＯＳＡＴをはじめとした地球環境観測データの独自の数理アルゴリズム解析を推進している。さらに、電波の伝わり方に影響を与える、太陽活動及び地球近傍の電磁環境の監視・予警報を配信するとともに、宇宙環境観測データの収集・管理・解析・公開を統合的に行っている。加えて、こ

れらの観測技術及び論理モデルとＡＩを用いた予測技術を高度化する宇宙環境計測・予測技術の開発を進めている。

さらに、気象庁では、「ひまわり８号」及び「ひまわり９号」を運用し、熱帯低気圧や海面水温等を観測しており、我が国のみならずアジア太平洋地域の自然災害防止や気候変動監視等に貢献している。

❷ デジタル化等による効率的なインフラマネジメント

内閣府は、ＳＩＰ第３期課題「スマートインフラマネジメントシステムの構築」において、我が国の膨大なインフラ構造物・建築物の老朽化が進む中で、デジタル技術により、設計から施工、点検、補修まで一体的な管理を行い、持続可能で魅力的・強靱な国土・都市・地域づくりの推進を可能とするインフラマネジメントを実現するための技術開発・研究開発に取り組んでいる。

国土交通省は、社会インフラの維持管理及び災害対応の効果・効率の向上のためにロボットの開発・導入を推進している。

国土交通省は、i-Construction[2]を推進し、令和７年度までに建設現場の生産性２割向上を目指している。さらに、新型コロナウイルス感染症対策を契機として、デジタル技術を活用して、管理者側の働き方やユーザーに提供するサービス・手続なども含めて、インフラ周りをスマートにし、従来の「常識」を変革する「インフラ分野のＤＸ（デジタル・トランスフォーメーション）」を推進している。例えば、３Ｄハザードマップを活用したリアルに認識できるリスク情報の提供、現場にいなくても現場管理が可能になるリモートでの立会いによる監督検査やデジタルデータを活用した配筋検査の省力化、自動・遠隔施工等に取り組んでいる。令和５年８月には施策ごとの具体的な工程等

1　Superconducting Submillimeter-Wave Limb-Emission Sounder：大気の縁（リム）の方向にアンテナを向け、超伝導センサを使った高感度低雑音受信機を用いて大気中の微量分子が自ら放射しているサブミリ波（300GHzから3,000GHzまでの周波数の電波をサブミリ波という。このうち、ＳＭＩＬＥＳでは、624GHzから650GHzまでのサブミリ波を使用している。）を受信し、オゾンなどの量を測定する。
2　調査、測量から設計、施工、検査、維持管理、更新までのあらゆる建設生産プロセスにおいてＩＣＴ等を活用すること

を取りまとめた実行計画である「インフラ分野のＤＸアクションプラン（第２版）」を策定し、分野網羅的・組織横断的な取組を推進する。

国土地理院は、i-Constructionを推進し、インフラ分野のＤＸを加速させるため、調査・測量、設計、施工、検査、維持管理・更新の各工程で使用する位置情報の共通ルール「国家座標」を整備し、ＧＮＳＳ、ＶＬＢＩ、干渉ＳＡＲを用いた観測や研究開発により、国家座標の維持・管理を行っている。さらに、デジタル空間に現実空間を再現するデジタルツインの基盤となる３次元地図作成のために、ベース・レジストリである「電子国土基本図」の３次元化に取り組んでいる。

国土技術政策総合研究所では、建設事業のＤＸによる労働生産性向上に向けて、ＢＩＭ／ＣＩＭ[1]モデル等のデジタルデータの活用に向けたシステムの検討や新技術の活用・施工現場データの分析に基づいて、建設技能者の作業を改善し、労働生産性や安全性の向上につなげるための技術開発として「建設事業各段階のＤＸによる抜本的な労働生産性向上に関する研究」を行っている。そのほか、国土交通省本省関連部局と連携し、既存の住宅・社会資本ストックの点検・補修・更新等を効率化・高度化して、安全に利用し続けるため、ＲＣ造マンションの既存住宅状況調査等の効率化に向けた、デジタル新技術の適合性評価基準の開発に関する研究を行っている。

土木研究所は、社会インフラの長寿命・信頼性向上を目指した更新・新設に関する研究開発、構造物の予防保全型メンテナンスに資する技術の開発、積雪寒冷環境下のインフラの効率的な維持管理技術の開発、施工・管理分野の生産性向上に関する研究開発を実施している。

海上・港湾・航空技術研究所は、我が国の経済・社会活動を支える沿岸域インフラの点検・モニタリングに関する技術開発や、維持管理の効率化及びライフサイクルコストの縮減に資

する研究を実施している。

物質・材料研究機構は、社会インフラの長寿命化・耐震化を推進するために、我が国が強みを持つ材料分野において、インフラの点検・診断技術、補修・更新技術、材料信頼性評価技術や新規構造材料の研究開発の取組を総合的に推進している。

経済産業省は、産業保安分野においてテクノロジーの活用により保安面での安全性と効率性の向上を実現するスマート保安を推進している。

❸　攻撃が多様化・高度化するサイバー空間におけるセキュリティの確保

国家を背景とするグループからの攻撃をはじめとするサイバー攻撃の深刻化や巧妙化が一層進展し、政府機関等への攻撃や、重要インフラ事業者を中心とした民間企業へのサプライチェーン・リスクを突いた攻撃、ランサムウェア等による被害が拡大した。また、いわゆるゼロデイ攻撃に係るリスクや、生成ＡＩ等をはじめとする新たな技術の普及に伴うリスクの増大等、従来の対策では容易に対処できない新たなリスクも増大している。

「サイバーセキュリティ基本法」（平成26年法律第104号）に基づき、サイバーセキュリティに関する施策を総合的かつ効果的に推進するため、内閣に設置された「サイバーセキュリティ戦略本部」（本部長：内閣官房長官）での検討を経て、令和３年９月28日に「サイバーセキュリティ戦略」を閣議決定した。これに基づき、政府はサイバーセキュリティに関する技術の研究開発を推進している。

内閣府は、平成30年度から令和４年度まで、ＳＩＰ第２期「ＩｏＴ社会に対応したサイバー・フィジカル・セキュリティ」としてセキュアなSociety 5.0の実現に向けた「サイバー・フィジカル・セキュリティ対策基盤技術」の開発及び実証を行った。これはＩｏＴシステム・

1　Building Information Modeling/Construction Information Modeling/Management

サービス及び中小企業を含む大規模サプライチェーン全体を守ることを可能とするものであり、その研究開発成果を活用した製品やサービスが民間企業から提供されている。

　また、経済産業省、文部科学省と共に、令和4年9月に定めた「経済安全保障重要技術育成プログラム 研究開発ビジョン（第一次）」の下、サプライチェーンセキュリティに関する不正機能検証技術（ファームウェア・ソフトウェア／ハードウェア）、AIセキュリティに係る知識・技術体系に関する研究開発を順次進めている。令和5年8月には「経済安全保障重要技術育成プログラム 研究開発ビジョン（第二次）」として新たに先進的サイバー防御機能・分析能力強化、偽情報分析に係る技術を支援対象とする技術とした上で、サイバー空間の状況把握力や防御力の向上に資する技術や、セキュアなデータ流通を支える暗号関連技術、偽情報分析等についての研究開発を進めることとしている。

　総務省は、情報通信研究機構等を通じて、多様化するサイバー攻撃に対応した攻撃観測・分析・可視化・対策技術や大規模集約された多種多様なサイバー攻撃に関する情報の横断分析技術、新たなネットワーク環境等のセキュリティ向上のための検証技術の研究開発を推進している。さらに、当該研究開発等を通じて得た技術的知見を活用して、巧妙化・複雑化するサイバー攻撃に対し、実践的な対処能力を持つセキュリティ人材を育成するため、同機構に組織した「ナショナルサイバートレーニングセンター」において、国の機関、地方公共団体等を対象とした実践的サイバー防御演習（CYDER[1]）、大阪・関西万博関連組織の情報システム担当者等を対象とした万博向けサイバー防御講習（CIDLE[2]）の実施や、若手セキュリティ人材の育成（SecHack365）に取り組んでいる。また、同機構が有するこれらの技術・ノウハウや情報を中核として、同機構において、

我が国のサイバーセキュリティ情報の収集・分析とサイバーセキュリティ人材の育成における産学の結節点となる「サイバーセキュリティ統合知的・人材育成基盤（CYNEX[3]）」の構築・運用を行い、国内のサイバーセキュリティ対応能力を向上させる取組を推進している。

　経済産業省は、IoTやAIによって実現されるSociety 5.0におけるサプライチェーン全体のサイバーセキュリティ確保を目的として、産業に求められる対策の全体像を整理した「サイバー・フィジカル・セキュリティ対策フレームワーク（CPSF）」を平成31年4月に策定し、CPSFに基づく産業分野別（ビル、工場、電力、宇宙等）のガイドラインの作成等を進めている。セキュアなソフトウェアやIoT製品の流通に向けた取組も進めており、国際連携を意識した認証・評価制度等を整備するため、ソフトウェアの部品構成表であるSBOM（Software Bill of Materials）の活用の促進や、IoT製品に対するセキュリティ適合性評価制度の構築に向けた検討を実施している。また、重要インフラや我が国経済・社会の基盤を支える産業における、サイバー攻撃に対する防護力を強化するため、情報処理推進機構に設置する産業サイバーセキュリティセンターにおいて、官民の共同によりサイバーセキュリティ対策の中核を担う人材の育成等の取組を推進している。

　また、中小企業のサイバーセキュリティ対策支援を行うとともに、中小企業のデジタル化を後押しすることとしている。

❹　新たな生物学的な脅威への対応

　新型コロナウイルス感染症に対する研究開発等については、治療法、診断法、ワクチン等に関する研究開発等に対して政府が幅広く支援を行っている。

　治療法については、新型コロナウイルスの国

1　CYber Defense Exercise with Recurrence
2　Cyber Incident Defense Learning for EXPO
3　Cybersecurity Nexus

内感染例が確認されて以降、大学等により研究開発が進められてきた。迅速に治療薬を創出する観点から、当初は既存治療薬を用いてその有効性・安全性の検討を行う既存薬再開発による研究開発を中心に日本医療研究開発機構を通じて支援してきたところである。また、新規創薬の観点から、基礎研究及び臨床研究等に対して支援を行い、新型コロナウイルス感染症の重症化リスクと関連する遺伝子を見いだす等の成果が得られている。

診断法についても日本医療研究開発機構を通じ、遺伝子増幅の検査に関する迅速診断キット、抗原迅速診断キット、検査試薬等の基盤的研究を支援してきたところであり、実用化されたものについては、厚生労働行政推進調査事業費補助金による研究事業において作成された「新型コロナウイルス感染症（COVID－19）診療の手引き」に反映されている。また、ウイルス等感染症対策技術の開発事業において、感染症の課題解決につながる研究開発や、新型コロナウイルス感染症対策の現場のニーズに対応した機器・システムの開発・実証等への支援を実施した。

ワクチンについては、国内におけるワクチンの開発の加速・供給体制強化の要請に対応するため、日本医療研究開発機構を通じて、国内の企業・大学等による基礎研究、非臨床研究、臨床研究の実施を支援しているほか、厚生労働省においてワクチンの国内生産体制の整備や大規模臨床試験等の実施を支援しており（「ワクチン生産体制等緊急整備事業」）、その支援を受けた国内企業が開発し国内で生産したワクチンの接種が、令和5年12月から開始された。

また、今回のパンデミックを契機に我が国においてワクチン開発を滞らせた要因を明らかにし、解決に向けて政府が一体となって必要な体制を再構築して、長期継続的に取り組む国家戦略として「ワクチン開発・生産体制強化戦略」（令和3年6月1日閣議決定）を策定した。この戦略に基づき、今後の感染症有事に備えた平時からの研究開発・生産体制強化のため、日本医療研究開発機構に先進的研究開発戦略センター（ＳＣＡＲＤＡ[1]（スカーダ））を設置した。医学、免疫学等の様々な専門領域や、バイオ医薬品の研究開発・実用化、マネジメントに精通した人材によるリーダーシップの下、国内外の感染症・ワクチンに関する情報収集・分析を幅広く行う体制を整備し、ワクチン研究開発・実用化の全体を俯瞰して研究開発支援を進めている。この新たな体制の下で、新たな創薬手法による産学官の実用化研究の集中的な支援、世界トップレベルの研究開発拠点の形成、創薬ベンチャーの育成等の事業に取り組むこととされている。令和5年度には、世界トップレベルの研究開発拠点から新たなシーズが導出されたほか、新たにワクチン開発経験のない異分野（理学、工学、情報科学等）の研究者からの研究提案の採択、国内の有望なシーズを掘り起こすための相談対応の実施等、革新的なワクチンの研究開発を推進した。また、日本医療研究開発機構における取組のほかにも、デュアルユースのワクチン製造拠点の整備等、ワクチンの迅速な開発・供給を可能にする体制の構築のために必要な取組を行っている。そのほか、新型コロナウイルス感染症の流行により、グローバルな対応体制の必要性が改めて明らかになったことを踏まえ、日本医療研究開発機構を通じた支援により、国内外の感染症研究基盤の強化や基礎的研究を推進（「新興・再興感染症研究基盤創生事業」（文部科学省所管））するとともに、感染症有事対応の抜本的強化として、感染症危機対応医薬品等の実用化に向けた開発研究まで一貫して推進している（「新興・再興感染症に対する革新的医薬品等開発推進研究事業」（厚生労働省所管））。また、我が国が主導するアジア地域における臨床研究・治験を進めるための基盤構築を進めているところである（「アジア地域における臨床研究・治験ネットワーク

1　　ＳＣＡＲＤＡ：Strategic Center of Biomedical Advanced Vaccine Research and Development for Preparedness and Response

の構築事業」（厚生労働省所管））。

また、新型コロナウイルス感染症の感染防止対策と経済活動の両立を図るため、スーパーコンピュータ「富岳（ふがく）」を用いた飛沫（ひまつ）シミュレーションをはじめとする感染防止対策の見直しに資する感染リスクの評価や、新規陽性者数・重症者数等の感染状況に関するシミュレーション等を実施した。

❺ 宇宙・海洋分野等の安全・安心への脅威への対応

１．宇宙分野の研究開発の推進

測位・通信・観測等の宇宙システムは、我が国の安全保障や経済・社会活動を支えるとともに、Society 5.0の実現に向けた基盤としても、重要性が高まっている。こうした中、宇宙活動は官民共創の時代を迎え、広範な分野で宇宙利用による産業の活性化が図られてきている。また、宇宙探査の進展により、人類の活動領域が地球軌道を超えて月面、深宇宙へと拡大しつつある中、小型月着陸実証機（ＳＬＩＭ[1]）による日本初の月面着陸と同時に、「ピンポイント着陸」に世界で初めて成功したことは、我が国の科学技術の水準の高さを世界に示し、その力に対する国民の期待を高めた。宇宙は科学技術のフロンティア及び経済成長の推進力として、更にその重要性を増しており、我が国におけるイノベーションの創出の面でも大きな推進力になり得る。

こうした認識の下、政府は「宇宙基本計画」（令和５年６月13日閣議決定）に基づき、「宇宙技術戦略」を新たに策定し、我が国の宇宙開発利用を国家戦略として、総合的かつ計画的に強力に推進している。

なお、令和４年度において、イプシロンロケット６号機及びＨ３ロケット試験機１号機の打上げが失敗し、搭載した先進光学衛星（ＡＬＯＳ－３[2]）等の衛星を喪失した。文部科学省では対策本部を設置するとともに、有識者会

合において専門的見地からの調査検討を行い、令和５年度には、原因究明結果に基づく再発防止策等を取りまとめた。これらについて対策を講じ、令和６年２月にＨ３ロケット試験機２号機の打上げに成功した。また、ＡＬＯＳ－３喪失を受けた次期の光学観測衛星についても検討を進めている。

Ｈ３ロケット試験機２号機の打上げ
提供：宇宙航空研究開発機構

（１）国立研究開発法人宇宙航空研究開発機構法の改正・宇宙戦略基金の創設

令和６年２月「国立研究開発法人宇宙航空研究開発機構法の一部を改正する法律」及びその他関係法令が施行された。今回の法改正に伴い、宇宙航空研究開発機構の目的・業務に「宇宙空間を利用した事業の実施を目的として民間事業者等が行う先端的な研究開発に対する助成」が追加され、宇宙航空研究開発機構が自ら行う研究開発に加えて、宇宙関連事業の実現を目指す民間企業等が実施する研究開発を資金供給により支えることが可能となった。また、この資金供給機能を強化するため、令和５年度補正予算により、宇宙航空研究開発機構に宇宙戦略基金が創設された。

（２）宇宙輸送システム

宇宙輸送システムは、人工衛星等の打上げを担う宇宙開発利用の重要な柱であり、希望する

1　Smart Lander for Investigating Moon
2　Advanced Land Observing Satellite - 3

時期や軌道に人工衛星を打ち上げる能力は自立性確保の観点から不可欠な技術基盤といえる。文部科学省は、自立的に宇宙活動を行う能力を維持・発展させるとともに、国際競争力を確保するため、H3ロケットやイプシロンロケットといった基幹ロケットの開発・高度化を進めている。加えて、今後想定される大きな宇宙利用需要に我が国として応えていくため、2040年までを見据え、官ミッションに対応する「基幹ロケット発展型」と、民間主導による「高頻度往還飛行型」の二本立ての将来宇宙輸送システム開発を進めるとする「革新的将来宇宙輸送システム実現に向けたロードマップ検討会取りまとめ」を令和4年7月に策定するとともに、「将来宇宙輸送システム研究開発プログラム」を令和4年度より本格開始し、官民共同による要素技術開発と、必要となる環境整備に取り組んでいる。

（3）衛星測位システム

　内閣府は、準天頂衛星システム「みちびき」について、平成30年11月1日に4機体制による高精度測位サービスを開始するとともに、令和7年度を目途に確立する7機体制と機能・性能向上に向け、5号機、6号機及び7号機の開発を進めている。さらに、準天頂衛星システムの機能性や信頼性を高め、衛星測位機能を強化するため、7機体制から11機体制に向けコスト縮減等を図りつつ、令和5年度より概念検討に着手している。また、「みちびき」の利用拡大に向けて関係府省が連携し、自動車や農業機械の自動走行、物流や防災分野など様々な実証実験を進めている。

（4）衛星通信・放送システム

　2020年代に国際競争力を持つ次世代静止通信衛星を実現する観点から、総務省と文部科学省が連携し、電気推進技術や大電力発電、フルデジタル通信ペイロード技術等の技術実証のため、技術試験衛星9号機を令和7年度の打上げに向け開発を行っている。

（5）衛星地球観測システム

　環境省は、平成20年度に打ち上げたGOSAT及び平成30年度に打ち上げたGOSAT－2により、全球の二酸化炭素とメタンの濃度が地球規模で年々上昇している状況を明らかにしてきた。このミッションを発展的に継承し、脱炭素社会に向けた施策効果の把握を目指し、後継機GOSAT－GWを令和6年度の打上げに向け開発を進めている。

　宇宙航空研究開発機構は、地球規模での水循環・気候変動メカニズムの解明を目的に平成24年5月に打ち上げた「しずく」及び平成29年12月に打ち上げた「しきさい」の運用を行っている。「しずく」は、平成26年2月に米国航空宇宙局（NASA[1]）との国際協力プロジェクトとして打ち上げた全球降水観測計画（GPM[2]）主衛星のデータと共に気象庁において利用され、降水予測精度向上に貢献するなど、気象予報や漁場把握等の幅広い分野で活用されるとともに、「しきさい」は、海外の大規模な森林火災の把握にも活用されている。

　また、平成26年5月に打ち上げられた「だいち2号」は、様々な災害の監視や被災状況の把握、森林や極域の氷の観測等を通じ、防災・災害対策や地球温暖化対策などの地球規模課題の解決に貢献している。現在、広域かつ高分解能な撮像が可能な先進レーダ衛星（ALOS－4）の開発を進めている。災害発生前の対策としては、気候変動による世界の雨雪の時空間変化を把握し、頻発・激甚化する水災害の人間社会への影響を低減することを目的に、降水レーダ衛星（PMM）の開発も進めている。また、令和2年11月に光データ中継衛星の打上げを行い、ALOS－4との衛星間光通信の実証に向けた取組も進めており、災害発生時の被災地の衛星データを即時に地上へ中継することが

可能となるなど、将来的に迅速な災害対策に貢献することが期待されている。

光データ中継衛星
提供：宇宙航空研究開発機構

なお、我が国の人工衛星の安定的な運用に向けて、文部科学省及び宇宙航空研究開発機構は、平成14年度から宇宙状況把握システム（ＳＳＡ[1]システム）を構築・運用し、地上からスペースデブリ（宇宙ゴミ）等の把握を行ってきており、令和4年度末からは防衛省が運用するシステムに観測データを提供すること等により、宇宙空間の持続的かつ安定的な利用の確保に貢献している。

（6）宇宙科学・探査

宇宙科学の分野においては、宇宙航空研究開発機構が中心となり、世界初のＸ線の撮像と分光の同時観測を成功させた「あすか」をはじめとする科学衛星の開発・運用や、世界初の小惑星からサンプルを持ち帰った「はやぶさ」をはじめとする小惑星探査機による小惑星からのサンプル回収など、Ｘ線・赤外線天文観測や月・惑星探査などの分野で世界トップレベルの業績を上げている。令和5年9月にＨ－ⅡＡロケット47号機によりＸ線分光撮像衛星（ＸＲＩＳＭ[2]）及びＳＬＩＭが打ち上げられ、ＸＲＩＳＭについては、令和6年1月にファーストライトを迎え、同年2月に定常運用に移行した。

また、ＳＬＩＭについては同年1月、世界で初めて月面へのピンポイント着陸に成功し、分光カメラによる科学観測も実施した。ＸＲＩＳＭによるこれからの観測成果及びＳＬＩＭの生み出す科学的成果や実証した技術の活用が期待されている。

**ＬＥＶ－2（ＳＯＲＡ－Ｑ）により
撮像された月面着陸後のＳＬＩＭ**
提供：宇宙航空研究開発機構

このほか、欧州宇宙機関との国際協力による水星探査計画（BepiColombo）の水星磁気圏探査機「みお」（平成30年10月打上げ）が水星に向けて航行中であり、世界初の火星衛星からサンプルリターンを行う火星衛星探査計画（ＭＭＸ[3]）の開発、小惑星(3200) Phaethon（フェートン）へ向かう深宇宙探査技術実証機（ＤＥＳＴＩＮＹ＋[4]）など、国際的な地位の確立や人類のフロンティア拡大に資する宇宙科学分野の研究開発を推進している。

また、総務省では、後述の国際宇宙探査計画「アルテミス計画」へ我が国が参画を決定したことを踏まえ、月面活動においてエネルギー資源として活用が期待される水資源の地表面探査を実現するため、令和3年度から、テラヘルツ波を用いた月面の広域な水エネルギー資源探査の研究開発を開始している。

（7）有人宇宙活動

国際宇宙ステーション（ＩＳＳ[5]）計画[6]は、日本・米国・欧州・カナダ・ロシアの5極（15

1　Space Situational Awareness
2　X-Ray Imaging and Spectroscopy Mission
3　Martian Moons eXploration
4　Demonstration and Experiment of Space Technology for INterplanetary voYage with Phaethon fLyby and dUst Science
5　International Space Station
6　日本・米国・欧州・カナダ・ロシアの政府間協定に基づき地球周回低軌道（約400 km）上に有人宇宙ステーションを建設・運用・利用する国際協力プロジェクト

か国）共同の国際協力プロジェクトである。我が国は、日本実験棟「きぼう」及び宇宙ステーション補給機「こうのとり」（ＨＴＶ[1]）の開発・運用や日本人宇宙飛行士のＩＳＳ長期滞在により本計画に参加している。2022年（令和4年）1月、ＮＡＳＡが米国としてＩＳＳの運用期間を2030年まで延長することを発表し、我が国も、同年11月、米国以外の参加極の中で最初に運用延長への参加を表明した。

　我が国では、これまでに、有人・無人宇宙技術の獲得、国際的地位の確立、宇宙産業の振興、宇宙環境利用による社会的利益及び青少年育成等の多様な成果を上げてきている。ＨＴＶは、2009年（平成21年）の初号機から2020年（令和2年）の9号機までの全てにおいてミッションを成功させており、最大約6トンという世界最大級の補給能力や、一度に複数の大型実験装置の搭載などＨＴＶのみが備える機能などによりＩＳＳの利用・運用を支えてきた。現在は、ＨＴＶで培った経験を生かし、開発・運用コストを削減しつつ、輸送能力の向上を目指し、後継機である新型宇宙ステーション補給機（ＨＴＶ－Ｘ）の開発を進めている。

　また、ＩＳＳへの日本人宇宙飛行士の搭乗については、古川聡宇宙飛行士が2023年（令和5年）8月より、約半年間のＩＳＳ長期滞在を開始した。古川宇宙飛行士はこれで自身2回目の長期滞在となり、2024年（令和6年）3月に帰還した。

（8）国際宇宙探査計画

　アルテミス計画は、月周回有人拠点「ゲートウェイ」の建設や将来の火星有人探査に向けた技術実証、月面での持続的な有人活動などを民間企業の参画を得ながら国際協力により進めていく、米国が主導する計画である。我が国は、2019年（令和元年）10月にアルテミス計画への参画を決定し、欧州及びカナダも参画を表明している。上記決定を踏まえ、2020年（令和

2年）7月には、文部科学省とＮＡＳＡとの間で、「月探査協力に関する共同宣言」に署名した。その後、12月には、日本政府とＮＡＳＡとの間で、「ゲートウェイのための協力に関する了解覚書」が締結され、我が国がゲートウェイへの機器等を提供することや、ＮＡＳＡが日本人宇宙飛行士のゲートウェイ搭乗機会を提供することなど、共同宣言において確認された協力内容を可能とする法的枠組みが設けられた。2022年（令和4年）11月には、了解覚書における協力内容を具体化するため、文部科学省とＮＡＳＡとの間で、了解覚書に基づく「ゲートウェイのための協力に関する実施取決め」に署名し、我が国がゲートウェイ居住棟への機器提供や物資補給を行い、ＮＡＳＡが日本人宇宙飛行士のゲートウェイへの搭乗機会を1回提供することが規定された。さらに、2023年（令和5年）6月には、宇宙の探査及び利用をはじめとする日米宇宙協力を一層円滑にするための新たな法的枠組みである、「日・米宇宙協力に関する枠組協定」が発効された。

（9）宇宙の利用を促進するための取組

　文部科学省は、人工衛星に係る潜在的なユーザーや利用形態の開拓など、宇宙利用の裾野の拡大を目的とした「宇宙航空科学技術推進委託費」により産学官の英知を幅広く活用する仕組みを構築した。これにより、宇宙航空分野の人材育成及び防災、環境等の分野における実用化を見据えた宇宙利用技術の研究開発等を引き続き行っている。

　経済産業省は、石油資源の遠隔探知能力の向上等を可能とするハイパースペクトルセンサ（ＨＩＳＵＩ[2]）を開発し、令和元年12月に国際宇宙ステーションの日本実験棟「きぼう」に搭載後、令和5年度も引き続き運用を継続し、取得したデータを用いた実証を行った。また、民生分野の技術等を活用した低価格・高性能な宇宙用部品・コンポーネントの開発支援と軌道

1　H-II Transfer Vehicle
2　Hyperspectral Imager SUIte

上実証機会の提供及び量産・コンステレーション化を見据えた低価格・高性能な小型衛星汎用バス開発・実証等を行っている。加えて、様々な産業における衛星データの利活用を促進す

るため、特定地域を対象に複数種類の衛星データを調達し、様々な産業・地域の課題解決に資する衛星データ利用ソリューションの開発支援を実施した。

コラム2-7　農林水産分野における衛星データを活用した取組

　通信・観測・測位など、宇宙システムによるサービスは既に日常生活に定着し、我々の経済・社会活動の重要な基盤の一つとなっています。

　農林水産分野における衛星データ活用も進んでおり、内閣府が主催する第6回宇宙開発利用大賞（以下「宇宙大賞」という。）及び内閣官房が主催するイチBizアワード2023（以下「アワード」という。）で農林水産関係の取組が最高位の賞を受賞するなど、取組に対して注目が集まっています。

　サグリ株式会社（宇宙大賞の内閣総理大臣賞）は、ＡＩで衛星画像を解析することで、作物の生育状況や農地の土壌の状態を見える化できるサービスを提供しています。広範な農地で効率的に土壌分析が可能になるとともに、データに基づく適切な施肥管理による肥料削減にも役立っています。

　エゾウィン株式会社（アワードの最優秀賞）は、農業車両のシガーソケットに差し込むだけで準天頂衛星システムによる高精度測位データを受信できる端末を開発し、タブレット等で簡単に農業車両の位置を確認できるサービス「レポサク」を提供しています。農業車両の作業軌跡をリアルタイムで把握できることで、農作業の進捗確認の負担が大きく軽減され、作業効率の向上に役立っています。

　株式会社パスコ（宇宙大賞の農林水産大臣賞）は、撮影時期の異なる2枚の衛星画像からＡＩが伐採などの森林の変化情報を判別し、自動で通知するサービス「MiteMiru（ミテミル）森林」を提供しています。市町村職員等が森林の状況を確認するために行っている現地調査の負担軽減に寄与しています。

　オーシャンソリューションテクノロジー株式会社（宇宙大賞の選考委員会特別賞）は、衛星データと海洋気象情報などの海上データを組み合わせてＡＩ解析を行い、ピンポイントの漁場提案や操業日誌を自動で作成できる漁業者支援サービス「トリトンの矛」を提供しています。漁船の航跡の記録や海水温などの漁海況情報を見える化することで、効率的かつ生産性の高い漁業を可能にしています。

　農林水産省では、「宇宙基本計画」（令和5年6月13日閣議決定）に基づき、衛星データの活用を進め、農林水産業の生産現場における担い手の減少や高齢化による労働力不足などの課題解決を図ることとしています。

衛星画像による生育状況の見える化
提供：サグリ株式会社

レポサクによる作業の見える化
提供：エヴィソン株式会社

MiteMiru森林
提供：株式会社パスコ

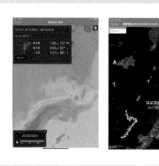

トリトンの矛
提供：オーシャンソリューションテクノロジー株式会社

２．海洋分野の研究開発の推進

　四方を海に囲まれ、世界有数の広大な管轄海域を有する我が国は、海洋科学技術を国家戦略上重要な科学技術として捉え、科学技術の多義性を踏まえつつ、長期的視野に立って継続的に取組を強化していく必要がある。また、海洋の生物資源や生態系の保全、エネルギー・鉱物資源確保、地球温暖化や海洋プラスチックごみなどの地球規模課題への対応、地震・津波・火山等の脅威への対策、北極域の持続的な利活用、海洋産業の競争力強化等において、海洋に関する科学的知見の収集・活用に取り組むことは重要である。

　内閣府は、総合海洋政策本部と一体となって、「第４期海洋基本計画」（令和５年４月28日閣議決定）と整合を図りつつ、海洋に関する技術開発課題等の解決に向けた取組を推進している。

　文部科学省は、第４期海洋基本計画の策定等を踏まえ、気候変動などの地球規模課題の解決のほか、経済安全保障にも貢献する海洋科学技術分野の研究開発を推進している。

　海洋研究開発機構は、船舶や探査機、観測機器等を用いて深海底・氷海域等のアクセス困難な場所を含めた海洋における調査・研究を行い、得られたデータを用いたシミュレーションやデータのアーカイブ・発信を行っている。また、これらの技術を活用し、いまだ十分に解明されていない領域の実態を解明するための基礎研究を推進している。

（1）海洋の調査・観測技術

　海洋研究開発機構は、海底下に広がる微生物生命圏や海溝型地震及び津波の発生メカニズム、海底資源の成因や存在の可能性等を解明するため、地球深部探査船「ちきゅう」の掘削技術や海底観測ネットワーク等を用いたリアルタイム観測技術等の開発を進めるとともに、それらの技術を活用した調査・研究・技術開発を実施している。また、大きな災害をもたらす巨大地震や津波等、深海底から生じる諸現象の実態を理解するため、研究船や有人潜水調

査船「しんかい6500」、無人探査機等を用いた地殻構造探査等により、日本列島周辺海域から太平洋全域を対象に調査研究を行っている。

地球深部探査船「ちきゅう」
提供：海洋研究開発機構

有人潜水調査船「しんかい6500」
提供：海洋研究開発機構

（2）海洋の持続的な開発・利用等に資する技術

　海洋研究開発機構は、我が国の海洋の産業利用の促進に貢献するため、生物・非生物の両面から海洋における物質循環と有用資源の成因の理解を進め、得られた科学的知見、データ、技術及びサンプルを関連産業に展開している。

　内閣府は、ＳＩＰ第１期「次世代海洋資源調査技術」及びＳＩＰ第２期「革新的深海資源調査技術」の成果を踏まえ、令和５年度よりＳＩＰ第３期「海洋安全保障プラットフォームの構築」として、世界に先駆け、我が国の排他的経済水域の2,000ｍ以深にある海底に賦存するレアアース泥等の鉱物資源を効率的に調査し、洋上に回収する技術の開発を進めてきている。令和５年度にはレアアース泥回収のための海

洋環境の調査に資する海洋ロボティクス技術開発において、ホバリング型ＡＵＶ[1]の光通信実験に成功するなど、将来のレアアース生産に向けた技術開発が着実に進展してきている。

（3）海洋の安全確保と環境保全に資する技術

食料生産や気候調整等で人間社会と密接に関わる海洋生態系は、近年、汚染・温暖化・乱獲等の環境ストレスにさらされており、これらを踏まえた海洋生態系の理解・保全・利用が課題となっている。このため、文部科学省は、「海洋資源利用促進技術開発プログラム」のうち「海洋生物ビッグデータ活用技術高度化」において、既存のデータやデータ取得技術を基にビッグデータから新たな知見を見いだすことで、複雑で多様な海洋生態系を理解し、保全・利用へと展開する研究開発を行っている。

また、文部科学省では、市民参加型研究を実施し、海洋分野における総合知を創出するための手法を構築する研究開発を「海洋資源利用促進技術開発プログラム」のうち「市民参加による海洋総合知創出手法構築プロジェクト」において実施している。

海上・港湾・航空技術研究所は、海洋資源・エネルギー開発に係る基盤的技術の基礎となる海洋構造物の安全性評価手法及び環境負荷軽減手法の開発・高度化に関する研究を行っている。

海上保安庁は、海上交通の安全確保の向上のため、船舶の動静情報等を収集するとともに、これらのビッグデータを解析することにより船舶事故のリスクを予測するシステムの開発を行っている。

3．防衛分野の研究開発の推進

防衛省では、防衛力を抜本的に強化するために防衛装備品の研究開発等を進めている。とりわけ、政策的に緊急性・重要性が高い事業については、民生先端技術も大胆に取り込みながら、早期装備化の実現を図っている。

さらに、「国家安全保障戦略」（令和4年12月16日国家安全保障会議・閣議決定）においては、「技術力の向上と研究開発成果の安全保障分野での積極的な活用のための官民の連携の強化」が掲げられており、技術的優越の確保に向け、10年以上先も見据えて官民の連携の下で、我が国が持つ科学技術・イノベーション力を結集し、様々な機能・装備を実現することが重要である（第2-2-3図）。そのため、防衛省では、防衛分野での将来における研究開発に資することを期待し、先進的な基礎研究を公募・委託する「安全保障技術研究推進制度」を平成27年度から実施してきた。加えて、有望な先端技術を早期に発掘、育成し、技術成熟度を引き上げて迅速かつ柔軟に装備品の研究開発につなげる「先進技術の橋渡し研究」を進めている。また、民生用と安全保障用の技術は二分されるものではなく、用途の多様性があることを踏まえ、「総合的な防衛体制の強化に資する研究開発」（マッチング事業）や「経済安全保障重要技術育成プログラム」等の関係府省庁による科学技術・イノベーション投資から得られた成果を積極的に防衛目的にも活用するため、必要な取組を進めている。

こうした防衛力の抜本的強化及び技術的優越の確保につながる防衛技術基盤の強化に必要な各種の取組の方針を具体的に示した「防衛技術指針2023」を令和5年6月に公表した（第2-2-4図）。

科学技術の進展は、安全保障環境にも大きな影響を及ぼすことからこれに対応して防衛イノベーションや画期的な装備品等を生み出す研究開発の能力を抜本的に強化することが必要である。そのため、これまでとは異なるアプローチ、手法により、変化の早い様々な技術を革新的な機能・装備につなげていく防衛イノベーション技術研究所（仮称）を令和6年度に創設することを予定している。

1　Autonomous Underwater Vehicle

■第2-2-3図／研究開発の目的と技術成熟度

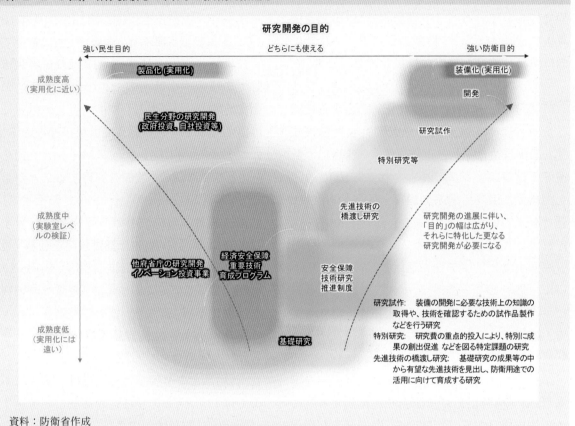

資料：防衛省作成

■第2-2-4図／我が国を守り抜く上で重要な技術分野

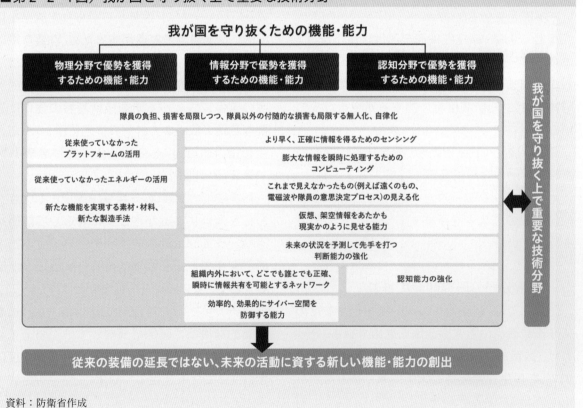

資料：防衛省作成

コラム2-8　防衛分野における諸外国との技術協力

　昨今の科学技術の高度化や安全保障環境の複雑化に適時的確に対処するためには、我が国の防衛分野の技術力向上や、同盟国・同志国等との安全保障上の協力関係の構築・強化は急務であり、諸外国からの先進技術の積極的な取り込みや、インターオペラビリティ（相互運用性）の確保が求められています。

　こうした課題認識の下、防衛省では、諸外国等との共同研究を推進しています。最近では、令和５年12月22日に防衛省と米国防省の間で「無人航空機へ適用するＡＩ技術に係る日米共同研究」に関する事業取決めの署名を行い、無人機の行動判断に適用されるＡＩ技術について日米で共同研究を実施しており、ＡＩの作成やシミュレータを用いた学習等に取り組んでいます。

　また、令和６年１月23日には、防衛省と豪州国防省の間で「水中自律型無人機に関する日豪共同研究」に関する事業取決めの署名を行い、日豪双方の水中音響通信モデルや海洋環境情報等を持ちより様々なシナリオでシミュレーションを行うことで、水中音響通信の評価指標の確立を目指した共同研究に取り組んでいます。本共同研究の成果は、将来の日豪の水中自律型無人機間の相互運用性の向上に寄与することが期待されます。

　また、各国の技術を結集しつつ、コストやリスクを分担する観点から、諸外国と共同で実施することが効率的・効果的な開発プロジェクトもあります。このため、次期戦闘機については、英国及びイタリアとの共同開発を推進するとともに、極超音速兵器に対処するＧＰＩ（Glide Phase Interceptor：滑空段階迎撃用誘導弾）については、米国との共同開発を推進します。

防衛省で実施中の諸外国との技術協力の例

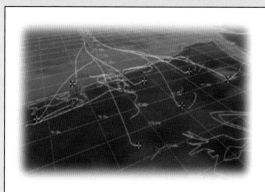

無人航空機へ適用するＡＩ技術に係る日米共同研究

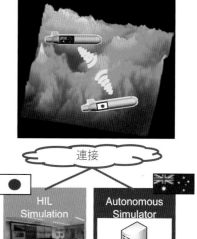

水中自律型無人機に関する日豪共同研究

資料：防衛省作成

4．警察におけるテロ対策に関する研究開発の推進

　科学警察研究所においては、核物質の現場検知を目的とした検出装置の開発を実施している。本装置は、従来装置に対し大幅な低コスト化が見込まれている。さらに、小型化に伴う可搬性の向上によって、今後、現場での機動的な運用が期待される。また、国際テロで用いられている、市販原料から製造される手製爆薬に関する威力・感度の評価や実証試験を実施するとともに、爆発物原料管理者対策に資する研究を実施している。

❻ 安全・安心確保のための「知る」「育てる」「生かす」「守る」取組

　内閣府は経済安全保障推進法[1]に基づく調査研究の受託も可能とする「安全・安心に関するシンクタンク」について、令和5年度に引き続き、令和6年度もシンクタンクに引き継ぐための継続的かつ発展的な調査・分析等を実施することにより、本格的な設立準備を着実に推進していく。また、経済安全保障の確保・強化の観点から、内閣官房、文部科学省、経済産業省と共に、その他関係省庁と連携し、ＡＩや量子、宇宙、海洋等の技術分野に関し、民生利用や公的利用への幅広い活用を目指して先端的な重要技術の研究開発を進める「経済安全保障重要技術育成プログラム[2]」（通称K Program）を実施している。これまでにK Programで支援対象とする50の重要技術を研究開発ビジョン[3]において特定し、公募手続を経て順次研究開発に着手するとともに、経済安全保障推進法に基づく指定基金協議会を設置・開催し、本プログラムを着実に推進している。さらに、研究活動の国際化・オープン化に伴う新たなリスクに対し、大学や研究機関における研究の健全性・公正性

（研究インテグリティ[4]）の自律的確保に向けた取組を行った[5]。

　経済産業省は、令和5年度も、文部科学省等の関係省庁と連携し、大学・研究機関向けの安全保障貿易管理説明会を開催するとともに、「大学・研究機関における安全保障貿易管理に関する事例集［みなし輸出管理の運用明確化への対応編］」や「大学・研究機関における安全保障貿易管理に関するヒヤリハット事例集」等を周知し、専門人材の派遣をするなど、大学等による内部管理体制の強化及び機微技術の流出防止の取組を促進した。

　また、政府研究開発事業の契約に際し、安全保障貿易管理体制の構築を求める安全保障貿易管理の要件化に関し、内閣府と経済産業省が連携して手続の効率化のための取組を推進した。

　機微技術の輸出管理の在り方などについて、国際輸出管理レジームを含めた関係国間において議論を行っている。

　内閣情報調査室をはじめ、警察庁、公安調査庁、外務省、防衛省の情報コミュニティ各省庁は、相互に緊密な連携を保ちつつ、経済安全保障分野を含む情報の収集活動等に当たるとともに、必要な体制の強化に努めている。

4 価値共創型の新たな産業を創出する基盤となるイノベーション・エコシステムの形成

　社会のニーズを原動力として課題の解決に挑むスタートアップを次々と生み出し、企業、大学、公的研究機関等が多様性を確保しつつ相互に連携して価値を共創する新たな産業基盤が構築された社会を目指している。

1　経済施策を一体的に講ずることによる安全保障の確保の推進に関する法律（令和4年法律第43号）
2　本プログラムは経済安全保障推進会議及び統合イノベーション戦略推進会議の下、内閣府、文部科学省及び経済産業省が中心となって、科学技術振興機構及び新エネルギー・産業技術総合開発機構に設置された基金により実施している。本基金は令和4年10月に経済安全保障推進法に基づく指定基金として指定された。
3　経済安全保障推進会議・統合イノベーション戦略推進会議決定（第一次：令和4年9月16日、第二次：令和5年8月28日）
4　研究インテグリティは、研究の国際化やオープン化に伴う新たなリスクに対して新たに確保が求められる、研究の健全性・公正性を意味する。
5　詳細は第2章第1節 ❻ ❺ 1（6）研究活動の国際化・オープン化に伴う研究の健全性・公正性（研究インテグリティ）の自律的な確保において後述

❶　社会ニーズに基づくスタートアップ創出・成長の支援

1．ＳＢＩＲ制度による支援

　ＳＢＩＲ[1]制度においては、「中小企業等経営強化法」（平成11年法律第18号）から「科学技術・イノベーション創出の活性化に関する法律」（平成20年法律第63号）へ根拠規定を移管したことにより、イノベーション政策として省庁横断の取組を強化するとともに、これまでの特定補助金等を指定補助金等、特定新技術補助金等に改めた。スタートアップ等に支出可能な補助金の支出目標額（令和５年度目標額：約1,066億円）を定める方針や、制度の運用を改善する指針の改訂を令和５年６月に閣議決定した。

　また、ＳＢＩＲ制度の支援対象に新たに先端技術分野の実証フェーズを追加し、スタートアップ等による先端技術分野の技術実証の成果の社会実装を推進している。

2．大学等発ベンチャーの支援

　大学等発ベンチャーの新規創設数は、一時期減少傾向にあったが、近年は回復基調にあり、令和４年度の実績は325件となった。

　科学技術振興機構は、「大学発新産業創出プログラム（ＳＴＡＲＴ[2]）」を通じて、起業前段階から公的資金と民間の事業化ノウハウ等を組み合わせることにより、ポストコロナの社会変革や社会課題解決につながる新規性と社会的インパクトを有する大学等発スタートアップを創出する取組への支援や、スタートアップ・エコシステム拠点都市において、大学・自治体・産業界のリソースを結集し、世界に伍するスタートアップの創出に取り組むエコシステムを構築する取組への支援を実施している。また、政府が決定した「スタートアップ育成5か年計画」において、スタートアップを強力に育成するとともに、国際市場を取り込んで急成長するスタートアップの創出を目指していることを踏まえ、大学等の研究成果に対する国際化の支援とセットとなったギャップファンドプログラムや、地域の中核大学等を中心にスタートアップ創出体制の整備を支援するための基金を創設した。「出資型新事業創出支援プログラム（ＳＵＣＣＥＳＳ[3]）」では、科学技術振興機構の研究開発成果を活用するベンチャー企業への出資等を実施することにより、当該企業の事業活動を通じて研究開発成果の実用化を促進している。

　経済産業省は、新エネルギー・産業技術総合開発機構が令和２年度から実施している「官民による若手研究者発掘支援事業」において、事業化を目指す大学等の若手研究者と企業のマッチングを伴走支援するとともに、企業との共同研究費等の助成をしている。また、令和5年度は「若手研究者によるスタートアップ課題解決支援事業」において、スタートアップの抱える課題とそれに取り組む大学等の若手研究者との共同研究等の助成をしている。

1　Small/Startup Business Innovation Research
2　Program for Creating STart-ups from Advanced Research and Technology
3　SUpport Program of Capital Contribution to Early-Stage CompanieS

コラム2-9　成果活用等支援法人の設立

　産業技術総合研究所は「社会課題解決と産業競争力強化」というミッションの達成を目指し、研究成果の社会実装に向けた体制と活動を強化するため、「科学技術・イノベーション創出の活性化に関する法律」に基づき、令和５年４月に成果活用等支援法人として産業技術総合研究所の100％出資による、株式会社AIST Solutions（以下「ＡＩＳｏｌ」という。）を設立しました。

　ＡＩＳｏｌでは、産業技術総合研究所がこれまで培ってきた技術を組み込み、「エナジーソリューション」、「ＡＩ・半導体」、「サーキュラーエコノミー」、「マテリアルＤＸ」、「バイオ・ウェルビーイング」、「デジタルプラットフォーム」の六つの分野を中心に、企業との連携を進めています。具体的には、技術資産の提供、共同研究のコーディネーション、社会実装に向けた実証プロジェクトの実施、バリューチェーンの構築、スタートアップの創出を通じて、企業や社会が求める高い事業価値を提供しています。

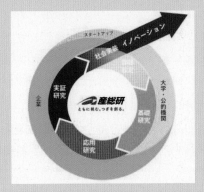

ナショナル・イノベーション・エコシステム
提供：産業技術総合研究所／株式会社AIST Solutions

　産業技術総合研究所では、将来の社会課題を見据え、基礎研究から応用研究、さらには実証研究まで幅広く行い、その成果を企業との共同研究により最適なタイミングで社会実装やイノベーションにつなげるエコシステムの構築を進めています。このエコシステムにＡＩＳｏｌも参画し、より高い事業価値を創出する取組を積極的に行っていきます。

３．ディープテック・スタートアップに対する支援事業

　経済産業省では、新エネルギー・産業技術総合開発機構を通じて、我が国における技術シーズの発掘から事業化までを一体的に支援するため、創業前の若手人材の発掘・起業家育成事業や、最大で６年・30億円までの研究開発支援を実施する「ディープテック・スタートアップ支援事業」を令和４年度から開始した。当該支援事業は、初期の実用化研究開発からパイロットプラントの導入等を伴う量産化・スケールアップのための技術開発までを連続的に支援する事業であり、ディープテック・スタートアップの革新的な技術の事業化・社会実装をこれまで以上に強力に支援している。

　また、令和２年７月にスタートアップ支援を行う九つの政府系機関[1]で創設されたスタートアップ支援に関するプラットフォーム（通称 Plus[2]（プラス））は、スタートアップからの相談に対応する一元的な窓口「Plus One」によるスタートアップへの支援制度に関する情報提供・相談対応等の運用等に取り組んできた。令和４年11月、新たに７機関[3]が追加参加したことにより、今後、全16機関での知見やネットワークの共有や、Plus Oneで紹介できる支援メニューの拡大が期待される。

　総務省は、先端的なＩＣＴの創出・活用による次世代の産業の育成のため、官民の役割分担の下、芽出しの研究開発から事業化までの一気通貫での支援を行う「スタートアップ創出型萌芽的研究開発支援事業」を令和５年度より実施している。

❷　企業のイノベーション活動の促進

　経済産業省は、ＩＳＯ56000シリーズの動向、国内外のイノベーション経営に関する動向

1　Plus既存参加９機関：新エネルギー・産業技術総合開発機構、日本医療研究開発機構、国際協力機構、科学技術振興機構、農業・食品産業技術総合研究機構、日本貿易振興機構、情報処理推進機構、産業技術総合研究所、中小企業基盤整備機構
2　Platform for unified support for startups
3　Plus新規参加７機関：工業所有権情報・研修館、国際協力銀行、日本貿易保険、日本政策金融公庫、日本政策投資銀行、地域経済活性化支援機構、産業革新投資機構

を踏まえつつ、施策の検討を行っている。また、ディープテック・スタートアップと事業会社との連携を促進する観点から、ディープテック・スタートアップとの連携を考える事業会社の経営層やミドルマネジメント向けに、連携に当たっての考え方や実務を進める上でのポイントを整理した「ディープテック・スタートアップの評価・連携の手引き」を取りまとめ、令和5年6月に公表した。

内閣府はオープンでアジャイルなイノベーションの創出に不可欠なオープンソースソフトウェア（OSS）の経営上の重要性の理解促進とOSS活用に対する意識向上のため、企業関係者が集う日本知的財産協会主催の研修会でパネルディスカッションを実施した。

❸ 産学官連携による新たな価値共創の推進

1．国内外の産学官連携活動の現状

（1）大学等における産学官連携活動の実施状況

平成16年4月の国立大学法人化以降、総じて大学等における産学官連携活動は着実に実績を上げている。令和4年度は、民間企業との共同研究による大学等の研究費受入額は約973億円（前年度9.0％増）、このうち1件当たりの受入額が1,000万円以上の共同研究による大学等の研究費受入額は約558億円（前年度10.6％増）、また特許権実施等件数は2万

4,036件（前年度9.5％増）であり、前年度と比べて着実に増加している（第2-2-5図）。

（2）技術移転機関（TLO）の現状

令和6年4月現在、31のTLO[1]が「大学等における技術に関する研究成果の民間事業者への移転の促進に関する法律」（平成10年法律第52号）に基づき、文部科学省及び経済産業省の承認を受けている。

2．大学等の産学官連携体制の整備

政府は、我が国の大学・国立研究開発法人と外国企業との共同研究等の産学官連携体制に関し、安全保障貿易管理等に配慮した外国企業との連携に係るガイドラインの検討を開始した。

文部科学省及び経済産業省は、企業から大学・研究開発法人等への投資を今後10年間で3倍に増やすことを目指す政府目標を踏まえ、産業界から見た、大学・研究開発法人が産学官連携機能を強化する上での課題とそれに対する処方箋や考え方を取りまとめた「産学官連携による共同研究強化のためのガイドライン」を平成28年11月に策定した。さらに、当該ガイドラインの実効性を向上させるために大学等におけるボトルネックの解消に向けた処方箋と新たに産業界／企業における課題と処方箋を体系化した追補版（令和2年6月）を取りまとめ、具体的な取組手法を整理したFAQ（令和4年3月）、「知」の価値を評価・算出す

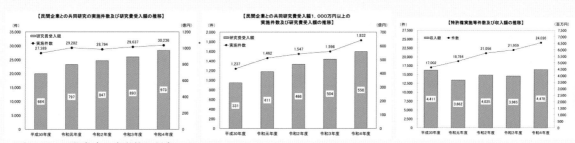

■第2-2-5図／大学等における共同研究等の実績

注：1．国公私立の大学等を対象
　　2．大学等とは大学、短期大学、高等専門学校、大学共同利用機関を指す。
　　3．特許権実施等件数は、実施許諾又は譲渡した特許権（「受ける権利」の段階のものも含む。）を指す。
資料：文部科学省「令和4年度　大学等における産学連携等実施状況について」（令和6年2月16日公表）

1　Technology Licensing Organization

る方法を実務的な水準まで整理した「産学協創の充実に向けた大学等の「知」の評価・算出のためのハンドブック」（令和５年３月）、大学における知財マネジメント及び知財ガバナンスに関する考え方を示す「大学知財ガバナンスガイドライン」（令和５年３月）をそれぞれ公表し、その普及に努めている。また、平成30年度から「オープンイノベーション機構の整備[1]」を開始し、企業の事業戦略に深く関わる大型共同研究（競争領域に重点）を集中的にマネジメントする体制の整備を通じて、大型共同研究の推進により民間投資の促進を図っている。

　また、令和元年７月、文部科学省、一般社団法人日本経済団体連合会及び経済産業省が共同で「大学ファクトブック2019」を公表し、産学官連携活動に関する大学の取組の「見える化」を進めた。令和６年３月に最新のデータを基に内容を更新した「大学ファクトブック2024」を取りまとめた。

　農林水産省は、「『知』の集積による産学連携支援事業」により、全国に農林水産・食品分野等を専門とする産学連携コーディネーターを配置し、生産現場等のニーズの収集・把握、技術シーズの収集・提供を行うとともに、産学官のマッチングや研究開発資金の紹介、商品化・事業化の支援等を実施している。

３．産学官の共同研究開発の強化

　科学技術振興機構は、大学等の研究成果の実用化促進のため、多様な技術シーズの掘り起こしや、先端的基礎研究成果を持つ研究者の企業探索段階から、中核技術の構築や実用化開発の推進等を通じた企業への技術移転まで、ハンズオン支援を実施する「研究成果最適展開支援プ

ログラム（Ａ－ＳＴＥＰ[2]）」を実施している。

　経済産業省は、新エネルギー・産業技術総合開発機構が令和２年度から実施している「官民による若手研究者発掘支援事業」において、事業化を目指す大学等の若手研究者と企業のマッチングを伴走支援するとともに、企業との共同研究費等の助成を通して、若手研究者の支援と大学への民間投資額の増加を目指して支援している。また、令和５年度は「若手研究者によるスタートアップ課題解決支援事業」において、スタートアップの抱える課題とそれに取り組む大学等の若手研究者との共同研究等の助成をしている。

　総務省は、情報通信研究機構に設置した基金を活用して実施する「革新的情報通信技術（Beyond ５Ｇ（６Ｇ））基金事業」の「要素技術・シーズ創出型プログラム」により、将来的な社会実装・海外展開を視野に入れた研究開発について、令和６年度から産学コンソーシアム等のプロジェクトを支援していくことを決定した。

　農林水産省は、農林水産関連の研究機関を相互に接続する農林水産省研究ネットワーク（ＭＡＦＦＩＮ[3]）を構築・運営しており、令和６年３月時点で69機関が接続している。ＭＡＦＦＩＮはフィリピンと接続しており、海外との研究情報流通の一翼を担っている。

４．産学官協働の「場」の構築

　科学技術によるイノベーションを効率的にかつ迅速に進めていくためには、産学官が協働し、取り組むための「場」を構築することが必要である。科学技術振興機構においては、下記の（１）及び（２）の事業について、令和元年度より「共創の場形成支援」として大括り化し、

1　オープンイノベーション機構の整備
　　https://www.mext.go.jp/a_menu/kagaku/openinnovation/index.htm

2　Adaptable and Seamless TEchnology transfer Program through target-driven R&D
3　Ministry of Agriculture, Forestry and Fisheries Research Network

一体的に推進している。

（1）知と人材が集積するイノベーション・エコシステムの形成

　科学技術振興機構は、ＳＤＧｓ[1]に基づく未来のありたい社会像の実現に向けた、バックキャスト型の研究開発を行う産学官共創拠点の形成を支援するため、令和２年度から「共創の場形成支援プログラム（ＣＯＩ－ＮＥＸＴ）[2]」を実施しており、令和５年度は48拠点の研究開発を推進している。

（2）オープンイノベーションを加速する産学共創プラットフォームの形成

　科学技術振興機構は、平成28年度から「組織」対「組織」による本格的産学連携を実現するため、「産学共創プラットフォーム共同研究推進プログラム（ＯＰＥＲＡ[3]）」を実施している。民間企業とのマッチングファンドにより、複数企業から成るコンソーシアム型の連携による大型共同研究（非競争領域）と博士課程学生等の人材育成や大学の産学連携システム改革等を一体的に推進することとしている。

（3）産業技術総合研究所により技術シーズの発掘及び研究開発プログラムの発掘並びに研究開発プロジェクトの推進

　産業技術総合研究所は、産業技術に関する産業界や社会からの多様なニーズを捉えながら、技術シーズの発掘や研究開発プロジェクトの推進を行っている。具体的な取組としては、共創の場の形成の一環として13の技術研究組合

に参画している（令和６年１月現在）。

５．オープンイノベーション拠点の形成

（1）筑波研究学園都市

　筑波研究学園都市は、我が国における高水準の試験研究・教育の拠点形成と東京の過密緩和への寄与を目的として建設されており、29の国等の試験研究・教育機関をはじめ、民間の研究機関・企業等が立地しており、研究交流の促進や国際的研究交流機能の整備等の諸施策を推進している。

　「ＴＩＡ[4]」は、同都市にある公的４機関、産業技術総合研究所、物質・材料研究機構、筑波大学、高エネルギー加速器研究機構と東京大学、東北大学を中心に運営されているオープンイノベーション拠点である。

　第３期４年度目の令和５年度においては、ＴＩＡ連携プログラム探索推進事業「かけはし」によりＴＩＡ構成機関を中心とした調査事業を実施するとともにＴＩＡの人材育成事業として、ＴＩＡ連携大学院「サマー・オープン・フェスティバル」を、ウェブを活用しながら実施した。

（2）関西文化学術研究都市

　関西文化学術研究都市は、我が国及び世界の文化・学術・研究の発展並びに国民経済の発展に資するため、その拠点となる都市の建設を推進している。令和５年度現在、150を超える施設が立地しており、多様な研究活動等が展開されている。

1　Sustainable Development Goals
2　共創の場形成支援プログラム
　　https://www.jst.go.jp/pf/platform/index.html

3　Program on Open Innovation Platform with Enterprises, Research Institute and Academia
　　https://www.jst.go.jp/opera/index.html

4　つくばイノベーションアリーナ

6．多様な分野との産学連携を行う「オープンイノベーションの場」の推進

農林水産省は、農林水産・食品分野に様々な分野の技術を導入し、産学官連携研究を促進するため、平成28年4月に「『知』の集積と活用の場®産学官連携協議会」を立ち上げた。様々な分野から4,854の研究者・生産者・企業等が会員として参画し、農林水産業のスマート化や輸出促進など特定の目的の達成に向けて、研究戦略・ビジネス構想作りを行う180の研究開発プラットフォームが活動している（令和6年3月末時点）。さらに、研究開発プラットフォーム内に研究コンソーシアムが形成され、研究開発や成果の商品化・事業化に向けた活動が展開されている。

7．技術シーズとニーズのマッチングを促進する環境の醸成

農林水産省は、農林水産・食品分野の研究を行う民間企業、大学、公設試験研究機関（以下「公設試」という。）、国立研究開発法人等の技術シーズを展示し、技術に対するニーズを有する機関とのマッチング等を促進するため、関係各府省・機関の協力の下、「アグリビジネス創出フェア」を毎年度開催している。令和5年度は、東京ビッグサイトにおいて全国から139機関が、最新の研究成果等について情報発信を行い、11月20日から22日までの3日間の開催期間中に1万人以上が来場した。

文部科学省は、「地域イノベーション・エコシステム形成プログラム[1]」により、地域の競争力の源泉（コア技術等）を核に地域内外の人材や技術を取り込み、グローバル展開が可能な事業化計画を策定し、リスクは高いが社会的インパクトが大きい事業化プロジェクトを支援しており、これまでに全21地域を採択した（令

和5年度事業終了）。

総務省は、ＩＣＴ分野において新規性に富む研究開発課題を大学・国立研究開発法人・企業・地方公共団体の研究機関等から広く公募し、研究開発を委託する「戦略的情報通信研究開発推進事業（ＳＣＯＰＥ[2]）」を通じて、電波の有効利用や国際標準獲得を推進している。

経済産業省は、令和2年度から開始した「産学融合拠点創出事業」において、産学融合の先導的取組とネットワーク構築に取り組むモデル拠点や、大学を起点とする企業ネットワークのハブとして活躍する産学連携拠点を支援し、オープンイノベーションの推進と産学連携の新たな転換に向けて取り組んでいる。また、令和5年度は「地域の中核大学等のインキュベーション・産学融合拠点の整備」において、スタートアップ創出や産学連携の推進を後押しするため、大学等のインキュベーション施設や産学融合拠点の整備等を支援している。

農林水産省は、生物系特定産業技術研究支援センターを通じて提案公募型研究資金である「オープンイノベーション研究・実用化推進事業」を実施している。この事業では、様々な分野の多様な知識・技術等を結集した産学官連携による研究開発を支援することにより、農林水産・食品分野のイノベーション創出や地域課題の解消等に貢献している。また、農林水産・食品分野等を専門とする産学連携コーディネーターを全国に配置し、生産現場等のニーズの収集・把握、技術シーズの収集・提供を行うとともに、産学官のマッチングや研究開発資金の紹介、商品化・事業化等の支援を行い、地域における農林水産・食品分野の研究開発の振興を図っている。さらに、地域の実態に応じた研究開発の推進と新たな技術の普及促進を支援する新技術推進フォーラムの開催等を行ってい

1　地域イノベーション・エコシステム形成プログラム
https://www.mext.go.jp/a_menu/kagaku/chiiki/program/1367366.htm

2　Strategic Information and Communications R&D Promotion Programme

る。

産業技術総合研究所は、公設試等と人的交流などを通して密接に連携して地域企業のニーズの発掘に努めるとともに、産業技術総合研究所の技術シーズを活用した地域企業への技術支援を行っている。具体的には、地域企業への「橋渡し」の調整役として、公設試等職員やその幹部経験者等132名を「産総研連携アドバイザー」に委嘱し、産業技術連携推進会議を通じて公設試相互及び公設試と産業技術総合研究所との協力体制を強化するとともに、公設試職員の技術力向上や人材育成を支援している。また、包括協定を締結するなど、地方公共団体との連携を積極的に進め、地方公共団体の予算による補助事業の活用等により、地域産業特性に応じた技術分野での連携を推進している。このような産業技術総合研究所の技術シーズを事業化につなぐ「橋渡し」を地域及び全国レベルで行い、地域企業の技術競争力強化に資することで地方創生に取り組んでいる。

❹ 世界に比肩するスタートアップ・エコシステム拠点の形成

内閣府、文部科学省、経済産業省では、スタートアップ・エコシステムの形成とイノベーションによる社会課題解決の実現を目指して、令和元年6月に「Beyond Limits. Unlock Our Potential～世界に伍するスタートアップ・エコシステム拠点形成戦略～」を策定し、令和2年にグローバル拠点都市4拠点、推進拠点都市4拠点を選定した。拠点都市のスタートアップに対して、グローバル市場参入や海外投資家からの投資の呼び込みを促すため「グローバル・スタートアップ・アクセラレーションプログラム」を実施する等、政府、政府関係機関、民間サポーターによる集中支援を実施することで、世界に伍するスタートアップ・エコシステム拠点の形成を推進している。

また、政府は、海外のトップ大学等とも連携しつつ、ディープテック分野の研究機能とインキュベーション機能を兼ね備えた「グローバル・スタートアップ・キャンパス」の創設に向け、構想の具体化を推進している。本構想を通じて我が国に世界標準のスタートアップ・エコシステムを形成し、世界に挑戦するスタートアップ創出を目指している。

❺ 挑戦する人材の輩出

科学技術振興機構では、「大学発新産業創出プログラム（START）」の一環として、スタートアップ・エコシステム拠点都市において、実践的なアントレプレナーシップ教育を含めた大学等の起業支援体制の構築支援に加え、「EDGE－PRIME Initiative」において、小中高生へのアントレプレナーシップ教育を令和5年度から実施している。さらに、全国の小中高生が起業家等と触れる機会を拡大し、アントレプレナーシップ教育の機運を高めるため、起業家等を「アントレプレナーシップ推進大使」として、全国の小中学校、高等学校等へ派遣し、小中高生への受講機会を拡大する。

また、文部科学省においては、我が国全体のアントレプレナーシップ醸成を促進するため、「全国アントレプレナーシップ醸成促進事業」を令和4年度から実施し、その一環で全国の大学生等へのアントレプレナーシップ教育の受講機会拡大を目的とした「全国アントレプレナーシップ人材育成プログラム」を令和5年度に対面形式で実施した。

文部科学省及び経済産業省は、人材の流動性を高める上で、研究者等が複数の機関の間での出向に関する協定等に基づき、各機関に雇用されつつ、一定のエフォート管理の下、各機関における役割に応じて研究・開発及び教育に従事することを可能にする、クロスアポイントメント制度を促進することが重要であるとの認識の下、その実施に当たっての留意点や推奨される実施例等をまとめた「クロスアポイントメント制度の基本的枠組みと留意点」を平成26年12月に公表し、さらにその追補版を令和2年6月に公表して、制度の導入を促進している。

❻ 国内において保持する必要性の高い重要技術に関する研究開発の継続・技術の承継

産業技術総合研究所は、国内において保持する必要性の高い重要技術について、企業等での研究継続が困難となった等の問題が生じた場合、将来的に国内企業等へ当該技術が橋渡しされることを想定した上で、可能な範囲で、様々な受入制度を活用し、関係研究者の一時的雇用や当該研究の一定期間引継・継続等の支援を行うことを確認している。

5 次世代に引き継ぐ基盤となる都市と地域づくり（スマートシティの展開）

都市や地域における課題解決を図り、地域の可能性を発揮しつつ新たな価値を創出し続けることができる多様で持続可能な都市や地域が全国各地に生まれることで、あらゆるステークホルダーにとって人間としての活力を最大限発揮できるような持続的な生活基盤を有する社会を目指している。

❶ データの利活用を円滑にする基盤整備・データ連携可能な都市OS[1]の展開

内閣府は、スマートシティを構築する際の共通の設計の枠組みである「スマートシティリファレンスアーキテクチャ」（SIP第2期「ビッグデータ・AIを活用したサイバー空間基盤技術」の一環として作成、令和2年3月公表）について、令和5年8月に第2版を公表した。

国土技術政策総合研究所は、3D都市モデルの拡張仕様の検討と、3D都市モデルの作成及び更新コストの削減方法の開発に関する研究を行っている。

❷ スーパーシティを連携の核とした全国へのスマートシティ創出事例の展開

令和4年4月に茨城県つくば市及び大阪府大阪市をスーパーシティ型国家戦略特区に、石川県加賀市、長野県茅野市及び岡山県吉備中央町をデジタル田園健康特区に指定し、規制・制度改革を通じた未来社会の先行実現と地域課題の解決に向けた議論と取組を推進している。

令和5年10月には、スーパーシティとデジタル田園健康特区において、それぞれ区域会議を開催し、スタートアップ支援やデータ連携基盤整備事業等を盛り込んだ区域計画について内閣総理大臣の認定を受けた。引き続き、これらの特区において、規制・制度改革や先端的サービスの実装に向けた取組を進めるとともに、その成果の横展開を図ることとしている。また、国家戦略特区全体で岩盤規制改革に取り組んでいくとともに、特段の弊害のない特区の成果については、全国展開を加速的に進めている。

総合特区制度は、我が国の経済成長のエンジンとなる産業・機能の集積拠点の形成を目的とする「国際戦略総合特区」と、地域資源を最大限活用した地域活性化の取組による地域力向上を目的とする「地域活性化総合特区」から成り、政府は、規制の特例措置、税制（国際戦略総合特区のみ）・財政・金融上の支援措置などにより総合的に支援を行っている。

また、関係府省庁は、スマートシティ官民連携プラットフォームを通じた公共団体と民間企業のマッチング支援や、スマートシティガイドブック（令和3年4月公開、令和5年8月改定（第2版））を活用した先行事例の横展開・普及展開活動を通じ、先進的なサービスの実装に向けた地域や民間主導の取組を促進している。

内閣府と関係府省は、スマートシティ関連施策の評価の枠組みや評価指標を示した「スマートシティ施策のKPI設定指針（令和4年4月公開、令和5年4月改定（第2版））」の活用を

1　都市オペレーティングシステムの略。スマートシティ実現のために、スマートシティを実現しようとする地域が共通的に活用する機能が集約され、スマートシティで導入する様々な分野のサービスの導入を容易にさせることを実現するITシステムの総称。

促進しつつ、「スマートシティ関連事業に係る合同審査会」においてスマートシティ関連事業の実施地域を合同で選定するなど、スマートシティの実装・普及に向けて各府省事業を一体的に実施している。

さらに、内閣府はスマートシティの実装と更なる発展に向けたロードマップについて、関係省庁と連携しつつ、令和５年度末に取りまとめた。

❸　国際展開

政府は、我が国の「自由で開かれたスマートシティ」のコンセプトの下、グローバル・スマートシティ・アライアンス（ＧＳＣＡ）等の国際的な活動や、各種国際会議等において「スマートシティカタログ」等を活用し発信している。

また、関係府省は、案件形成調査の実施や関係国・都市の参加による「日ＡＳＥＡＮ[1]スマートシティ・ネットワーク ハイレベル会合」（第５回：令和５年10月）の開催等「日ＡＳＥＡＮスマートシティ・ネットワーク」の枠組みを通じたスマートシティ展開に向けて取組を推進している。

さらに、関係府省は、スマートシティの海外展開を国際標準の活用により促進するため、国内外の標準の専門家等と連携して、国際標準提案及び国内外の体制構築等について検討を実施した。

❹　持続的活動を担う次世代人材の育成

関係府省は、スマートシティの実現に必要な人材育成等の課題について、先行する取組事例を掲載したスマートシティガイドブックの普及浸透を図り、これらの運営上の課題解決の取組についての検討を実施している。

6　様々な社会課題を解決するための研究開発・社会実装の推進と総合知の活用

人文・社会科学と自然科学の融合による「総合知」を活用しつつ、我が国と価値観を共有する国・地域・国際機関等と連携して、社会課題や課題の解決に向けて、研究開発と成果の社会実装に取り組むことで、未来の産業創造や経済成長と社会課題の解決が両立する社会を目指している。

❶　総合知を活用した未来社会像とエビデンスに基づく国家戦略の策定・推進

１．人間や社会の総合的理解と課題解決に貢献する「総合知」

内閣府では、人間や社会の総合的理解と課題解決に貢献する「総合知」に関して、「総合知」が求められる社会的背景を踏まえ、「総合知」に関する基本的な考え方、さらに戦略的な推進方策を検討し、令和４年３月に中間取りまとめを行い、その普及啓発のため総合知ポータルサイトの開設やキャラバンの実施等を推進している。

２．分野別戦略

ＡＩ（第２章第１節 1 ❹参照）、バイオテクノロジー、量子技術、マテリアルや、宇宙（第２章第１節 3 ❺参照）、海洋（第２章第１節 3 ❺参照）、環境エネルギー（第２章第１節 2 参照）、健康・医療、食料・農林水産業（第２章第１節 2 ❶参照）、フュージョンエネルギー（核融合エネルギー）等の府省横断的に推進すべき分野については、国家戦略に基づき、研究開発等を進めている。バイオテクノロジー、量子技術、マテリアル、健康・医療、フュージョンエネルギーの分野別戦略については以下に記す。

1　The Association of Southeast Asian Nations

（1）バイオテクノロジー

世界的なバイオエコノミーへの関心の高まりを受け、政府は「2030年に世界最先端のバイオエコノミー社会を実現」を目標に掲げ、バイオ関連市場の拡大に向けた取組を推進している。

バイオ製造（高機能バイオ素材、バイオプラスチック、バイオ生産システム等）について、経済産業省、文部科学省、環境省を中心に研究開発や社会実装に向けた取組を推進している。令和５年度は、令和４年度補正予算において措置された「バイオものづくり革命推進事業」や「革新的ＧＸ技術創出（ＧｔｅＸ）事業」によるバイオものづくりに関する大型プロジェクトが始動した。

一次生産等（持続的一次生産システム、木材活用大型建築・スマート林業）について、気候変動による異常気象の頻発化や地政学リスクの高まりによる世界的な食料安全保障への影響等を踏まえ、みどり戦略に基づく生産力向上と持続性の両立に向けた取組や、生産性の向上に資するスマート農業の促進等の食料安全保障の強化に向けた取組を推進している。令和５年度からＳＩＰ第３期の課題「豊かな食が提供される持続可能なフードチェーンの構築」を開始した。

医薬品・再生医療等、ヘルスケア（バイオ医薬品・再生医療等関連産業、生活習慣改善ヘルスケア・機能性食品・デジタルヘルス）について、低分子医薬品からバイオ医薬品への創薬システムの変化を展望し、産学官連携による創薬力アップを推進している。また、ウェアラブルデバイス・アプリ等のデジタル技術を使ったサービス・機器の開発を推進している。

バイオ関連市場の拡大に向けて、人材・投資を呼び込み、市場に製品・サービスを供給するための体制であるバイオコミュニティの形成も推進しており、公募に基づき一定の要件を満たすものを内閣府が認定する仕組みを設けている。これまで、グローバル２拠点（令和４年４月：東京圏にGreater Tokyo Biocommunity、

関西圏にバイオコミュニティ関西（ＢｉｏｃＫ））、地域６拠点（令和３年６月：北海道・鶴岡・長岡・福岡、令和４年12月：広島・沖縄）を認定しており、バイオコミュニティ間連携の促進と活動を後押しするため、これらコミュニティ、関係省庁、関係団体等の関係者が一堂に会する「官民連携プラットフォーム」会合の開催等の取組を行った。

さらに、バイオとデジタルの融合のためのバイオ関連の各種データベースを連携させる取組も進めている。異業種間や、企業・大学間でのデータ連携・利活用における基本的な考え方や手順を整理したバイオ分野における入門的なガイドブックとして、令和５年６月に「バイオデータ連携・利活用に向けたガイドブック」を策定・公表した。

（2）量子技術

量子技術は、例えば、量子コンピュータにより近年爆発的に増加しているデータの超高速処理を可能にすると考えられるなど、新たな価値創出の中核となる強みを有する基盤技術である。近年、量子技術に関する世界的な研究開発競争が激化しており、海外では米欧中を中心に、政府主導で研究開発戦略を策定し、研究開発投資額を増加させている。さらに、世界各国の大手ＩＴ企業も積極的な投資を進め、ベンチャー企業の設立・資金調達も進んでいる。

こうした量子技術の先進性やあらゆる科学技術を支える基盤性と、国際的な動向に鑑み、政府は令和２年１月に「量子技術イノベーション戦略」を策定し、同戦略に基づき、令和３年２月に整備した国内８拠点から成る「量子技術イノベーション拠点」を中心として戦略的な研究開発等に取り組んできた（令和６年１月現在、11拠点）。量子産業を巡る国際競争の激化など外部環境が変化する中で、将来の量子技術の社会実装や量子産業の強化を実現するため、令和４年４月に決定の「量子未来社会ビジョン」により、量子技術の国内利用者1,000万人などの令和12年（2030年）に目指すべき状況を示し、

量子技術と従来型技術システムの融合、量子コンピュータ・通信等の試験可能な環境（テストベッド）の整備、量子技術の研究開発及び活用促進、新産業・スタートアップ企業の創出・活性化を推進している。また、持続可能な社会経済への取組に対して柔軟に対応していくことが求められている中で、「量子未来社会ビジョン」で掲げられた2030年目標を実現していくため、産学官の連携の下、量子技術の実用化・産業化に向けて、重点的・優先的に取り組むべき具体的な取組を令和5年4月に「量子未来産業創出戦略」としてまとめ、量子技術の実用化・産業化を推進している。

内閣府では、令和5年度開始のSIP第3期課題「先進的量子技術基盤の社会課題への応用促進」において、量子コンピュータ、量子セキュリティ・ネットワーク、量子センシングの各技術分野のテストベッドの整備や、社会実装に向けたユースケースの開拓をするとともに、量子産業の活性化のために人材育成プログラムの開発・実践、新産業・スタートアップ企業創出のためのエコシステムの構築等を推進している。また、「研究開発とSociety 5.0との橋渡しプログラム（BRIDGE）」により、量子技術として採択された6課題について、SIPと連携しながら、各省庁の研究開発等の施策の橋渡しを推進している。さらに、令和2年1月にムーンショット型研究開発制度において、「2050年までに、経済・産業・安全保障を飛躍的に発展させる誤り耐性型汎用量子コンピュータを実現」するというムーンショット目標を設定し、挑戦的な研究開発を推進している。

総務省では、量子コンピュータ時代においても国内重要機関間の機密情報のやりとりを安全に行うことができる量子暗号通信網の実現に向けて、量子暗号技術の研究開発に取り組んでおり、令和2年度から地上系の量子暗号通信の更なる長距離化技術（長距離リンク技術及び中継技術）の研究開発を推進している。さらに、

地上系で開発が進められている量子暗号技術を衛星通信に導入するため、宇宙空間という制約の多い環境下でも動作可能なシステムの構築、高速移動している人工衛星からの光を地上局で正確に受信できる技術及び超小型衛星にも搭載できる技術の研究開発に取り組んでいる。また、令和5年度からは、2030年代以降の量子インターネットの実現に向けて、量子状態を維持したまま伝送可能な量子中継技術等の基礎研究を推進している。これらとともに、5G等の高度化を見据えつつ、大規模量子コンピュータ等に解読されないように、超高速・大容量に対応する共通鍵暗号方式及び耐量子計算機暗号（PQC[1]）への機能付加技術等の研究開発を実施している。

文部科学省では、平成30年度から実施している「光・量子飛躍フラッグシッププログラム（Q-LEAP）」において、①量子情報処理（主に量子シミュレータ・量子コンピュータ）、②量子計測・センシング、③次世代レーザーを対象とし、プロトタイプによる実証を目指す研究開発を行うFlagshipプロジェクトや基礎基盤研究及び人材育成プログラム開発を推進している。平成30年度から同事業において国産量子コンピュータ（超伝導方式）の開発を行い、令和5年3月27日に、理化学研究所において国産初号機「叡」をクラウド公開した。さらに、初号機と同様の技術を用い、令和5年10月5日には理研RQC[2]-富士通連携センターにおいて国産2号機が、令和5年12月22日には大阪大学において3号機が相次いで公開された。今後、次世代機（100量子ビット級）の令和7年度公開に向けて、研究開発を推進していくとともに、国産量子コンピュータを生かしたソフトウェア開発や人材育成を積極的に支援する。

量子科学技術研究開発機構では、量子技術イノベーション拠点として、量子技術基盤拠点（令和5年4月発足）において、高度な量子機

1　Post-Quantum Cryptography
2　RIKEN Center for Quantum Computing Established

能を発揮する量子マテリアルの研究開発等に取り組むとともに、量子生命拠点（令和３年２月発足）において、量子計測・センシング等の量子技術と生命・医療等に関する技術を融合した量子生命科学の研究開発に取り組んでいる。

経済産業省では、平成30年度より開始した「高効率・高速処理を可能とするＡＩチップ・次世代コンピューティングの技術開発事業」において、社会に広範に存在している「組合せ最適化問題」に特化した量子コンピュータ（量子アニーリングマシン）の当該技術の開発領域を拡大し、量子アニーリングマシンのハードウェアからソフトウェア、アプリケーションに至るまで、一体的な開発を進めており、令和元年度からは新たに、共通ソフトとハードをつなぐインターフェイス集積回路の開発を開始した。また、令和３年度からはこれらの量子アニーリング３テーマ（ハードウェア、ソフトウェア、インターフェイス）を「量子計算及びイジング計算システムの総合型研究開発」として統合し、より一体的に実用化を見据えた研究開発を実施している。

また、令和５年度より「量子・ＡＩハイブリッド技術のサイバー・フィジカル開発事業」を開始し、量子・ＡＩハイブリッド技術の事業化の促進に向けて、①「素材開発」「製造」「物流・交通」といった重点分野における生産性ユースケース開発と、②量子・ＡＩハイブリッド計算を可能とするアルゴリズム基盤（ライブラリ）の開発・整備を実施している。

令和５年７月には、令和４年度第２次補正予算を活用して、量子技術の産業利用を目的としたグローバル拠点として、産業技術総合研究所に「量子・ＡＩ融合技術ビジネス開発グローバル研究センター（Ｇ－ＱｕＡＴ）」を設立した。さらに、「量子未来産業創出戦略」を踏まえて、Ｇ－ＱｕＡＴの機能強化を目的として、令和５年度補正予算を措置し、ユースケース創出のための量子・古典ハイブリッド利用計算環境や量子コンピュータの大規模化に向けたシステム・部素材の開発・評価環境の整備と高度化に取り

組んでいる。

（3）マテリアル

マテリアル分野は、我が国が産学で高い競争力を有するとともに、広範で多様な研究領域・応用分野を支え、その横串的な性格から、異分野融合・技術融合により不連続なイノベーションをもたらす鍵として広範な社会的課題の解決に資する、未来の社会における新たな価値創出のコアとなる基盤技術である。

当該分野の重要性に鑑み、政府は令和３年４月、2030年の社会像・産業像を見据え、Society5.0の実現、ＳＤＧｓの達成、資源・環境制約の克服、強靭（きょうじん）な社会・産業の構築等に重要な役割を果たす「マテリアル・イノベーションを創出する力」、すなわち「マテリアル革新力」を強化するための戦略（「マテリアル革新力強化戦略」）を、統合イノベーション戦略推進会議において決定した。同戦略では、国内に多様な研究者や企業が数多く存在し、世界最高レベルの研究開発基盤を有する我が国の強みを生かし、産学官関係者の共通ビジョンの下、①革新的マテリアルの開発と迅速な社会実装、②マテリアルデータと製造技術を活用したデータ駆動型研究開発の促進、③国際競争力の持続的強化等を強力に推進することとしている。

文部科学省は、当該分野に係る基礎的・先導的な研究から実用化を展望した技術開発までを戦略的に推進するとともに、研究開発拠点の形成等への支援を実施している。具体的には、大学等において産学官が連携した体制を構築し、革新的な機能を有するもののプロセス技術の確立が必要となる革新的材料を社会実装につなげるため、プロセス上の課題を解決するための学理・サイエンス基盤の構築を目指す「材料の社会実装に向けたプロセスサイエンス構築事業（Materealize）」を実施している。

また、「マテリアル革新力強化戦略」において、データを基軸とした研究開発プラットフォームの整備とマテリアルデータの利活用促進の必要性が掲げられていることも踏まえ、

文部科学省では、「ナノテクノロジープラットフォーム」の先端設備共用体制を基盤として、多様な研究設備を持つハブと特徴的な技術・装置を持つスポークから成るハブ＆スポーク体制を新たに構築し、高品質なデータを創出することが可能な最先端設備の共用体制基盤を全国的に整備する「マテリアル先端リサーチインフラ（ＡＲＩＭ）」を令和３年度から実施している（第２-２-６図）。本事業は、物質・材料研究機構が整備するデータ中核拠点を介し、産学のマテリアルデータを戦略的に収集・蓄積・構造化して全国で利活用するためのプラットフォームの整備を進めており、令和５年度よりデータ利活用の試験運用を開始した。加えて、「データ創出・活用型マテリアル研究開発プロジェクト（ＤｘＭＴ）」においては、データ活用により超高速で革新的な材料研究手法の開拓と、その全国への展開を目指している。令和３年度に実施したフィージビリティ・スタディを踏まえ、令和４年度からは本格研究を開始し、研究データの創出から統合・共有、利活用まで

を一貫して扱う研究開発を推進している。

さらに、物質・材料研究機構は、新物質・新材料の創製に向けたブレークスルーを目指し、物質・材料科学技術に関する基礎研究及び基盤的研究開発を行っている。量子やカーボンニュートラル、バイオ等、政府の重点分野に貢献する革新的マテリアルの研究開発を推進するほか、マテリアル分野のイノベーション創出を強力に推進するため、基礎研究と産業界のニーズの融合による革新的材料創出の場や世界中の研究者が集うグローバル拠点を構築するとともに、これらの活動を最大化するための研究基盤の整備を行う事業として「革新的材料開発力強化プログラム～Ｍ３（Ｍ－cube）～」を実施している。令和２年度から、データ中核拠点として全国の先端共用設備から創出されたマテリアルデータの戦略的な収集・蓄積・ＡＩ解析までを含む利活用を可能とするシステムの構築に取り組み、マテリアル革新力強化戦略にも掲げられている令和５年度からの試験運用を開始し、整備を進めている。

■第２-２-６図／「マテリアルＤＸプラットフォーム」の全体イメージ

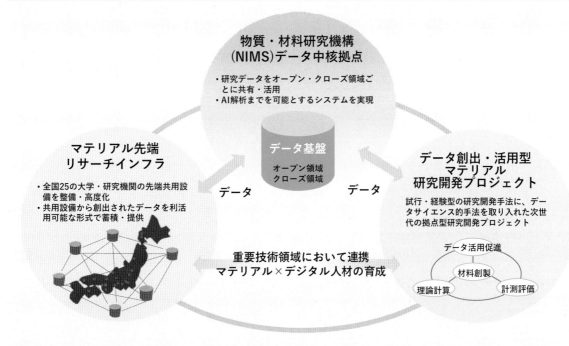

資料：ＡＲＩＭパンフレット

経済産業省では、データを活用した材料プロセス技術開発等を加速化するマテリアル・プロセスイノベーションプラットフォームを産業技術総合研究所に整備し、データ駆動型研究開発を推進している。令和5年度は、中小企業を含む全国企業との連携を推進するとともに、各拠点（つくば・中部・中国）で生み出されたデータを基に、無機・有機材料の製造プロセス最適化に関する複数のPI（プロセス・インフォマティクス）モデルを構築した。

内閣府は、SIP第3期の課題「マテリアル事業化イノベーション・育成エコシステムの構築」において、ネットワーク化したプラットフォームを構築し、ベンチャー等による革新的事業構築に必要なアプリケーション作成の基盤として活用することを通じ、ユニコーンを次々に生み出すエコシステムを形成することに取り組むこととしている。

経済産業省は、次世代自動車や風力発電等に必要不可欠な原料であるレアアース・レアメタル等の希少元素の調達制約の克服や、省エネルギーを図るため、研究開発を行っている。

（4）健康・医療

健康・医療分野は、国民が健康な生活及び長寿を享受することのできる社会の形成に資するため、世界最高水準の医療の提供に資する医療分野の研究開発及び当該社会の形成に資する新たな産業活動の創出等を総合的かつ計画的に推進することを目的として、健康・医療戦略推進本部の主導の下、令和2年度より第2期となった新たな「健康・医療戦略」（令和2年3月27日閣議決定。令和3年4月9日一部変更。）及び「医療分野研究開発推進計画」（令和2年3月27日健康・医療戦略推進本部決定。令和3年4月6日一部変更。）に基づく取組を進めている[1]。

従来、関係省庁がそれぞれに運用していた医療分野の研究開発予算を日本医療研究開発機構に一元的に計上した上で、ア i）〜vi）に示す六つの統合プロジェクトを編成し、日本医療研究開発機構を中核として、基礎から実用化まで一貫した研究開発を推進している。また、「医療分野の研究開発に資するための匿名加工医療情報に関する法律」（平成29年法律第28号）については、新たに仮名加工医療情報の利活用に係る仕組みの創設や、国の公的データベースとの連結解析を可能とすることを盛り込んだ改正法が、令和5年5月に成立し、令和6年度からの施行に向けて、事業者認定の基準等を定めるガイドライン等の改正など、環境の整備を進めている。

ア 六つの統合プロジェクト

i）医薬品プロジェクト

医療現場のニーズに応える医薬品の実用化を推進するため、創薬標的の探索から臨床研究に至るまで、モダリティの特徴や性質を考慮した研究開発を行うこととしている。

令和5年度においては、例えば、新規モダリティ開発において課題となっている送達技術研究の医工連携による推進、国際競争力のある次世代抗体医薬品の製造技術開発、タンパク質構造解析や核酸医薬の動態解析に用いる先端機器の整備等による創薬支援基盤の強化等を行った。また、遺伝子導入技術、遺伝子発現制御技術、高機能バイオ医薬品や、ドラッグ・デリバリー・システム（DDS）、イメージングなどの開発を推進するとともに、それら要素技術の組合せによる技術基盤の形成に取り組んだ。またシーズ実用化を加速化する取組として、アカデミア研究者と企業有識者の意見交換の場としてアカデミア医薬品シーズ開発推進会議（AMED−FLuX）を令和3年度より継

1 健康・医療戦略推進本部
https://www.kantei.go.jp/jp/singi/kenkouiryou/senryaku/index.html

続して開催している。

ⅱ）医療機器・ヘルスケアプロジェクト

ＡＩ・ＩｏＴ技術、計測技術、ロボティクス技術等を融合的に活用し、診断・治療の高度化や、予防・ＱＯＬ向上に資する医療機器・ヘルスケアに関する研究開発を行うこととしている。なお、本プロジェクトは日本医療研究開発機構を中核に、経済産業省、文部科学省、厚生労働省及び総務省の連携により支援を実施している。

令和5年度においては、将来の医療・福祉分野のニーズを踏まえた、ＡＩやロボット等の技術を活用した革新的な医療機器等の開発の強化や、疾患の特性に応じた早期診断・予防や低侵襲治療等のための医療機器、プログラム医療機器等の開発の推進を行った。

ⅲ）再生・細胞医療・遺伝子治療プロジェクト

再生・細胞医療の実用化に向け、細胞培養・分化誘導等に関する基礎研究、疾患・組織別の非臨床・臨床研究や製造基盤技術の開発、疾患特異的ｉＰＳ細胞等を活用した難病等の病態解明・創薬研究及び必要な基盤構築を行うほか、遺伝子治療について、遺伝子導入技術や遺伝子編集技術に関する研究開発を行う。さらに、これらの分野融合的な研究開発を推進することとしている。

令和5年度においては、文部科学省の再生・細胞医療・遺伝子治療実現加速化プログラムにおいて、ｉＰＳ細胞等の再生・細胞医療と、遺伝子治療との融合研究による実用化を目指した基礎的な研究や、患者由来のｉＰＳ細胞を用いた病態解明・創薬研究等を行うとともに、厚生労働省の再生医療実用化研究事業における臨床研究・治験の推進や経済産業省の再生医療・遺伝子治療の産業化に向けた基盤技術開発事業における製造技術の開発とも連携し、基礎から実用化に向けて一体的に研究開発を推進した。

ⅳ）ゲノム・データ基盤プロジェクト

ゲノム・データ基盤の整備・利活用を促進し、ライフステージを俯瞰した疾患の発症・重症化予防、診断、治療等に資する研究開発を推進することで個別化予防・医療の実現を目指すこととしている。

令和5年度は、健康・医療分野におけるデータ連携の基盤として、日本医療研究開発機構が支援した研究開発で得られたデータを産学官の研究開発で活用するため、複数データベース等を連携し、ゲノム情報等から抽出されるメタデータを用いた横断検索機能を有し、研究開発にデータを扱う場（データを持ち込み扱えるセキュリティが担保されたVisiting利用環境）を提供する日本医療研究開発機構のデータ利活用プラットフォームの開発を進め、令和6年3月より一般利用受付を開始した。また、厚生労働省の革新的がん医療実用化研究事業等において、「全ゲノム解析等実行計画2022」を踏まえ、がん・難病に関する全ゲノム解析等を実施中であり、産学官が幅広く利活用可能な体制整備を進めている。また、文部科学省においても、ゲノム研究の基盤となる大規模バイオバンクの構築・高度化、国内主要バイオバンクのネットワーク化によるバイオバンク横断検索システムの整備、世界動向を踏まえた先端ゲノム研究開発等を実施するなど、ゲノム・データ基盤の一層の強化を進めている。

ⅴ）疾患基礎研究プロジェクト

医療分野の研究開発への応用を目指し、脳機能、免疫、老化等の生命現象の機能解明や、様々な疾患を対象にした疾患メカニズムの解明等のための基礎的な研究開発を行うこととしている。

例えば感染症については、国内外の感染症研究基盤の強化や基礎的研究の推進を行っており、令和5年度においては、新たに、ブラジルに海外研究拠点を設置し、また海外研究拠点間の連携強化等を図る目的でネットワークコア拠点を整備した。

また、がんについては、効果的な治療法の開発や有望シーズの発見・開発のための研究の推進等を行った。さらに、脳機能研究では、非ヒト霊長類の高次機能を担う神経回路の全容をニューロンレベルで解明し、脳構造機能マップを作成することで、ヒトの脳の動作原理等の解明に向けた研究などを進めている。

ⅵ）シーズ開発・研究基盤プロジェクト

アカデミアの組織・分野の枠を超えた研究体制を構築し、新規モダリティの創出に向けた画期的なシーズの創出・育成等の基礎的研究や、国際共同研究を実施するとともに、橋渡し研究支援拠点や臨床研究中核病院において、シーズの発掘・移転や質の高い臨床研究・治験の実施のための体制や仕組みを整備し、リバース・トランスレーショナル・リサーチや実証研究基盤の構築を推進することとしている。

令和５年度においては、引き続き文部科学省の革新的先端研究開発支援事業において、先端的な基礎研究を推進するとともに、研究基盤の構築として、文部科学省と厚生労働省とが連携し、橋渡し研究支援拠点におけるシーズ研究支援の強化や、臨床研究中核病院における安全で質の高い治験や臨床研究を実施・支援する体制等の整備を実施した。また、令和５年度補正予算において、医薬品・医療機器等の実用化支援についてノウハウと実績のある橋渡し研究支援機関を活用し、大学発医療系スタートアップの起業に係る専門的見地からの伴走支援や非臨床研究等に必要な費用の支援、医療ニーズを捉えて起業を目指す若手人材の発掘・育成を行う「大学発医療系スタートアップ支援プログラム」を立ち上げた。さらに、欧米等先進国との先端分野における国際共同研究を支援する基金事業である先端国際共同研究推進プログラムにおいて、プログラムとして初の公募を実施し、６件採択した。

イ　疾患領域に関連した研究開発

上記の六つの統合プロジェクトの中で、疾患領域に関連した研究開発も行うこととしている。その際、多様な疾患への対応が必要であること、感染症対策など機動的な対応が必要であることから、統合プロジェクトの中で行われる研究開発を特定の疾患ごとに柔軟にマネジメントできるように推進することとしている。令和５年度に「がん研究10か年戦略」（第５次）を公表し、がん研究の総合的かつ計画的な推進に全力で取り組んでいくことを確認した。「老年医学・認知症」については、「共生社会の実現を推進するための認知症基本法」（令和５年６月16日法律第65号）が成立し、認知症研究開発事業において、後ろ向きコホートデータを活用した認知症性疾患の層別化と病態機構解明に資する研究等に対する支援を推進した。また、「脳とこころの研究推進プログラム」においては、ヒトの精神活動にとって重要な回路の同定等を行い、認知症等の脳神経疾患・精神疾患発症の仕組みの解明に資する研究開発を推進した。

ウ　ムーンショット型の研究開発

100歳まで健康不安なく人生を楽しめる社会の実現など目指すべき未来像を展望し、困難だが実現すれば大きなインパクトが期待される社会課題に対して、健康・医療分野においても貢献するため、野心的な目標に基づくムーンショット型の研究開発を、戦略推進会議等を通じて総合科学技術・イノベーション会議で定める目標とも十分に連携しつつ、関係府省が連携して行うこととしている。

令和５年度においては、令和２年度に採択した研究を対象に外部評価を実施してポートフォリオの見直しを行い、令和４年度採択分と合わせて８件の研究を引き続き推進した。また、「認知症・脳神経疾患研究開発イニシアティブ」の一つとして、新規テーマ「認知症克服への挑戦」を立ち上げ、認知症に対し「再生」、「根治」、「予防」の三つの観点で研究開発するプロジェクトマネージャーを追加するための、公募を実施した。

エ　インハウス研究開発

関係府省が所管するインハウス研究機関が行っている医療分野のインハウス研究開発については、健康・医療戦略推進本部事務局、関係府省、インハウス研究機関及び日本医療研究開発機構の間で情報共有・連携を恒常的に確保できる仕組みを構築するとともに、各機関の特性を踏まえつつ、日本医療研究開発機構の研究開発支援との適切な連携・分担の下、全体として戦略的・体系的な研究開発を推進していくこととしている。

令和5年度においては、引き続き、インハウス研究機関間での連絡調整会議を実施し、情報共有等を行うとともに、創薬支援ネットワーク（強固な連携体制を構築し、大学や公的研究機関の成果から革新的新薬の創出を目指した実用化研究の支援）を実施するなど連携して研究を行った。具体的なインハウス研究機関の取組としては、例えば、理化学研究所においては、ヒトの生物学的理解を通した健康長寿の実現等を目指して、基盤的な技術開発を行うとともに、ライフサイエンス分野の研究開発を戦略的に推進した。医薬基盤・健康・栄養研究所においては、ＡＩ創薬等に係る基盤的技術に関する研究及び創薬等支援に取り組んだ。産業技術総合研究所においては、創薬支援ネットワークにおける医薬品候補化合物の生産性を向上させる技術の開発等に取り組んだ。他のインハウス研究機関においても、世界最高水準の研究開発・医療を目指して新たなイノベーションを創出するために、新たなニーズに対応した研究開発や効果的な研究開発が期待される領域等について積極的に取り組んだ。

（5）フュージョンエネルギー（核融合エネルギー）

フュージョンエネルギーは、①カーボンニュートラル、②豊富な燃料、③固有の安全性、④環境保全性という特徴を有することから、エネルギー問題と地球環境問題を同時に解決する世界の次世代のエネルギーとして期待されている。また、技術さえ保有していれば多くの国が海水から燃料を生成することが可能となることから、エネルギーの覇権が資源を保有する者から技術を保有する者へと移るため、技術の獲得によるエネルギー安全保障の確保が重要な課題になっている。

2022年12月に、米国ローレンスリバモア国立研究所のレーザー方式の核融合実験施設である国立点火施設(National Ignition Facility)において、実際の燃料を用いた核融合反応により、同方式で史上初めて入力エネルギーを上回る出力エネルギーを発生させることに成功する等、科学的・技術的進展もあり、諸外国においては民間投資が増加している。その民間投資は様々な企業に共同研究や機器調達という形で投じられ、海外ではサプライチェーンが構築されつつある。米国や英国の政府は、フュージョンエネルギーの産業化を目標とした国家戦略を策定し、自国への技術の囲い込みを開始しており、発電の実現を待たずして産業化への競争が既に生じている。

我が国は、これまでの研究開発を通じて培った技術的優位性とものづくり産業における信頼性等を有している。そのため、他国との連携による相乗効果により、他国の技術を国内開発に生かすとともに海外市場を獲得するチャンスとなる。一方で、このままでは、我が国は技術を提供するだけで産業化に遅れ、結果的に市場競争に敗れるというリスクにさらされている。

そのような背景から、政府は「世界の次世代エネルギーであるフュージョンエネルギーの実用化に向け、技術的優位性を生かして、市場の勝ち筋を掴む、フュージョンエネルギーの産業化」を国家戦略ビジョンとして掲げ、令和5年4月に「フュージョンエネルギー・イノベーション戦略」を策定した。今後、ビジョンを達成するため、①フュージョンインダストリーの育成戦略、②フュージョンテクノロジーの開発戦略、③フュージョンエネルギー・イノベーション戦略の推進体制等を強力に推進していくこととしている。

3．エビデンスに基づく戦略策定、未来社会を具体化した政策の立案・推進

内閣府は、重要科学技術領域の探索・特定に資するよう、注目する技術に関する世界の研究動向や我が国の強み・弱み等を論文や特許情報に基づき把握するツールを開発し、政策検討への活用を進めている。また、府省共通研究開発管理システム（e－Rad[1]）を通じて分析に必要となる各種データを収集している。これらのデータを活用し、エビデンスシステム（e－CSTI[2]）を通じて、研究費と研究アウトプットに関する分析、研究設備・機器の共用や外部資金の獲得状況に関する分析、産業界の人材育成ニーズと学生の履修状況に関する分析等を実施しているほか、分析機能の共有も行っている。

未来社会像の検討に向けた長期的な変化の探索・分析の一環として、文部科学省科学技術・学術政策研究所は、5年ごとに科学技術予測調査（昭和46年当初は科学技術庁にて実施）を行っている。次回の第12回調査の実施に向けて、令和2年度からは、科学技術や社会の早期の兆しを捉えるホライズン・スキャニングとして、毎年、専門家に注目する科学技術等をアンケートし、専門家の知見を幅広く収集・蓄積している。令和4年度からは、第12回調査の一環として、将来想定される個人・社会の価値観の変化や「ありたい」将来像を把握・分析する、ビジョニング調査を実施している。

さらに、科学技術・イノベーションに関する政策形成及び調査・分析・研究に活用するデータ等を体系的かつ継続的に整備・蓄積していくためのデータ・情報基盤を構築し、また、調査・分析・研究を行っている。当該基盤を活用した調査研究の成果は、科学技術・イノベーション基本計画の検討をはじめ、文部科学省及び内閣府の各種政策審議会等に提供・活用されている。

また、科学技術振興機構研究開発戦略センターは、国内外の科学技術・イノベーションや関連する社会の動向の把握・俯瞰・分析を行い、研究開発成果の最大化に向けた研究開発戦略を検討し、科学技術・イノベーション政策立案に資する提言等を行っている。

技術の高度化・複雑化の進展に伴い技術革新の重要性が増す中、限られたリソースを戦略的に投じていくことが一層求められている。こうした観点から、新エネルギー・産業技術総合開発機構技術戦略研究センターは、産業技術政策の策定に必要なエビデンスや知見を提供する重要なプレーヤーとして、グローバルかつ多様な視点で技術・産業・政策動向を把握・分析し、産業技術やエネルギー・環境技術分野の技術戦略の策定及びこれに基づく重要なプロジェクトの構想に政策当局と一体となって取り組んでいる。

文部科学省は、我が国で日常摂取される食品の成分を収載した「日本食品標準成分表」を公表している。令和5年4月には、「日本食品標準成分表2020年版（八訂）」の掲載食品の拡充、データの更新を行った「日本食品標準成分表（八訂）増補2023年」を公表した。

4．半導体の技術的優位性確保と安定供給に向けた取組

半導体は、デジタル化や脱炭素化、経済安全保障の確保を支えるキーテクノロジーであり、その技術的優位性の確保と安定供給体制の構築に向け、諸外国に比肩する国策としての取組が必要である。経済産業省としては、半導体・デジタル産業戦略検討会議を開催し、令和3年6月には半導体・デジタル産業戦略を打ち出し、同年11月には「我が国の半導体産業の復活に向けた基本戦略」として更なる具体化を行っている。基本戦略においては、3段階にわたる取組方針を示しており、具体的には、ステップ1として、半導体の国内製造基盤の整備に取り組み、ステップ2として、令和7年以降に実用化

1　府省共通研究開発管理システムの略称で、Research and Development（科学技術のための研究開発）の頭文字に、Electronic（電子）の頭文字を冠したもの。
2　Evidence data platform constructed by Council for Science, Technology and Innovation
　https://e-csti.go.jp/

が見込まれる次世代半導体の製造技術開発を国際連携にて進めるとともに、ステップ3として、令和12年以降を睨みゲームチェンジとなり得る光電融合などの将来技術の開発などにも着手していくことを掲げている。

この戦略に基づき、令和4年度第2次補正予算においては、先端半導体から部素材まで含めた半導体サプライチェーン強靭化のために約8,000億円、次世代半導体の製造技術開発で約4,300億円と、合計約1.2兆円の予算を措置した。さらに、この戦略を実現していく上で不可欠な半導体産業を担う人材の育成・確保についても、九州地域を皮切りに地域単位・国での産学官連携の取組が進んでおり、今後全国に展開していくこととしているなど、引き続き、戦略に基づき、必要な施策を講じていくこととしている。

5．ロボット開発に関する取組等

経済産業省では、令和元年7月にロボットによる社会変革推進会議が取りまとめた「ロボットによる社会変革推進計画」に基づき、「①ロボットフレンドリーな環境の構築」、「②人材育成の枠組みの構築」、「③中長期的課題に対応する研究開発体制の構築」、「④社会実装を加速するオープンイノベーション」に関する取組を進めている。「ロボットフレンドリーな環境の構築」については、施設管理、小売、食品製造、物流倉庫の分野での研究開発を進め、ユーザー視点のロボット開発や、データ連携、通信、施設設計等に係る規格化・標準化を推進している。本取組の成果例として、令和5年8月には、前年に発足した一般社団法人ロボットフレンドリー施設推進機構（RFA[1]）より、ロボットとセキュリティ扉との通信連携規格等が発行された。「人材育成の枠組みの構築」については、ロボットメーカー・システムインテグレーターといった産業界と教育機関が参画する形で令和2年6月に設立した「未来ロボティクスエンジニア育成協議会（CHERSI[2]）」が、教員や学生を対象とする現場実習や教育カリキュラム等の策定に関する支援を実施している。「中長期的課題に対応する研究開発体制の構築」については、中長期的な視点で次世代産業用ロボットの実現に向けて、異分野の技術シーズをも取り込みつつ基礎・応用研究を実施している。「社会実装を加速するオープンイノベーション」については、世界のロボットの叡智を集めて開催する競演会として、令和7年に大阪府、福島県、愛知県の3府県において「World Robot Summit 2025」を開催することとし、令和5年度は企画運営の検討に着手した。

6．地理空間情報の整備

内閣官房地理空間情報活用推進室は、第4期地理空間情報活用推進基本計画を計画的かつ着実に推進する観点から、令和5年6月に「G空間行動プラン2023」を決定した。これに基づき、地理空間情報を活用したビジネスアイディアの発掘を目指すイチBizアワードを実施するなど、産学官民が連携し、地理空間情報のポテンシャルを最大限に活用した取組を推進した。

❷　社会課題解決のためのミッションオリエンテッド型の研究開発の推進

1．SIP

SIP第3期は、第6期基本計画に基づき、我が国が目指す将来像（Society 5.0）の実現に向けた15の課題候補を決定し、公募で決定したPD候補が座長となり、フィージビリティスタディ（FS）を実施した。

FS結果に基づいた事前評価を経て、令和5年1月26日の総合科学技術・イノベーション会議のガバニングボードにおいて14課題の実施を決定し、課題ごとに「社会実装に向けた戦略及び研究開発計画」（戦略及び計画）を策定した。

1　Robot Friendly Asset Promotion Association
2　The Consortium of Human Education for Future Robot System Integration

策定した「戦略及び計画」に基づき、新たに公募したＰＤの下で、同年4月より課題の実施に着手した[1]。

2．ムーンショット型研究開発制度

　ムーンショット型研究開発制度は、超高齢化社会や地球温暖化問題など重要な社会課題に対し、人々を魅了する野心的な目標（ムーンショット目標）を国が設定し、挑戦的な研究開発を推進するものである。

　令和5年度は、エネルギー問題と地球環境問題を同時に解決する次世代のエネルギーとして期待されるフュージョンエネルギーに関する目標10「2050年までに、フュージョンエネルギーの多面的な活用により、地球環境と調和し、資源制約から解き放たれた活力ある社会を実現」を新たに決定した（第70回総合科学技術・イノベーション会議）。また、運用・評価指針に基づき、研究開始後3年目を迎えた目標1、2、3、6、7に関して外部評価及びポートフォリオの見直しを、研究開始後4年目を迎えた目標4、5及び2年目を迎えた目標8、9に関して自己評価等を実施した。

3．社会技術研究開発センター

　科学技術振興機構社会技術研究開発センターは、少子高齢化、環境・エネルギー、安全安心、防災・減災に代表されるＳＤＧｓを含む様々な社会課題の解決や新たな科学技術の社会実装に関して生じる倫理的・法制度的・社会的課題（ＥＬＳＩ）への対応を行うために、自然科学及び人文・社会科学の知見を活用し、多様なステークホルダーとの共創による研究開発を実施している。令和5年度には、高度情報社会の進展が生む社会問題について、情報の受け手側と発信側、あるいは情報そのものとの間

の「トラスト」、さらにはそこに介在する人・組織、情報技術やサービスに対する「トラスト」の形成の在り方に関するプログラムを開始し、4件を採択し、研究開発を推進した。また、ＳＤＧｓの達成への貢献に向けた地域課題解決、社会的孤立・孤独の予防、ライフサイエンスや情報技術等のＥＬＳＩ対応、虐待やＤＶ等の私的な空間・関係性で起きる諸問題の予防と低減、エビデンスに基づく科学技術イノベーション政策形成等に関して、令和4年度までに採択された70件に加え、新たに15件を採択し、研究開発を推進した。このうち、社会的孤立・孤独の予防のプログラムに関しては、令和4年12月に孤独・孤立対策推進会議で改訂された「孤独・孤立対策の重点計画」における施策の一つとして位置付けられている。

4．福島国際研究教育機構

　福島をはじめ東北の復興を実現するための夢や希望となるとともに、我が国の科学技術力・産業競争力の強化を牽引（けんいん）する、世界に冠（かん）たる「創造的復興の中核拠点」を目指し、令和5年4月1日に福島国際研究教育機構（Ｆ－ＲＥＩ）を設立し、同日、主務大臣が「福島国際研究教育機構が達成すべき研究開発等業務についての運営に関する目標」を定めた。

　Ｆ－ＲＥＩの、福島の優位性を発揮できる5分野を基本とした研究開発をはじめ、その研究開発成果の産業化やこれを担う人材の育成・確保の取組を推進している。また、Ｆ－ＲＥＩが着実に業務を本格実施できるよう国が行う当初の施設整備について、令和5年9月に都市計画の決定及び都市計画事業の承認を受けて用地取得を進めるとともに、令和6年1月には「福島国際研究教育機構の施設基本計画」を策定した。

1　内閣府「ＳＩＰ第3期のプログラムディレクター（ＰＤ）の決定」
　　https://www8.cao.go.jp/cstp/stmain/20230317sip_pd.html

❸　社会課題解決のための先進的な科学技術の社会実装

1．SIPでの取組

令和5年度から開始したSIP第3期では、技術開発のみならず、それに係る社会システム改革も含め社会実装につなげる計画や体制を整備することとしている。このため、「科学技術イノベーション創造推進費に関する基本方針」における「研究開発計画」を、「社会実装に向けた戦略及び研究開発計画」に変更し、PDの下で、府省連携・産学官連携により、五つの視点（技術、制度、事業、社会的受容性、人材）から必要な取組を推進する。五つの視点の取組を測る指標として、TRL（技術成熟度レベル）に加え、新たにBRL（事業成熟度レベル）、GRL（制度成熟度レベル）、SRL（社会的受容性成熟度レベル）、HRL（人材成熟度レベル）を導入した。

2．研究開発とSociety 5.0との橋渡しプログラム（BRIDGE[1]）による社会実装の促進

BRIDGEは、令和4年度まで実施してきた官民研究開発投資拡大プログラム（PRISM）の制度を見直し、これまで設定していた技術領域に限らず、SIPの成果や各省庁の研究成果を社会課題解決等に橋渡しする「イノベーション化」のための重点課題を設定する仕組みとし、名称も社会実装への橋渡しということからBRIDGEに変更した。令和5年度は、各省庁から重点課題を踏まえた施策として提案された39課題を実施した。（第1章第2節 [2] 参照）。

3．政府事業への先進的な技術の導入

科学技術・イノベーションの成果の社会実装を加速させるよう、政府において率先して先進的な技術の導入を図る政府事業のイノベーション化を推進していくことが重要である。このため、内閣府においては、関係省庁と連携して、公共事業をはじめとして幅広い分野の政府事業のイノベーション化等を推進している。

❹　知的財産・標準の国際的・戦略的な活用による社会課題の解決・国際市場の獲得等の推進

1．知的財産戦略及び国際標準戦略の推進

経済のグローバル化が進展するとともに、経済成長の源泉である様々な知的な活動の重要性が高まる中、我が国の産業競争力強化と国民生活の向上のためには、我が国が高度な技術や豊かな文化を創造し、それをビジネスの創出や拡大に結び付けていくことが重要となっている。その基盤となるのが知的財産戦略である。

令和5年6月、知的財産戦略本部は、「知的財産推進計画2023」を決定した。同計画は、知財戦略を考える上で踏まえるべき我が国の置かれている現状を基本認識として整理し、今後、知財戦略を推進する際に重要となる政策課題と施策を、「スタートアップ・大学の知財エコシステムの強化」、「多様なプレイヤーが対等に参画できるオープンイノベーションに対応した知財の活用」、「急速に発展する生成AI時代における知財の在り方」、「知財・無形資産の投資・活用促進メカニズムの強化」、「標準の戦略的活用の推進」、「デジタル社会の実現に向けたデータ流通・利活用環境の整備」、「デジタル時代のコンテンツ戦略」、「中小企業/地方（地域）/農林水産業分野の知財活用強化」、「知財活用を支える制度・運用・人材基盤の強化」、「クールジャパン戦略の本格稼働と進化」の重点10施策に整理しており、同計画に沿って、知的財産戦略本部の主導の下、関係府省と共に知的財産戦略を推進している。

2．国際標準の戦略的活用への積極的対応

グローバル市場における我が国産業の国際競争力強化のため、我が国官民による国際標準

1　Biomedical Research Innovation Data Governing Enterprise

の戦略的な活用を推進する必要がある。このため、「統合イノベーション戦略推進会議」に設置した「標準活用推進タスクフォース」の下、政府全体として関係省庁連携で重点的に取り組むべき施策を推進している。例えば、関係省庁の重要施策に対して、BRIDGEの枠組みを活用した標準活用加速化支援事業を通じて、予算追加配分による推進強化を行った。

また、政府の支援する研究開発事業において、民間事業者等に社会実装戦略、国際競争戦略及び国際標準戦略の明確な提示と、その達成に向けた取組への企業経営層のコミットメントを求める事業運営やフォローアップ等の仕組みを導入し、企業による国際標準の戦略的な活用を担保する仕組みの浸透を図っている。

経済産業省では、令和5年6月に日本産業標準調査会基本政策部会において、「日本型標準加速化モデル」を提言し、安全・安心を中心とした高品質な製品・サービスを支えるための「基盤的活動」を維持しつつ、市場創出手段としての「戦略的活動」に積極的に取り組むことが、我が国の「あるべき姿」として示された。また、「国際ルール形成・市場創造型標準化推進事業」において戦略的に重要な研究開発テーマや産業横断的なテーマについて、国立研究開発法人や民間企業と連携して国際標準化活動を推進している。例えば、AI・IoTを活用する各産業分野で共通プラットフォームとして利用される次世代画像メタデータに関する国際標準化事業を、複数の民間企業等が参画する体制で実施している。また、経済産業省における研究開発評価制度において、「オープン・クローズ戦略策定」や「規格制定の計画」等が、令和4年12月の改定で「経済産業省研究開発評価指針に基づく標準的評価項目・評価基準」に盛り込まれたことを踏まえ、社会実装を見据え、「知的財産・標準化戦略」の観点を含めて

評価を実施している。人材育成施策としては、国際標準化をリードする若手人材を育成するための「ISO／IEC国際標準化人材育成講座」に加え、令和5年から新たに、国際標準化を戦略的に活用できる人材を育成するための「ルール形成戦略研修」を実施している。

海外との協力においては、国際標準化活動における欧州及びアジア諸国との連携や、アジア諸国の積極的な参加を促進することを目的とした技術協力を行っている。令和5年度は、アジア太平洋地域の27か国・地域の標準化機関が集まる太平洋地域標準会議（PASC[1]）及びアジア諸国の標準化機関等との二国間会議に参加し、標準化協力分野について議論を行った。また、日中韓3か国の標準化機関及び標準化専門家が参加する北東アジア標準協力（NEAS）フォーラム[2]を東京において開催し、各国標準化制度に関する相互理解を深め、今後の標準化協力について議論した。さらに、国際電気標準会議（IEC[3]）と連携したアジア地域向けの人材育成セミナーを実施した。加えて、アジア太平洋経済協力（APEC[4]）基準・適合性小委員会において、国際整合化や規格開発・普及のためのプロジェクトを進めるなど、国際標準化活動におけるアジア太平洋地域との連携強化に取り組んでいる。

総務省は、情報通信審議会等の提言を踏まえ、我が国の情報通信技術（ICT）の国際標準への反映を目指して、研究開発等も実施しながら、国際電気通信連合（ITU[5]）等のデジュール標準化機関や、フォーラム標準化機関における標準化活動を推進している。「Beyond 5G 推進戦略」（令和2年6月策定）等を踏まえ、産学官の主要プレーヤーが結集した「Beyond 5G 新経営戦略センター」（令和2年12月設立）の下、研究開発初期段階からの戦略的な知財の取得や標準化活動の推進に取り組んでいる。

1　　Pacific Area Standards Congress
2　　Northeast Asia Standards Cooperation Forum
3　　International Electrotechnical Commission
4　　Asia Pacific Economic Cooperation
5　　International Telecommunication Union

国土交通省及び厚生労働省は、上下水道分野で国際展開を目指す我が国の企業が、高い競争性を発揮できる国際市場を形成することを目的として、戦略的な国際標準化を推進している。

令和5年度は、「飲料水、汚水及び雨水に関するシステムとサービス」（ISO／TC[1]224）、「汚泥の回収、再生利用、処理及び廃棄」（ISO／TC275）、「水の再利用」（ISO／TC282）等へ積極的・主導的に参画した。

3．特許審査の国際的な取組

日本企業がグローバルな事業展開を円滑に行うことができるよう、国際的な知財インフラの整備が重要である。このため、特許庁は、ある国で最初に特許可能と判断された出願に基づいて、他国において早期に審査が受けられる制度である「特許審査ハイウェイ（PPH[2]）」を44か国・地域との間で実施している（令和6年1月時点）。また、我が国の特許庁と米国特許商標庁は、日米両国に特許出願した発明について、日米の特許審査官がそれぞれ先行技術文献調査を実施し、その調査結果及び見解を共有した後に最初の審査結果を送付する日米協働調査試行プログラムを平成27年8月から実施している。さらに、PCT[3]国際出願について、日米欧中韓の5庁が協働して国際調査報告を作成するPCT協働調査試行プログラムを令和2年6月まで実施し、令和5年6月の五庁長官会合において本試行プログラムの最終報告書が承認された。

4．国の研究開発プロジェクトにおける知的財産（知的財産権・研究開発データ）マネジメント

（1）特許権等の知的財産権に関する取組

経済産業省は、国の研究開発の成果を最大限事業化に結び付けるため、「委託研究開発における知的財産マネジメントに関する運用ガイドライン」（平成27年5月）に基づき、国の委託による研究開発プロジェクトごとに適切な知的財産マネジメントを実施している。

農林水産省は、農林水産分野に係る国の研究開発において、「農林水産研究における知的財産に関する方針」（平成28年2月策定、令和4年12月改訂）に基づき、研究の開始段階から研究成果の社会実装を想定した知的財産マネジメントに取り組んでいる。また、農林水産省で行っている委託研究事業の各研究課題に知的財産専門家を配置し、より適切な知的財産マネジメントが実施されるよう取り組んでいる。

（2）研究開発データに関する取組

経済産業省は、研究開発データの利活用促進を通じた新たなビジネスの創出や競争力の強化を図るため「委託研究開発におけるデータマネジメントに関する運用ガイドライン」（平成29年12月）に基づき、平成30年3月より、ナショプロデータカタログ[4]に利活用可能な研究開発データを掲載している。

5．特許情報等の整備・提供

特許庁は、工業所有権情報・研修館が運営する「特許情報プラットフォーム（J－PlatPat[5]）」や、「外国特許情報サービス（FOP

1　Technical Committee
2　Patent Prosecution Highway
3　Patent Cooperation Treaty
4　ナショプロデータカタログ　https://www.meti.go.jp/policy/innovation_policy/datamanagement.html

5　特許情報プラットフォーム
　　https://www.j-platpat.inpit.go.jp/

ＩＳＥＲ[1]）」を通じて、我が国の特許情報及び、我が国のユーザーからのニーズが大きい諸外国の特許情報を提供している。

そのほか、工業所有権情報・研修館では、企業や大学、公的試験研究機関等が実施許諾又は権利譲渡の意思を持つ「開放特許」、「リサーチツール特許」の情報を収録したデータベースサービスを提供している。

6．早期審査の実施

特許庁は、特許の権利化のタイミングに対する出願人の多様なニーズに応えるため、一定の要件の下に、早期に審査を行う「早期審査」を実施している。

7．特許審査体制の整備・強化

特許庁は、令和5年度においても、任期満了を迎えた任期付審査官の一部を再採用するなど、審査処理能力の維持・向上のため、引き続き審査体制の整備・強化を図った。

8．事業戦略対応まとめ審査の実施

特許庁は、知的財産戦略に基づいた出願に対応するための審査体制について検討を進め、事業で活用される知的財産の包括的な取得を支援するため、国内外の事業に結び付く複数の知的財産（特許・意匠・商標）を対象として、分野横断的に事業展開の時期に合わせて審査・権利化を行う「事業戦略対応まとめ審査」を実施している。

9．特許出願技術動向調査の実施・公表

特許庁は、新市場の創出が期待される分野、国の政策として推進すべき技術分野を中心に、研究開発戦略の立案に資するよう、さらには、各企業等において自社の経営情報等と併せて参照されることで特許戦略や事業戦略を立案

する際の一助となるよう特許出願動向等を調査し、その結果を公表している。

また、令和5年5月には、GXに関する技術を俯瞰（ふかん）するためのGX技術区分表（GXTI[2]）に基づく特許情報分析の結果を公表した。

10．専門家による知財活用の支援

工業所有権情報・研修館は、大学において権利化されていない優れた研究成果の発掘等を支援する「知財戦略デザイナー派遣事業」を実施した。また、競争的な公的資金が投入された研究開発プロジェクトを推進する大学や研究開発コンソーシアム等を支援する「知的財産プロデューサー派遣事業」や、大学の研究成果の迅速な社会実装を支援する「産学連携・スタートアップアドバイザー事業」も実施した。令和5年度は、知財戦略デザイナー16名を25大学に、知的財産プロデューサー25名を49プロジェクトに、産学連携・スタートアップアドバイザー9名を19プロジェクトに派遣した。

農林水産省は、「『知』の集積による産学連携支援事業」において、専門のコーディネーターによる知的財産の戦略的活用など技術経営（MOT[3]）的視点からの助言等や大学、国立研究開発法人、公設試等が連携して研究開発に取り組む際の研究計画作成の支援を実施している。

11．技術情報の管理に関する取組

産業競争力強化法に基づき、事業者が技術情報の管理体制等について国が認定した機関から認証を受けることができる「技術情報管理認証制度」を実施した（令和6年3月末現在、8件の認証機関を認定）。令和5年度は、認証取得するための基準の見直しを実施した。また、技術情報管理体制の構築に向けた支援等を行う専門家の派遣（89回派遣）や、制度の改善に向けた有識者会議等（検討会3回、ワーキング

1　Foreign Patent Information Service　https://www.foreignsearch2.jpo.go.jp/

2　Green Transformation Technologies Inventory
3　Management of Technology

グループ3回）を開催した。

12．研究成果の権利化支援と活用促進

　科学技術振興機構は、優れた研究成果の発掘・特許化を支援するために、「知財活用支援

事業」において、大学等における研究成果の戦略的な外国特許取得の支援、各大学等に散在している特許権等の集約・パッケージ化による活用促進を実施するなど、大学等の知的財産の総合的活用を支援している。

**コラム2-10　地方公設試の技術開発と海外での知的財産権の保護
～米国スタートアップ企業との連携事例～**

　地域産業の振興につながる研究開発や地元中小企業等への技術支援を行う地方公設試験研究機関（以下「地方公設試」という。）は、全国自治体が約100年前にそれぞれ設置して以来、長年にわたって地域技術の発展に貢献してきました。しかしながら、科学技術の進歩、経済活動のグローバル化により、技術の開発や活用が地域限定で完結することは少なくなり、産業技術総合研究所や地方公設試、民間企業の連携等がますます重要となってきています。

　そうした中、鳥取県産業技術センターは、産業技術総合研究所との共同研究の成果を県内企業へ普及するとともに、更に進展させた技術を米国スタートアップ企業と連携して推進しています。

　本来“かける”、“つける”である液体調味料をカプセル化することで、“のせる”、“そえる”など液体をまるで固体のように扱い、様々なシーンで使用するというアイディアを産業技術総合研究所の研究者が鳥取県産業技術センター職員の研究発表から発想しました。現在、ピンク醤油カプセルのほか、大小様々な液体食品のカプセル化ができるようになりました。

ピンク醤油カプセル
提供：鳥取県産業技術センター

　さらに、鳥取県産業技術センターは、この技術の活用を考えている県内外の企業への技術移転を進めています。また、高濃度アルコールのカプセル化にも成功し、つまんで口に入れることができるテキーラカプセルボール（写真右参照）の海外展開を、米国で“海藻を用いたフードテック事業”を行うスタートアップ企業「Cashi Cake Inc.」と連携して進めています。

　この取組を進めるに当たっては、国内だけでなく海外での特許化を考える必要がありました。県内製品の海外展開や海外での模倣防止のためには、対象国で知的財産権を有している必要がありましたが、鳥取県産業技術センターが海外で知的財産権を得る

テキーラカプセルボール
提供：Cashi Cake Inc.

ためには膨大な費用が必要となります。このため、海外での“特許を受ける権利”をCashi Cake Inc.に譲渡し、鳥取県産業技術センターは国内のみ特許出願しました。その際、譲渡条件として、「同社が今後この技術で得る収益の一部を鳥取県産業技術センターに還元する」、「県内企業の当該製品の海外展開を可能とする」とすることで、鳥取県産業技術センターが海外で知的財産権を取得したときと同じ効果が得られるようにしています。

　鳥取県産業技術センターでは、今後も技術普及後の展開を見据えて、必要に応じて関連機関との連携を進め、鳥取県産業の発展に継続的に寄与していく活動を推進することとしています。

---

❺　科学技術外交の戦略的な推進
1．科学技術外交の戦略的な推進

　グローバル化が進展する中で、我が国の科学技術・イノベーションを推進するとともに、その成果を活用し、国際社会における我が国の存在感や信頼性を向上させるため、科学技術・イノベーションの国際活動と関係省庁の取組との連携を含む科学技術外交を一体的に推進していくことが必要である。

（1）国際的な枠組みの活用

　ア　主要国首脳会議（サミット）関連活動

　2023年（令和5年）には我が国がG7議長国となり、G7広島サミットの関係閣僚会議として、同年5月12日から14日まで仙台市秋保温泉においてG7仙台科学技術大臣会合が開催された。高市内閣府特命担当大臣（科学技術政策）が大臣会合の議長をつとめ、「信頼に基づく、オープンで発展性のある研究エコシステムの実現」をメインテーマとし、今後の科学技術政策の方向性として、①科学研究の自由と包摂性の尊重とオープン・サイエンスの推進、②研究セキュリティとインテグリティの取組による信頼ある科学研究の促進、③地球規模課題解決に向けた科学技術国際協力についての議論が行われ、本会合の成果文書として「G7科学技術大臣の共同声明」を発出した。また、G7の科学技術大臣や代表団は、12日に大臣会合の会場の施設内において仙台市をはじめとする東北六県の科学技術の展示や、最先端のロボットの実演などを見学し、13日のエクスカーションでは被災地である「震災遺構仙台市立荒浜小学校」や「東北大学災害科学国際研究所」を訪問した。さらに、14日に3GeV高輝度放射光施設（NanoTerasu）を視察するとともに、NanoTerasuの実験ホールを会場としたハイレベル会合「量子技術が切り拓（ひら）く未来」に出席した。

　なお、G7科学技術大臣会合の下には、国際的研究施設に関する高級実務者会合（GSO[1]）、海洋の未来作業部会、オープン・サイエンス作業部会、研究セキュリティ・インテグリティ作業部会の四つの作業部会が設置されていたが、2022年（令和4年）には、ドイツから新たに「科学コミュニケーション作業部会」の設置が提案され、2023年（令和5年）のG7仙台科学技術大臣会合において、その設置が承認された。「気候中立社会実現のための戦略研究ネッ

トワーク（LCS−Rnet）」（2021年（令和3年）、低炭素社会国際研究ネットワークから名称変更）は、2023年（令和5年）12月、「ネットゼロへ向けたさらなる取り組み：市民、政策担当者、研究者などのステークホルダー間の協働をどう進めるか？」をテーマに年次会合を開催しており、同ネットワークには、2024年（令和6年）3月現在、我が国を含む7か国17の研究機関が参加している。

　イ　アジア太平洋経済協力（APEC）

　APEC科学技術イノベーション政策パートナーシップ（PPSTI[2]）会合は、共同プロジェクトやワークショップ等を通じたAPEC地域の科学技術・イノベーション推進を目的に開催されており、2023年（令和5年）8月に第22回会合が、2024年（令和6年）2月に第23回会合が開催され、PPSTIの活動計画やプロジェクトの実施等について議論が行われた。

　ウ　東南アジア諸国連合（ASEAN）

　我が国とASEAN科学技術イノベーション委員会（COSTI[3]）の協力枠組みとして、日ASEAN科学技術協力委員会（AJCCST[4]）がおおむね毎年開催されており、我が国では文部科学省を中心として対応している。2018年（平成30年）のAJCCST−9で合意された「日ASEAN STI for SDGsブリッジングイニシアティブ」の下、日ASEAN共同研究成果の社会実装を強化するための協力を継続している。

　また、日ASEAN友好協力50周年を迎えた2023年（令和5年）には、科学技術分野で様々な会議やイベントを1年を通じて開催する「ASEAN-JAPAN Innovation Year」を実施した。

1　　The meeting of the Group of Senior Officials
2　　Policy Partnership on Science, Technology and Innovation
3　　ASEAN Committee on Science, Technology, and Innovation
4　　ASEAN-Japan Cooperation Committee on Science and Technology

エ　その他

ⅰ）アジア・太平洋地域宇宙機関会議（ＡＰ
ＲＳＡＦ[1]）

我が国は、アジア・太平洋地域での宇宙活動、利用に関する情報交換並びに多国間協力推進の場として、1993年（平成５年）から毎年１回程度、ＡＰＲＳＡＦを主催しており、13か国60名が参加した第１回から、第29回（2023年（令和５年））には27か国・地域から544名が参加登録する同地域最大規模の宇宙関連会議となっている。第29回は、「地域連携による宇宙経済の加速化を目指して」をテーマに、インドネシア・ジャカルタで開催し、各分科会やワークショップでは、官民・国際・異業種交流が行われ、宇宙イノベーションの機会創出に向けて多様な観点で活発な議論が行われた。

ⅱ）生物多様性及び生態系サービスに関する政府間科学‐政策プラットフォーム（ＩＰＢＥＳ[2]）

ＩＰＢＥＳは、生物多様性と生態系サービスに関する動向を科学的に評価し、科学と政策のつながりを強化する政府間のプラットフォームとして2012年（平成24年）４月に設立された政府間組織である。加盟国等の参加によるＩＰＢＥＳ総会第10回会合が2023年（令和５年）８月28日から同年９月２日まで、ドイツ・ボンで開催された。本会合の主な成果として、「侵略的外来種とその管理に関するテーマ別評価」報告書の政策決定者向け要約（ＳＰＭ）が承認された。

ⅲ）地球観測に関する政府間会合（ＧＥＯ[3]）

ＧＥＯは、2015年（平成27年）11月に開催された閣僚級会合で承認された「ＧＥＯ戦略計画2016-2025」に基づき、「全球地球観測システム（ＧＥＯＳＳ[4]）」の構築を推進する国際的

な枠組みであり、2024年（令和６年）３月時点で267の国及び国際機関等が参加している。2023年（令和５年）11月にはＧＥＯ第19回本会合及び閣僚級会合が南アフリカ・ケープタウンで開催され、2026年（令和８年）からのＧＥＯ次期戦略が当該本会合で採択されるとともに、当該閣僚級会合でＧＥＯ次期戦略を支持する「ケープタウン宣言」が採択された。

ⅳ）気候変動に関する政府間パネル（ＩＰＣＣ）

ＩＰＣＣは、気候変動に関する最新の科学的知見について取りまとめた報告書を作成し、各国政府の気候変動に関する政策に科学的な基礎を与えることを目的として、1988年（昭和63年）に世界気象機関（ＷＭＯ[5]）と国連環境計画（ＵＮＥＰ[6]）により設立された。2023年（令和５年）７月には新たにＩＰＣＣの議長団が選出され、第７次評価報告書策定に向けた取組が開始された。

ⅴ）Innovation for Cool Earth Forum（ＩＣＥＦ）

ＩＣＥＦは、地球温暖化問題を解決する鍵である「イノベーション」促進のため、世界の産学官のリーダーが議論するための知のプラットフォームとして、2014年（平成26年）から毎年開催している国際会議である。2023年（令和５年）10月４日から５日、ハイブリッド形式で開催された第10回年次総会では、「Innovation for Just, Secure and Sustainable Global Green Transformation」をメインテーマに掲げ、世界が様々な困難に直面しつつも、カーボンニュートラル達成へと進んでいくために必要なイノベーションに焦点が置かれた。２日間の会合を通じ、各国政府機関、産業界、学界、国際機関等の79か国・地域から1,700名が参加した。

1　　Asia-Pacific Regional Space Agency Forum
2　　The Intergovernmental Science-Policy Platform on Biodiversity and Ecosystem Services
3　　Group on Earth Observations
4　　Global Earth Observation System of Systems
5　　World Meteorological Organization
6　　United Nations Environment Programme

ⅵ）Research and Development 20 for Clean Energy Technologies（ＲＤ20）

ＲＤ20は、クリーンエネルギー技術におけるG20の研究機関が国際連携を通じた研究開発の促進により脱炭素社会の実現を目指すイニシアティブである。第５回ＲＤ20国際会議は、2023年（令和５年）10月に福島県郡山市においてハイブリッド形式で開催され、若手の育成を推進するサマースクール、水素の大量導入に関する国際ワークショップ、太陽光発電及び水素に関するタスクフォース等の活動報告や今後の方針が議論された。議論の結果は推奨事項としてまとめられた。

ⅶ）グローバルリサーチカウンシル（ＧＲＣ[1]）

世界各国の主要な学術振興機関の長による国際会議であるＧＲＣの第11回年次会合が、2023年（令和５年）５月31日から６月１日に、オランダ科学研究機構（ＮＷＯ）とブラジルサンパウロ州立研究財団（ＦＡＰＥＳＰ）の共同主催によりハーグ（オランダ）で開催され、研究支援を取り巻く課題と学術振興機関が果たしていくべき役割について議論を交わした。

（２）国際機関との連携

ア　国際連合システム（ＵＮシステム）

ⅰ）持続可能な開発目標のための科学技術イノベーション（STI for SDGs）

国連機関間タスクチーム（ＵＮ－ＩＡＴＴ[2]）が、世界各国でSTI for SDGsロードマップの策定を促進させるために2019年（令和元年）に開始した「グローバル・パイロット・プログラム」パートナー国として、我が国は2020年度（令和２年度）より世界銀行への拠出を通じてケニアの農家へのデジタル金融サービス（ＤＦ

Ｓ[3]）の提供を推進するための支援を行った。

また、開発途上国での社会的課題・ニーズを把握する取組を実施している国連開発計画（ＵＮＤＰ[4]）への拠出を通じて、現地で求められるニーズを踏まえて我が国の企業等が事業化を検討する「Japan SDGs Innovation Challenge for UNDP Accelerator Labs」を2020年（令和２年）より実施し、これまで計８か国のマッチングを行い、開発課題の解決策検討と実証を行った。

ⅱ）国際連合教育科学文化機関（ＵＮＥＳＣＯ[5]、ユネスコ）

我が国は、国連の専門機関であるユネスコの多岐にわたる科学技術分野の事業活動に積極的に参加協力をしている。ユネスコでは、政府間海洋学委員会（ＩＯＣ[6]）、政府間水文学計画（ＩＨＰ[7]）、人間と生物圏（ＭＡＢ[8]）計画、ユネスコ世界ジオパーク、国際生命倫理委員会（ＩＢＣ[9]）、政府間生命倫理委員会（ＩＧＢＣ[10]）等において、地球規模課題解決のための事業や国際的なルール作り等が行われている。我が国は、ユネスコへの信託基金の拠出等を通じ、アジア・太平洋地域等における科学分野の人材育成事業や持続可能な開発のための国連海洋科学の10年（2021-2030）に関する支援事業等を実施しており、また、各種政府間会合や専門委員会へ専門家等を派遣し、議論に参画するなど、ユネスコの活動を推進している。なお、2023年（令和５年）６月にフランス・パリで開催された第32回ＩＯＣ総会において、道田豊・東京大学大気海洋研究所教授（当時）が議長に選出された。また、2023年（令和５年）11月にフランス・パリで開催された第42回ユネスコ総会においてニューロテクノロジーの倫理に関する勧告を作

1 　Global Research Council
2 　UN Interagenecy Task Team on STI for SDGs
3 　Digital Financial Services
4 　United Nations Development Programme
5 　United Nations Educational, Scientific and Cultural Organization
6 　Intergovernmental Oceanographic Commission
7 　Intergovernmental Hydrological Programme
8 　Man and the Biosphere
9 　International Bioethics Committee
10 　Intergovernmental Bioethics Committee

成するプロセスを開始することが決定された。

ⅲ）持続可能な開発のための国連海洋科学
の10年（2021-2030）

持続可能な開発のための国連海洋科学の10
年（2021-2030）とは、海洋科学の推進によ
り、持続可能な開発目標（ＳＤＧｓ14等）を達
成するため、2021年から2030年（令和3〜12
年）の10年間に集中的に取組を実施する国際
枠組みであり、2021年（令和3年）1月から
開始されている。

実施計画では、10年間の取組で目指す社会
的成果として、きれいな海、健全で回復力のあ
る海、予測できる海、安全な海、持続的に収穫
できる生産的な海、万人に開かれ誰もが平等に
利用できる海、心揺さぶる魅力的な海の七つが
掲げられており、そのために、海洋汚染の減少
や海洋生態系の保全から、海洋リテラシーの向
上と人類の行動変容まで10の挑戦課題に取り
組むこととされている。我が国は、これらの社
会的成果への貢献を目指し、2021年（令和3
年）2月に発足した国内委員会等の枠組みを通
じて関係省庁・機関を含む産学官民の連携を促
進し、国内・地域間・国際レベルにおいて様々
な取組を推進している。

イ　経済協力開発機構（ＯＥＣＤ[1]）

ＯＥＣＤでは、閣僚理事会、科学技術政策
委員会（ＣＳＴＰ[2]）、デジタル政策委員会（Ｄ
ＰＣ[3]）、産業イノベーション起業委員会（ＣＩ
ＩＥ[4]）、原子力機関（ＮＥＡ[5]）、国際エネル
ギー機関（ＩＥＡ[6]）等を通じ、加盟国間の意
見・経験等及び情報の交換、人材の交流、統計
資料等の作成をはじめとした科学技術に関す
る活動が行われている。

ＣＳＴＰでは、科学技術政策に関する情報交
換・意見交換が行われるとともに、科学技術・
イノベーションが経済成長に果たす役割、研究
体制の整備強化、研究開発における政府と民間
の役割、国際的な研究開発協力の在り方等につ
いて検討が行われている。また、ＣＳＴＰには、
グローバル・サイエンス・フォーラム（ＧＳ
Ｆ[7]）、イノベーション技術政策作業部会（ＴＩ
Ｐ[8]）、バイオ・ナノ・コンバージングテクノロ
ジー作業部会（ＢＮＣＴ[9]）及び科学技術指標
各国専門家作業部会（ＮＥＳＴＩ[10]）の四つの
サブグループが設置されている。

ⅰ）グローバル・サイエンス・フォーラム
（ＧＳＦ）

ＧＳＦでは、地球規模課題の解決に向けた国
際連携の在り方等が議論されている。2023年
（令和5年）からは、「将来の研究人材：公平
性・多様性・包摂性の促進」「研究インフラエ
コシステム」「シチズンサイエンス」のプロジェ
クトを実施している。

ⅱ）イノベーション技術政策作業部会
（ＴＩＰ）

ＴＩＰでは、科学技術・イノベーションを政
策的に経済成長に結び付けるための検討を
行っており、2023年（令和5年）は、移行に
おける科学技術・イノベーションシステムに必
要な組織的能力とスキルに関するプロジェク
トを実施している。

ⅲ）バイオ・ナノ・コンバージングテクノロ
ジー作業部会（ＢＮＣＴ）

ＢＮＣＴは、"社会における、社会のための
技術"をテーマに、医療系技術開発国際協調プ
ラットフォームの実現、神経科学に関する理事

1　Organisation for Economic Co-operation and Development
2　Committee for Scientific and Technological Policy
3　Digital Policy Committee
4　Committee on Industry, Innovation and Entrepreneurship
5　Nuclear Energy Agency
6　International Energy Agency
7　OECD Global Science Forum
8　Working Party on Innovation and Technology Policy
9　Working Party on Biotechnology, Nanotechnology and Converging Technologies
10　Working Party of National Experts on Science and Technology Indicators

会勧告の実施促進、バイオエコノミーと炭素中立社会実現などのプロジェクトを進めている。

iv）科学技術指標各国専門家作業部会（NESTI）

NESTIは、統計作業に関して監督・指揮・調整等を行うとともに、科学技術・イノベーション政策の推進に資する指標や定量的分析の展開に寄与している。具体的には、研究開発費や科学技術人材等の科学技術・イノベーション関連指標について、国際比較のための枠組み、調査方法や指標の開発に関する議論等を行っている。

ウ　国際科学技術センター（ISTC[1]）

ISTCは、旧ソ連における大量破壊兵器開発等に従事していた研究者・技術者が参画する平和目的の研究開発プロジェクトを支援することを目的として、1994年（平成6年）3月に設立された国際機関である。日本、米国、EU、韓国、ノルウェー、カザフスタン、アルメニア、キルギス、ジョージア、タジキスタンが参加している。近年は、CBRN（科学・生物・放射性物質及び核）分野の様々な地域の科学者らの研究活動等の事業を支援している。

（3）研究機関の活用

ア　東アジア・ASEAN経済研究センター（ERIA[2]）

ERIAは、東アジア経済統合の推進に向けて政策研究・提言を行う機関であり、「経済統合の深化」、「開発格差の縮小」及び「持続可能な経済成長」を三つの柱として、イノベーション政策等を含む幅広い分野にわたり、研究事業、シンポジウム事業及び人材育成事業を実施している。また2023年（令和5年）、東アジアにおけるデジタル技術を活用した持続可能な経済成長に貢献する「デジタルイノベーション・サステナブルエコノミーセンター」を設立した。

（4）科学技術・イノベーションに関する戦略的国際活動の推進

我が国が地球規模の問題解決において先導的役割を担い、世界の中で確たる地位を維持するためには、科学技術・イノベーション政策を国際協調及び協力の観点から戦略的に進めていく必要がある。

文部科学省は、2022年度（令和4年度）に創設した先端国際共同研究推進事業／プログラム（ASPIRE）において、欧米等先進国を対象とした、国主導で設定する先端分野での国際共同研究を戦略的に支援するとともに、国際科学トップサークルへの日本人研究者の参入促進、若手研究者の交流・ネットワークの強化を図っている。加えて、2023年度（令和5年度）補正予算で、友好協力50周年を迎えたASEANとの関係強化を図るため、「日ASEAN科学技術・イノベーション協働連携」事業を創設した。ASEAN諸国のニーズ等を踏まえつつ、国際共同研究及び人材交流・育成等を推進し、持続可能な研究協力関係の強化を図る。

さらに、外務省と共に2008年度（平成20年度）より地球規模課題対応国際科学技術協力プログラム（SATREPS[3]）を実施し、我が国の優れた科学技術と政府開発援助（ODA）との連携により、開発途上国と、環境・エネルギー、生物資源、防災、感染症分野において地球規模の課題解決につながる国際共同研究を推進している。また、2009年度（平成21年度）より、「戦略的国際共同研究プログラム（SICORP[4]）」を実施し、戦略的な国際協力によるイノベーション創出を目指し、省庁間合意に基づくイコールパートナーシップ（対等な協力関係）の下、相手国・地域のポテンシャル・分野と協力フェーズに応じた多様な国際共同研究

1　International Science and Technology Center
2　Economic Research Institute for ASEAN and East Asia
3　Science and Technology Research Partnership for Sustainable Development
4　Strategic International Collaborative Research Program

を推進している。さらに、2014年度（平成26年度）より、世界各国・各地域の青少年に対する日本の最先端科学技術への関心向上と、海外の優秀な人材の将来の獲得に資するため、科学技術分野での海外との青少年交流を促進する「国際青少年サイエンス交流事業（さくらサイエンスプログラム）」を実施している（第2章第2節 1 ❺参照）。

　環境省は、アジア太平洋地域での研究者の能力向上、共通の問題解決を目的とする「アジア太平洋地球変動研究ネットワーク（APN[1]）」を支援している。2022年（令和4年）7月から2023年（令和5年）6月までに、公募型共同研究を37件、開発途上国の研究能力開発・向上プログラムを33件実施し、気候変動、生物多様性など各分野横断型研究に関する国際共同研究を推進するとともに、アジア太平洋地域の若手研究者及び政策決定者向けの能力強化を進めてきた。また、2023年（令和5年）3月に、アジア地域の低炭素・脱炭素社会の実現に向け、最新の研究成果や知見の共有を目的とする「低炭素アジア研究ネットワーク（LoCARNet）」の第11回年次会合を開催した。2023年（令和5年）9月には、同ネットワークを活用し、科学に根差した政策形成についてアジア地域で知見共有・相互学習する機会として、第1回アジア太平洋統合評価モデル（AIM）国家間学習を開催した。

（5）諸外国との協力

ア　欧米諸国等との協力

　我が国と欧米諸国等との協力活動については、ライフサイエンス、ナノテクノロジー・材料、環境、原子力、宇宙開発等の先端研究分野での科学技術協力を推進している。具体的には、二国間科学技術協力協定に基づく科学技術協力合同委員会の開催や、情報交換、研究者の交流、共同研究の実施等の協力を進めている。

　米国との間では、1988年（昭和63年）6月に署名された日米科学技術協力協定に基づき、日米科学技術協力合同高級委員会（大臣級）や日米科学技術協力合同実務級委員会（実務級）が設置され、2023年（令和5年）5月には第15回日米科学技術協力合同高級委員会を開催し、科学技術政策、既存の協力及び新たな協働分野に関する意見交換を行った。

　また、2023年（令和5年）5月の日米首脳会談では、量子及び半導体分野における日米間の大学及び企業間でのパートナーシップ締結が予定されていることを歓迎するとともに、バイオやAIといった分野にも協力を広げていくこと、また日米経済政策協議委員会（経済版2＋2）において、経済安全保障の協力を具体化させることで一致した。

　また、SICORPでは2021年（令和3年）から新型コロナウイルス感染症（COVID－19）により求められる新たな生活態様に資するデジタルサイエンス分野の研究を実施している。加えて、SICORPの新たな取組として、新たな国際頭脳循環モード促進プログラムを立ち上げ、アメリカ等とのデジタルサイエンス、AI、量子技術に関連する先端分野における研究を実施している。

　EUとの間では、2023年（令和5年）12月に第7回日EU科学技術協力合同委員会を開催し、量子及びハイパフォーマンス・コンピューティング（HPC）を含むデジタル、核融合等の様々な分野における政策状況や協力について議論が行われた。また、SICORPでは2021年（令和3年）から「高度バイオ燃料と代替再生可能燃料」分野の研究を実施している。

　その他の欧州諸国との間でも、科学技術協力が進められている。2023年（令和5年）6月にはチェコ、11月には英国、2024年（令和6年）2月にはノルウェーとの間でそれぞれ科学技術協力合同委員会等を開催し、双方間における科学技術協力の更なる促進について議論が

1　Asia-Pacific Network for Global Change Research

行われた。

SICORPでは、スウェーデンと「高齢者のための地域共同体の設計やサービスに関する革新的な対応策」の分野で、ドイツと「水素技術」及び「オプティクス・フォトニクス」の分野で、フランスと「エッジAI」の分野で、V4（チェコ・ハンガリー・ポーランド・スロバキア）と「先端材料」の分野で、それぞれ研究を実施している。また、多国間協力として、2015年（平成27年）に設立されたEUの研究・技術開発フレームワーク・プログラム（FP7）における国際協力活動プロジェクトであるCONCERT-Japan の後継として、EIG CONCERT-Japan[1]における日本と欧州諸国との研究を実施している。

　イ　中国、韓国との協力

中国とは、2018年（平成30年）8月に文部科学省と中国科学技術部との間で署名された協力覚書に基づき、SICORP「国際共同研究拠点」（環境・エネルギー分野）が実施されている。

日中韓3か国の枠組みでは、文部科学省科学技術・学術政策研究所と中韓の科学技術政策研究機関が協力して、2023年（令和5年）11月に第18回日中韓科学技術政策セミナーを開催した。

　ウ　ASEAN諸国、インドとの協力

アジアには、環境・エネルギー、食料、水、防災、感染症など、問題解決に当たって我が国の科学技術を生かせる領域が多く、このようなアジア共通の問題の解決に積極的な役割を果たし、この地域における相互信頼、相互利益の関係を構築していく必要がある。

文部科学省は、科学技術振興機構と協力して、2012年（平成24年）6月に、研究開発力を強化するとともに、アジア諸国が共通して抱える課題の解決を目指して多国間の共同研究を行

う「e-ASIA共同研究プログラム」を発足させた。同プログラムは、ASEAN諸国を含むアジア太平洋諸国等の機関が参加し、「材料（ナノテクノロジー）」、「農業（食料）」、「代替エネルギー」、「ヘルスリサーチ（感染症、がん）」、「防災」、「環境（気候変動、海洋科学）」、「イノベーションに向けた先端融合」の7分野を対象にしている。なお、ヘルスリサーチ分野については、2015年（平成27年）4月から日本医療研究開発機構において支援している。

このほか、SICORP「国際共同研究拠点」として、2020年（令和2年）よりASEAN地域（環境・エネルギー、生物資源、防災分野）、2022年（令和4年）よりインド（ICT分野）において支援のフェーズⅡを開始した。イノベーションの創出、日本の科学技術力の向上、相手国・地域との研究協力基盤の強化を目的として、日本の「顔の見える」持続的な共同研究・協力を推進するとともにネットワークの形成や若手研究者の育成を図っている。

また、2023年（令和5年）1月、9月には我が国とインドの多くの大学の学長等が一堂に会し、両国の研究環境頭脳循環の促進を議論する基盤となる日印大学等フォーラムを開催した。

　エ　その他の国との協力

その他の国との間でも、情報交換、研究者の交流、共同研究の実施等の科学技術協力が進められている。

カナダとの間では、SICORPでWell Beingな高齢化のためのAI技術についての研究を実施している。

また、オーストラリアとの間では、SICORPで認知症の予防・診断・治療法の開発研究を実施している。

アジア、アフリカや中南米等の開発途上国との科学技術協力については、これらの国々のニーズを踏まえ、地球規模課題の解決と将来的

1　The European Interest Group Connecting and Coordinating European Research and Technology Development with Japan

な社会実装に向けた国際共同研究を推進するため、文部科学省、科学技術振興機構及び日本医療研究開発機構並びに外務省及び国際協力機構が連携し、ＳＡＴＲＥＰＳを実施している。平成20年度から令和５年度（2008〜2023年度）に、環境・エネルギー、生物資源、防災や感染症分野において、56か国で191件（地域別ではアジア102件、アフリカ48件、中南米28件等）を採択している。

文部科学省は、我が国のＳＡＴＲＥＰＳに参加する大学に留学を希望する者を国費外国人留学生として採用する、国際共同研究と留学生制度を組み合わせた取組を実施している。これにより、国際共同研究に参画する相手国の若手研究者等が、我が国で学位を取得することが可能になるなど、人材育成にも寄与する協力を進めている。また、日本と南アフリカを核として３か国以上の日・アフリカ多国間共同研究を行うプログラム「ＡＪ―ＣＯＲＥ[1]」では、2023年（令和５年）までに、環境科学分野において13件を採択している。

このほかに、2023年（令和５年）には、日本医療研究開発機構は、アフリカ諸国が発展する際の大きな阻害要因としてその対策が急務となっている、アフリカにおける顧みられない熱帯病（ＮＴＤｓ[2]）対策のための国際共同研究プログラム１件を実施している。

また、ブラジルとの間では、ＳＩＣＯＲＰのバイオテクノロジー/バイオエネルギー分野で３件の共同研究の支援を開始した。

（6）研究活動の国際化・オープン化に伴う研究の健全性・公正性（研究インテグリティ）の自律的な確保

研究活動の国際化、オープン化に伴う新たなリスクへ適切に対応し、必要な国際共同研究を進めていくために、令和３年４月に統合イノベーション戦略推進会議において「研究活動の国際化、オープン化に伴う新たなリスクに対す

る研究インテグリティの確保に係る対応方針について」が決定された。

また、令和６年３月に策定した「国立研究開発法人の機能強化に向けた取組について」（令和６年３月29日関係府省申合せ）において、国立研究開発法人が他の法人とも連携・協力しながら、柔軟な人事・給与制度の導入や研修等の人材育成機会の確保に取り組むとともに、第三者機関や外部専門家等による客観的レビュー、適切なフォローアップ等を含む研究セキュリティ・インテグリティの一層の強化を図り、研究成果の社会実装に取り組んでいくこととしている。

2．研究の公正性の確保

研究者が社会の多様なステークホルダーとの信頼関係を構築するためには、研究の公正性の確保が前提であり、研究不正行為に対する不断の対応が科学技術・イノベーションへの社会的な信頼や負託に応え、その推進力を向上させるものであることを、研究者及び大学等の研究機関は十分に認識する必要がある。

公正な研究活動の推進については、文部科学省では、「研究活動における不正行為への対応等に関するガイドライン」（平成26年８月26日文部科学大臣決定）に基づき、研究機関における体制整備等の取組の徹底を図るとともに、日本学術振興会、科学技術振興機構及び日本医療研究開発機構と連携し、研究機関による研究倫理教育の実施等を支援するなどの取組を行っている。

研究費の不正使用の防止については、例えば文部科学省では、「研究機関における公的研究費の管理・監査のガイドライン（実施基準）」（平成19年２月15日文部科学大臣決定。以下「ガイドライン」という。）に基づき、研究機関における公的研究費の適正な管理を促すとともに、研究機関の取組を支援するための指導・助言を行っている。さらに、令和３年２月にガイドラ

1　　Africa-Japan Collaborative Research
2　　Neglected Tropical Diseases

インを改正し、研究費不正防止対策の強化を図っている。経済産業省では、「研究活動の不正行為への対応に関する指針」（平成27年1月15日改正）及び「公的研究費の不正な使用等の対応に関する指針」（平成27年1月15日改正）により対応を行うなど、関係府省においてもそれぞれの指針等に基づき対応を行っている。

また、不正行為等に関与した者等の情報を関係府省で共有し、「競争的研究費の適正な執行に関する指針」（令和3年12月17日改正競争的研究費に関する関係府省連絡会申合せ）に基づき、関係府省全ての競争的研究費への応募資格制限等を行っている。

第2節　知のフロンティアを開拓し価値創造の源泉となる研究力の強化

研究者の内在的な動機に基づく研究が、人類の知識の領域を開拓し、その積み重ねが人類の繁栄を支えてきた。人材の育成や研究インフラの整備、多様な研究に挑戦できる文化を実現し、「知」を育む研究環境を整備するために行っている政府の施策を報告する。

1　多様で卓越した研究を生み出す環境の再構築

知のフロンティアを開拓する多様で卓越した研究成果を生み出すため、研究者が一人ひとりに内在する多様性に富む問題意識に基づき、その能力をいかんなく発揮し、課題解決へのあくなき挑戦を続けられる環境の実現を目指している。

❶　博士後期課程学生の処遇向上とキャリアパスの拡大

文部科学省では、優秀で志のある博士後期課程学生が研究に専念するための経済的支援及び、博士人材が産業界等を含め幅広く活躍するためのキャリアパス整備を一体として行う実力と意欲のある大学を支援するため、「科学技術イノベーション創出に向けた大学フェローシップ創設事業」と「次世代研究者挑戦的研究プログラム（ＳＰＲＩＮＧ[1]）」に一体的に取り組んでいる。令和5年度補正予算では、大学ファンドの運用益と併せて博士後期課程学生の3か年分の支援経費を計上している。

また、日本学術振興会は、我が国の学術研究の将来を担う優秀な博士後期課程の学生に対して研究奨励金を支給する「特別研究員（ＤＣ[2]）事業」を実施している。最終年度の在籍者のうち、優れた研究成果を上げ更なる進展が期待される者に対し、既存の研究奨励金に加えた特別手当（年額36万円）を付与できるようにする等、

処遇改善や研究環境の更なる改善に向けて、取組の充実を図っている。

日本学生支援機構は、意欲と能力があるにもかかわらず、経済的な理由により進学等が困難な学生に対する奨学金事業を実施しており、大学院で無利子奨学金の貸与を受けた学生のうち、在学中に特に優れた業績を上げた学生の奨学金について返還免除を行っている。さらに、平成30年度入学者より、博士課程の大学院業績優秀者免除制度の拡充を行い、博士後期課程学生の経済的負担を軽減することによって、進学を促進している。

これらの事業などにより、第6期基本計画の目標である約2万2,500人規模の支援を目指していくこととしている。

また、博士課程学生の処遇向上に向けて、第6期基本計画や「ポストドクター等の雇用・育成に関するガイドライン」（令和2年12月3日科学技術・学術審議会人材委員会）を踏まえ、競争的研究費制度において、博士課程学生の積極的なリサーチアシスタント（ＲＡ）等としての活用と、それに伴うＲＡ経費等の適正な支出を促進している。

文部科学省は、産業界と大学が連携して大学院教育を行い、博士後期課程において研究力に裏打ちされた実践力を養成する長期・有給のインターンシップをジョブ型研究インターンシップ（先行的・試行的取組）として令和3年度から大学院博士後期課程学生を対象に開始し、多様なキャリアパスの実現に向けて取組を進めている。

また、国家公務員の博士課程修了者の活躍促進について、内閣官房内閣人事局、内閣府科学技術・イノベーション推進事務局、文部科学省の連名で各府省等における博士号取得者及び修士号・専門職学位取得者の採用人数調査結果

1　Support for Pioneering Research Initiated by the Next Generation
2　Doctoral Course

を令和5年9月に公表した。これらを通じて国家公務員における博士課程修了者の更なる活用方策を検討する。

こうした取組を更に推進するため、令和5年11月より文部科学大臣を座長とする「博士人材の社会における活躍促進に向けたタスクフォース」を開催し、博士人材が社会の多様なフィールドで活躍するための方策を検討し、令和6年3月26日に「博士人材活躍プラン～博士をとろう～」を取りまとめた。

❷ 大学等において若手研究者が活躍できる環境の整備

政府は、「統合イノベーション戦略2019」（令和元年6月21日閣議決定）に基づき、研究機関において適切に執行される体制の構築を前提として、研究活動に従事するエフォートに応じ、研究代表者本人の希望により、競争的研究費の直接経費から研究代表者（PI[1]）への人件費を支出可能とした。これにより、研究機関において、確保した財源を、研究に集中できる環境整備等による研究代表者の研究パフォーマンス向上、若手研究者をはじめとした多様かつ優秀な人材の確保等を通じた機関の研究力強化に資する取組に活用することができ、研究者及び研究機関双方の研究力の向上が期待される。

文部科学省は、雇用財源に外部資金（競争的研究費、共同研究費、寄附金等）を活用することで捻出された学内財源を若手ポスト増設や研究支援体制の整備などに充てる取組や、シニア研究者に対する年俸制やクロスアポイントメント制度の活用、外部資金による任期付き雇用への転換の促進などを通じて、組織全体で若手研究者のポストの確保と、若手の育成・活躍促進を後押しし、持続可能な研究体制を構築する取組の優良事例を盛り込んだ、「国立大学法人等人事給与マネジメント改革に関するガイ

ドライン（追補版）」を作成し、令和3年12月21日に公表した。

また、日本学術振興会において、「特別研究員事業」によるポストドクターへの支援を通じ、優れた若手研究者の養成・確保に努めている。令和5年度には特別研究員－PD、RPD[2]を受入研究機関で雇用可能にする事業を創設するとともに、令和6年度からは海外渡航に係る家族の往復航空賃の支援を開始することとしており、若手研究者の処遇改善と研究に専念できる環境の更なる向上に向けて取組を進めている。

加えて、研究者の研究環境の整備に向けては、リサーチ・アドミニストレーター（URA[3]）等の研究開発マネジメントや技術支援などを行う人材が重要であり、そうした人材の育成、一層の定着を図るため、令和5年10月に科学技術・学術審議会人材委員会の下に「研究開発イノベーションの創出に関わるマネジメント業務・人材に係るワーキング・グループ」を設置して議論を進めている。

我が国の研究生産性の向上を図るため国内外の先進事例の知見を取り入れ、世界トップクラスの研究者育成に向けたプログラムを開発し、トップジャーナルへの論文掲載や海外資金の獲得等に向けた支援体制など、研究室単位ではなく組織的な研究者育成システムの構築を目指す「世界で活躍できる研究者戦略育成事業」を令和元年度より実施し、令和5年度においては5機関を支援している。

また、優れた若手研究者が産学官の研究機関において、安定かつ自立した研究環境を得て自主的・自立的な研究に専念できるように研究者及び研究機関に対して支援を行う「卓越研究員事業」を平成28年度より実施している。令和5年度までに、本事業を通じて創出されたポストにおいて、少なくとも491名（令和6年2月1日現在）の若手研究者が安定かつ自立した研究環境を確保している。

1　Principal Investigator
2　Restart Postdoctoral Fellowship：研究活動を再開（Restart）する博士取得後の研究者の意味
3　University Research Administrator

そのほかにも、研究者・教員等の流動性を高めつつ安定的な雇用を確保し、多様なキャリアパス構築や活躍促進を図るため、課題の整理、制度の在り方や研究者・教員等の雇用の在り方全般について検討する趣旨から、令和5年10月に科学技術・学術審議会人材委員会の下に「研究者・教員等の流動性・安定性に関するワーキング・グループ」を設置し議論を進めている。

科学技術振興機構は、産学官で連携し、研究者や研究支援人材を対象とした求人・求職情報など、当該人材のキャリア開発に資する情報の提供及び活用支援を行うため、「研究人材のキャリア支援ポータルサイト（JREC−IN Portal[1]）」を運営している。

文部科学省科学技術・学術政策研究所（NISTEP[2]）では、令和3年度博士課程修了者に対し、修了から1.5年後の雇用状況、処遇等の追跡調査を実施した。また、令和4年度に実施した博士課程1年次における進路意識と経済的支援状況に関する調査の結果を報告書として令和5年10月に公表した。さらに、博士人材の活躍状況を把握する情報基盤である博士人材データベース（JGRAD[3]）について、引き続き運用している。

❸　女性研究者の活躍促進

女性研究者がその能力を発揮し、活躍できる環境を整えることは、我が国の科学技術・イノベーションの活発化や男女共同参画の推進に寄与するものである。我が国では、女性研究者の登用や活躍支援を進めることにより、女性研究者の割合は年々増加傾向にあるものの、令和5年3月31日現在で18.3%であり、先進諸国と比較すると依然として低い水準にある（第2-2-7図）。第6期基本計画では、大学の研究者の採用に占める女性の割合に関する成果目標として、2025年までに理学系20%、工学系15%、農学系30%、医学・歯学・薬学系合わせて30%、人文科学系45%、社会科学系30%を目指すとしている。

内閣府は、ウェブサイト「理工チャレンジ（リコチャレ）[4]」において、理工系分野での女性

■第2-2-7図／各国における女性研究者の割合

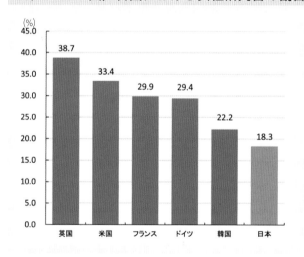

注：1．米国、フランス、ドイツ、韓国は2021年、英国は2017年時点のデータ
　　2．米国については、研究者ではなく、科学専門職（科学工学の学士レベル以上を保有し、科学に関する専門的職業に従事している者。ただし科学には社会科学を含む。）を対象としている。

資料：総務省統計局「令和5年科学技術研究調査結果[5]」、OECD "Main Science and Technology Indicators"（2024年4月現在）、NSF "Science and Engineering Indicators"を基に文部科学省作成

1　https://jrecin.jst.go.jp

2　National Institute of Science and Technology Policy
3　Japan Graduates Database
4　https://www.gender.go.jp/c-challenge/

5　総務省統計局「令和5年科学技術研究調査結果」
　https://www.stat.go.jp/data/kagaku/kekka/kekkagai/pdf/2023ke_gai.pdf

の活躍を推進している大学や企業等の取組やイベント等の情報を提供している。また、令和５年度オンラインシンポジウムとして動画公開セミナーを同ウェブサイト上に掲載し、全国の女子中高生等とその保護者・教員へ向けて、理工系で活躍する多様なロールモデルからのメッセージを配信した。さらに、学校や地方公共団体が実施するイベント等に理工系女子応援大使（STEM Girls Ambassadors）の派遣を行った。

　文部科学省は、出産・育児等のライフイベントと研究との両立や女性研究者の研究力向上を通じたリーダーの育成を一体的に推進するダイバーシティの実現に向けた大学等の取組を支援するため、「ダイバーシティ研究環境実現イニシアティブ」を実施しており、令和５年度までに延べ147機関を支援している。

　日本学術振興会は、出産・育児等により研究を中断した研究者に対して、研究奨励金を支給し、研究復帰を支援する「特別研究員（ＲＰＤ）事業」や、海外の研究機関において長期間研究に専念できるよう支援する「海外特別研究員（ＲＲＡ[1]）事業」を実施している。

　科学技術振興機構は、科学技術分野で活躍する女性研究者・技術者、女子学生などと女子中高生の交流機会の提供や実験教室、出前授業の実施などを通して女子中高生の理工系分野に対する興味・関心を喚起し、理系進路選択を支援する「女子中高生の理系進路選択支援プログラム」を実施している。

　産業技術総合研究所は、全国21の大学や研究機関から成る組織「ダイバーシティ・サポート・オフィス」の運営に携わり、参加機関と連携してダイバーシティ推進に関する情報共有や意見交換を行っている。また、大学・企業との連携・協働で女性活躍推進法行動計画を実践し、より広いネットワークの下、相互に研究者等のワーク・ライフ・バランスの実現やキャリア形成を支援し、意識啓発を進めるなどダイバーシティ推進に努めている。

❹　基礎研究・学術研究の振興
１．科学研究費助成事業の改善・強化

　文部科学省及び日本学術振興会は科学研究費助成事業（科研費）を実施している。科研費は、人文学・社会科学から自然科学までの全ての分野にわたり、あらゆる学術研究を対象とする競争的研究費であり、研究の多様性を確保しつつ独創的な研究活動を支援することにより、研究活動の裾野の拡大を図り、持続的な研究の発展と重厚な知的蓄積の形成に資する役割を果たしている。令和５年度は、主な研究種目全体で約９万件の新たな応募のうち、ピアレビュー（研究者コミュニティから選ばれた研究者による審査）によって約２万5,000件を採択し、数年間継続する研究課題を含めて約８万1,000件を支援している（令和５年度当初予算額2,377億円、令和５年度補正予算額654億円）。

　科研費は、これまでも制度を不断に見直し、研究費の柔軟な使用を可能とする基金化の導入をはじめとする抜本的な改善を進めており、令和５年度において、「基盤研究（B）」の基金化に向けて取り組んでいる。今後も、更なる学術研究の振興に向け、科研費制度の不断の見直しを行い、支援の充実を図っていく。

1　　Restart Research Abroad

コラム2-11　活躍する博士人材～人文系研究者～

●熊谷誠慈氏

京都大学人と社会の未来研究院　教授
ムーンショット目標9プログラムディレクター
博士（文学）　専門：仏教学

　熊谷さんは古文書の解読を通じて仏教思想の解明に取り組んでいます。博士課程には、日本語に翻訳された2次文献からの伝聞情報ではなく、経典を元の言語で読むことで、経典の中身を正確かつ根源的に理解したいという思いから進学したと言います。

　熊谷さんは、伝統知とテクノロジーを融合する「伝統知テック」の開発も進められており、「人々の幸せや楽しさを目的とした研究に深みが増すのは、正に人文学系の力であり、科学技術に、伝統知や人文社会科学の知を組み合わせると、これまでにないものが生まれてくる。」と話します。

　一例として、熊谷さんは、仏教界から「仏教×AI」というアイディアが持ち込まれたことをきっかけに、最古の仏教経典である『スッタニパータ』をAIに機械学習させた仏教対話AI「ブッダボット」を開発されています。その後、学習データを変えることで「世親ボット」や「親鸞ボット」も開発されました。AIは人々の能力や技術を拡張してくれる可能性を持つ一方、善悪の判断・決定権はいまだ人間が行っていることからAIにも限界があるとし、AIの開発や実装を通じて改めて人間の存在意義や可能性、限界などが明確化されてくるのではないか、と熊谷さんは話します。

　最後に、博士課程に進学しようとしている方へのメッセージをお願いしたところ、次のように答えてくれました。

　「学術研究は、今まで誰も見たことがない景色を見せてくれる魔法の扉のようなものです。皆さんの力で新たな扉を開いて、多くの人に驚きや感動、可能性を届けていただけると嬉しいですし、きっと多くの人が喜んでくれると信じています。」

●中川朋美氏

名古屋大学大学院人文学研究科　准教授
博士（文学）　専門：考古学、形質人類学

　中川さんが、考古学に初めて出会ったのは大学の講義です。大学入学時は法学部でしたが、一般教養として歴史関係の授業を受けて初めて興味を持ち、学部3年時には文学部に転部し、その後は、もっと学んでみたい、という一心で博士課程まで進まれたそうです。

　考古学は、幅広い時空間を対象とすることから、例えば、現代に起きている事象について、過去に起きている同様の事象から、なぜそのようなことが起きるのか、といった法則性・規則性を考えることができると中川さんは話します。

　中川さんは特に、縄文～弥生時代の人骨から得られる情報を基に、過去に起きた暴力について研究しており、骨に残る暴力の痕跡から、人口増加や格差など暴力の生成要因・助長要因を探られています。また、土器や人骨などの考古資料を三次元でモデル化することにより、定量的に計測することが可能となり、それを基に人の交流や文化変化について研究されています。さらに、昨今は、様々な手法の三次元計測が出てきていることから、手法間の差異を検討することによって、安価でより最適化された三次元計測手法があるのかといったことも検討されています。

　学生や他分野の研究者と多くのコミュニケーションが取れること、また学生の成長を見守れることが、大学教員として働く魅力だと語ってくれた姿から、中川さんの日々の研究へのモチベーションは、大学という環境に身を置くからこそ高まっているように感じられました。研究を進める上での苦労は、フィールドワークの際に20kgほどの荷物を持って行くことぐらい、と言う中川さんに、博士課程への進学を考えている方へのメッセージをお願いしたところ、次のように答えてくれました。

　「データを集めて、分析して一つのものを作っていくというのはとても労力のいることで、非常に大変なこともあるかもしれないですが、どの分野の方だったとしても、いつか一緒に研究の話をできることを楽しみにしています。願わくは一緒に仕事ができると嬉しいです。」

２．戦略的創造研究推進事業

科学技術振興機構が実施している「戦略的創造研究推進事業（新技術シーズ創出）」及び日本医療研究開発機構が実施している「革新的先端研究開発支援事業」では、国が戦略的に定めた目標の下、大学等の研究者から提案を募り、組織・分野の枠を超えた時限的な研究体制を構築し、戦略的な基礎研究を推進するとともに、有望な成果について研究を加速・深化している。研究者の独創的・挑戦的なアイディアを喚起し、多様な分野の研究者による異分野融合研究を促すため、戦略目標等を大括り化する等の制度改革を進めており、令和６年度目標として、文部科学省では以下の六つを設定した。

（１）戦略的創造研究推進事業（新技術シーズ創出）

・自律駆動による研究革新
・新たな社会・産業の基盤となる予測・制御の科学
・持続可能な社会を支える光と情報・材料等の融合技術フロンティア開拓
・選択の物質科学〜持続可能な発展型社会に貢献する新学理の構築〜
・「生命力」を測る〜未知の生体応答能力の発見・探査〜

（２）革新的先端研究開発支援事業

・性差・個人差・個人内の変化の解明と予測への挑戦〜ヒトを平均でとらえる医療からの脱却に向けて〜

３．創発的研究の推進

科学技術振興機構では、自由で挑戦的・融合的な構想にリスクを恐れず挑戦し続ける独立前後の研究者に対し、最長10年間の安定した研究資金と研究に専念できる環境の確保を一体的に支援することで、破壊的イノベーションにつながるシーズの創出を目指す「創発的研究支援事業」を実施している。令和５年度には、新たな事業運営体制を構築し、第４回新規課題公募を行う等、更なる事業の充実を図っている。

４．大学・大学共同利用機関における共同利用・共同研究の推進

我が国の学術研究の発展には、最先端の大型装置や貴重な資料・データ等を、個々の大学の枠を超えて全国の研究者が利用し、共同研究を行う「共同利用・共同研究体制」が大きく貢献しており、主に大学共同利用機関や、文部科学大臣の認定を受けた国公私立大学の共同利用・共同研究拠点[1]によって担われている。

令和５年度からは、大学共同利用機関や共同利用・共同研究拠点等がハブとなり、異分野の研究を行う研究機関と連携した学際共同研究、組織・分野を超えた研究ネットワークの構築・強化・拡大を推進する「学際領域展開ハブ形成プログラム」を開始している。

さらに、学術研究の大型プロジェクト[2]は、最先端の大型研究装置等により人類未踏の研究課題に挑み世界の学術研究を先導し、また、国内外の優れた研究者を結集し、国際的な研究拠点を形成するとともに、国内外の研究機関に対して研究活動の共通基盤を提供しており、文部科学省では「大規模学術フロンティア促進事業」としてこうしたプロジェクトを支援している。その代表的な例として、陽子崩壊探索やニュートリノ研究を通じた新たな物理法則の発見や、宇宙の謎の解明を目指す「ハイパーカミオカンデ計画」（東京大学宇宙線研究所等）が進行中のほか、令和５年度からは、多くの生命現象や疾患に関与するものの全容が未解明である「糖鎖」について、ヒトの糖鎖情報を網羅的に解読して情報基盤を構築することによ

1　令和５年４月現在、59大学108拠点（国際共同利用・共同研究拠点５大学７拠点を含む。）が認定を受けて活動している。
2　学術研究の大型プロジェクトについて
　　https://www.mext.go.jp/a_menu/kyoten/20230727-mxt_kouhou02-1.pdf

り、生命科学の革新・病気で苦しむことのない未来を目指す「ヒューマングライコームプロジェクト」（東海国立大学機構等）が開始している。

また、学術研究の大型プロジェクトのうち、基盤性が高く長期的なマネジメントが必要な事業については、「学術研究基盤事業」として支援を行っている。中でも、情報・システム研究機構国立情報学研究所の「学術研究プラットフォーム」は、最先端のネットワーク基盤「ＳＩＮＥＴ[1]」と研究データ基盤「ＮＩＩＲＤＣ[2]」を整備することにより、基幹的ネットワークとして大学等の学術研究や教育活動全般を支えるとともに、データ駆動型研究の実現に貢献している。

❺　国際共同研究・国際頭脳循環の推進
１．国際研究ネットワークの充実
（１）我が国の研究者の国際流動の現状

文部科学省が令和6年度に公表した「国際研究交流の概況」によれば、我が国における研究者の短期派遣者数は、調査開始以降、増加傾向が見られたが、令和2年度には著しい減少が見

られた。新型コロナウイルス感染症発生以前（平成30年度）には及ばないが、令和4年度は前年度よりも増加し、回復傾向にはあると考えられる。また、中・長期派遣者数は平成20年度以降、おおむね4,000から5,000人の水準で推移しており、令和2年度に著しい減少が見られた。中・長期派遣者数は令和4年度大幅に回復しているが、短期派遣者数と比較して低水準である（第2-2-8図）。

我が国の大学や独立行政法人等の外国人研究者の短期受入者数は、平成21年度まで増加傾向であったところ、東日本大震災等の影響により平成23年度にかけて減少し、その後回復したが、令和2年度に著しい減少が見られた。令和4年度は、新型コロナウイルス感染症発生以前（平成30年度）には及ばないが、大きく回復した。また、中・長期受入者数は、平成12年度以降、おおむね1万2,000から1万5,000人の水準で推移していた。令和2年度は大きく減少したが、令和4年度は新型コロナウイルス感染症発生以前に近い水準まで回復した（第2-2-9図）。

1　　Science Information NETwork
2　　NII Research Data Cloud：データ管理基盤GakuNin RDM、データ公開基盤JAIRO Cloud、データ検索基盤CiNii Researchの3基盤から構成される。

■第 2-2-8 図／海外への派遣研究者数（短期／中・長期）の推移

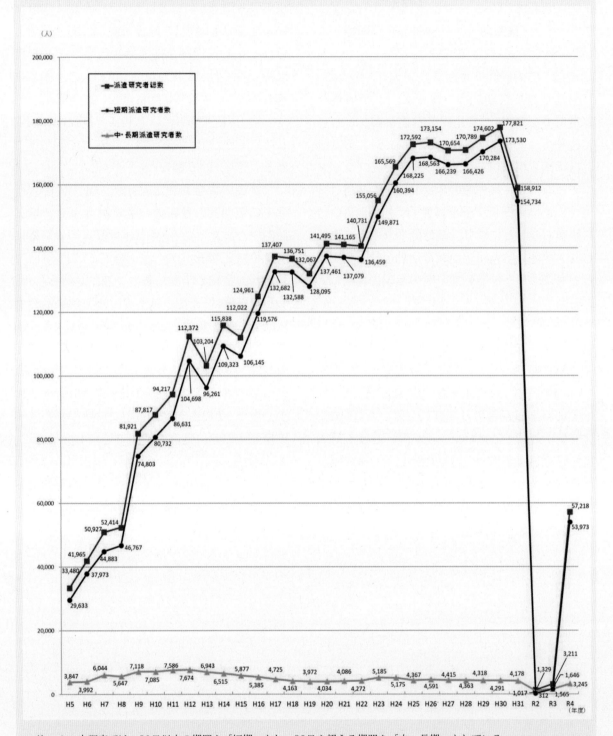

注： 1 ．本調査では、30日以内の期間を「短期」とし、30日を超える期間を「中・長期」としている。
　　 2 ．平成22年度調査からポストドクター・特別研究員等を対象に含めている。
資料：文部科学省「国際研究交流の概況」（令和 6 年度公表）

■第２-２-９図／海外からの受入研究者数（短期／中・長期）の推移

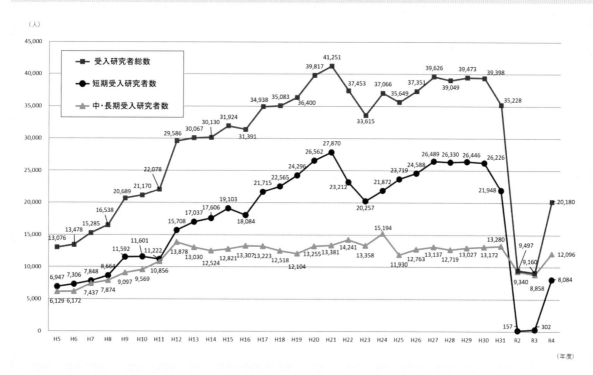

注：１．本調査では、30日以内の期間を「短期」とし、30日を超える期間を「中・長期」としている。
　　２．平成22年度調査からポストドクター・特別研究員等を対象に含めている。
　　３．平成25年度調査から、同年度内で同一研究者を日本国内の複数機関で受け入れた場合の重複は排除している。
資料：文部科学省「国際研究交流の概況」（令和６年度公表）

（２）研究者の国際交流を促進するための取組
　文部科学省は、世界規模で進む頭脳循環の流れの中において、我が国の研究者及び研究グループが国際的研究・人材ネットワークの中心に位置付けられ、またそれを維持していくことができるように、取組を進めている。
　日本学術振興会は、国際舞台で活躍できる我が国の若手研究者の育成を図るため、若手研究者を海外に派遣する諸事業や諸外国の優秀な研究者を招聘する事業を実施するほか、科研費のうち「国際先導研究」において、トップレベル研究者が率いる優秀な研究チームの下、若手（ポストドクター・博士課程学生）の参画を要件とし、国際共同研究を通じて、長期の海外派遣・交流や自立支援を行うことにより、世界で活躍できる優秀な若手研究者の育成を推進している。また、我が国における学術の将来を担う国際的視野に富む有能な研究者を養成・確

保するため、優れた若手研究者が海外の特定の大学等研究機関において長期間研究に専念できるよう支援する「海外特別研究員事業」や、博士後期課程学生等の海外渡航支援として「若手研究者海外挑戦プログラム」等を実施している。
　さらに、国際コミュニティの中核に位置する一流の大学・研究機関において挑戦的な研究に取り組みながら、著名な研究者等とのネットワーク形成に取り組む優れた若手研究者に対して研究奨励金を支給する「国際競争力強化研究員（特別研究員（ＣＰＤ[1]））事業」を令和元年度より実施している。
　優れた外国人研究者に対し、我が国の大学等において研究活動に従事する機会を提供するとともに、我が国の大学等の研究環境の国際化に資するため、「外国人研究者招へい事業」により外国人特別研究員等の受入れを実施して

1　Cross-border Postdoctoral Fellow

いるほか、「二国間交流事業」や「研究拠点形成事業」等により我が国と諸外国の研究チームの持続的ネットワーク形成を支援している。

また、アジア・太平洋・アフリカ地域の若手研究者の育成と相互のネットワーク形成のため「HOPEミーティング」を開催し、同地域から選抜された大学院生等とノーベル賞受賞者をはじめとする世界の著名研究者が交流する機会を提供している。

科学技術振興機構は、海外の優秀な人材の獲得につなげるため、世界各国・各地域から青少年を短期で我が国に招聘する「国際青少年サイエンス交流事業(さくらサイエンスプログラム)」を平成26年度から実施している。

コラム2-12　活躍する博士人材〜様々な場で活躍する研究者〜

●鎌田雄一郎氏
カルフォルニア大学バークレー校　准教授
博士(経済学)　専門：ゲーム理論

(Photo: Brittany Hosea-Small)

鎌田さんは元々農学部でしたが、授業の空き時間に受講した経済学の授業をきっかけに、今の専門であるゲーム理論に出会いました。ゲーム理論とは、数学を使って世の中の人の行動分析をするものですが、いわゆる「文系」と考えていた経済学において数学が出てくるとは思いもよらず、新鮮さ、面白さを感じたと言います。

大学院からアメリカに留学し、以後アメリカで研究者として活躍されている鎌田さんですが、「経済学の分野に限った話かもしれない」と留保しつつも、アメリカで研究をすることの良さを2点挙げていました。1点目は、アメリカに行った方が目立ちやすく、セミナーなどに呼ばれて論文を発表する機会が多くあるということ、2点目は、質の高い研究者と定期的に話す機会があることを挙げています。特に2点目については、日本に比べ、より多くの質の高い研究者が周りにおり、日々のコミュニケーションの中や、頻繁に開催される大学でのセミナーなどを通じ、そうした研究者と定期的に触れ合うことで、研究の質を保つことができると言います。

また、大学の授業で偶然出会うまでゲーム理論を知らなかったというご自身の経験も踏まえ、若い人たちの選択の幅を広げたいという思いで、小中学生を含めた一般向けの書籍も積極的に執筆されています。

最後に、博士課程に進学しようとしている方へのメッセージをお願いしたところ、次のように答えてくれました。

「研究してみないと、研究とはどういうことか分からないので、少しでも興味があるのであれば、ちょっとやってみるのがいいと思います。」

●野田口理孝氏

京都大学理学研究科　教授
名古屋大学生物機能開発利用研究センター　特任教授
グランドグリーン株式会社（名古屋大学発ベンチャー）　技術顧問（共同創業者）
博士（理学）　専門：生物科学

　野田口さんは高校時代、将来の人類社会において何がボトルネックになりそうか、ということを考え抜いた上で、大学で生物科学分野に進むことを決めました。大学では植物を研究対象に選びましたが、その理由について「今までは存在することが当たり前であった植物は、気候変動問題を考えると、一次エネルギーを作る主体であり、植物が持続的でなければ人類も安全ではいられない。それにも関わらず、植物に関する研究が進んでいないことに課題を感じた。」と話します。

　いまだに解明されていない植物のメカニズムはたくさんあるものの、野田口さんはその中から特に重要なトピックを選んで研究するようにしていると言います。接木の研究では、従来、接木は近縁の植物同士でしか接着できないと考えられていましたが、たまたま遠縁の植物同士で試してみたところ、タバコ属の植物は遠縁の植物と接着できることが解明されました。

　野田口さんは研究者として活躍するほか、接木が農業分野の品種改良に貢献できる可能性があるのではないかと考え、大学発ベンチャーも創業されています。大学側が産学連携やベンチャー企業設立を推進していた時期と重なったこともあり、そうしたご縁を大切に社会貢献のために一歩踏み出したと教えてくれました。

　最後に、博士課程に進学しようとしている方へのメッセージをお願いしたところ、次のように答えてくれました。

　「目的を持つことが大事であり、何かやりたいことがあるのであれば、ためらわずにやっていただきたいと思います。一人で全部やる必要はなく、周りの人の力も借りれば、案外できるものです。」

●佐野幸恵氏

筑波大学システム情報系社会工学域　准教授
博士（理学）　専門：社会経済物理

　佐野さんは大学時代に物理学を専攻しており、今は、ソーシャルメディアやインターネット上の書き込み、アクセス数の推移を通して人間社会を集団として捉えるというように、複雑な社会現象を数理的なアプローチで分析・モデリングする研究をしています。研究対象が「人」であり、伝統的な物理の世界観とは少し異なる研究をしていることは常に意識しており、学生等への講演時にも、そうした点は丁寧に説明するよう心がけていると言います。

　社会に対して興味があり元々早く働きたかったとのことで、修士課程修了後は民間企業で約4年間システムエンジニアとして働き、その後、小さい頃からの夢であった科学者になるため、博士課程に入学しました。博士課程進学当時は、研究から完全に離れていたことにより、最新情報のキャッチアップや勘を取り戻すことに苦労したとのことですが、社会人として働いていたことにより経済面では精神的なゆとりがあり、また、業務の優先順位付けなど社会人として身に付けた能力は研究にも生かすことができた、と佐野さんは話します。

　大学で働く魅力として、フレッシュで優秀な学生と常に交流しながら仕事ができることを挙げます。佐野さんが主宰する研究室では、社会人の博士課程学生もいるとのこと、博士課程への進学を考えている方へのメッセージをお願いしたところ、次のように答えてくれました。

　「案外何とかなります。いつかやろう、やれたらいいな、と思っているものがあるなら、チャレンジしないまま終わるのは寂しい。自分で動けば、チャンスが舞い込んできます。」

2．国際的な研究助成プログラム

　ヒューマン・フロンティア・サイエンス・プログラム（ＨＦＳＰ[1]）は、1987年（昭和62年）6月のヴェネチア・サミットにおいて我が国が提唱した国際的な研究助成プログラムで、生体の持つ複雑な機能の解明のための基礎的な国

1　　Human Frontier Science Program

際共同研究などを推進し、またその成果を広く人類全体の利益に供することを目的としている。令和5年度（2023年度）時点で、日本・オーストラリア・カナダ・欧州委員会・フランス・ドイツ・インド・イスラエル・イタリア・韓国・ニュージーランド・ノルウェー・シンガポール・南アフリカ・スイス・英国・米国の計17か国・極が加盟しており、フランス・ストラスブールに置かれた国際ヒューマン・フロンティア・サイエンス・プログラム機構（HFSPO、理事長：長田重一・大阪大学栄誉教授）により運営されている。我が国は本プログラム創設以来積極的な支援を行い、プログラム運営において重要な役割を担っている。

本プログラムでは、国際共同研究チームへの研究費助成（研究グラント）、若手研究者が国外で研究を行うための旅費、滞在費等の助成（フェローシップ）及び受賞者会合の開催等が実施されている。1990年度の事業開始から30年以上が経過し、この間、HFSPOは約1,200件の研究課題、約4,500名の世界の研究者に対して研究グラントを支援するとともに、約3,500名の若手研究者に対してフェローシップの助成を実施してきた。国際的協力による、独創的・野心的・学際的な研究を支援する本プログラムでは、過去に研究グラントに採択された受賞者の中から、2018年（平成30年）にノーベル生理学・医学賞を受賞された本庶佑・京都大学特別教授をはじめ29名のノーベル賞受賞者を輩出するなど、世界的に高く評価されている。

3．国際共同研究の推進と世界トップレベルの研究拠点の形成

我が国が世界の研究ネットワークの主要な一角に位置付けられ、世界の中で存在感を発揮していくためには、国際共同研究を戦略的に推進するとともに、国内に国際頭脳循環の中核となる研究拠点を形成することが重要である。

（1）諸外国との国際共同研究

ア　ITER[1]（イーター）計画等

ITER計画は、フュージョン（核融合）エネルギーの実現に向け、世界7極35か国の国際協力により実施されており、フランス／サン・ポール・レ・デュランスにおいてITERの建設作業が本格化している。我が国は、ITERの主要な機器の製作等を担当している。また、日欧協力によりITER計画を補完・支援し、原型炉に必要な技術基盤を確立するための先進的核融合研究開発である幅広いアプローチ（BA[2]）活動を青森県六ヶ所村及び茨城県那珂市で推進している。その一環として建設したJT-60SAは、2023年（令和5年）10月に初めてプラズマを生成し、運転を開始した。（第2章第1節 2 ❷参照）

イ　国際宇宙ステーション（ISS）

我が国は、日本実験棟「きぼう」及び宇宙ステーション補給機「こうのとり」（HTV[3]）の運用、日本人宇宙飛行士のISS[4]長期滞在等によりISS計画に参加している。2022年（令和4年）1月、米国航空宇宙局（NASA[5]）が米国としてISSの運用期間を2030年（令和12年）まで延長することを発表し、我が国も、同年11月、米国以外の参加極の中で最初に運用延長への参加を表明した（第2章第1節 3 ❺参照）。

ウ　国際宇宙探査計画

我が国は、2019年（令和元年）10月、宇宙開発戦略本部において、国際宇宙探査計画「アルテミス計画」への参画を決定した。2020年（令和2年）12月には、日本政府とNASAと

1　International Thermonuclear Experimental Reactor
2　Broader Approach
3　H-Ⅱ Transfer Vehicle
4　International Space Station
5　National Aeronautics and Space Administration

の間で、「月周回有人拠点ゲートウェイのための協力に関する了解覚書」に署名し、2022年（令和4年）11月には、文部科学省とNASAとの間で、了解覚書に基づく「ゲートウェイのための協力に関する実施取決め」に署名した。また、2023年（令和5年）6月には、「日・米宇宙協力に関する枠組協定」が発効された（第2章第1節 ③ ❺参照）。

エ　国際深海科学掘削計画（IODP）

IODP[1]は、地球環境変動、地球内部構造や地殻内生命圏等の解明を目的とした日米欧主導の多国間国際共同プログラムで、2013年（平成25年）10月から実施されている。我が国が提供し、科学掘削船としては世界最高レベルの性能を有する地球深部探査船「ちきゅう」及び米国が提供する掘削船を主力掘削船とし、欧州が提供する特定任務掘削船を加えた複数の掘削船を用いて世界各地の深海底の掘削を行っている。2020年（令和2年）10月、さらに2050年までの2050 Science Frameworkを策定、今後の活動に向けて科学的目標を明らかにしている。現行のIODPは2024年（令和6年）9月に終了予定となっているところ、後継となる国際枠組みについて、国内外の関係者・機関と共に調整を継続している。

オ　大型ハドロン衝突型加速器（LHC）

現在、LHC計画[2]においては、LHCの高輝度化（HL－LHC[3]計画）が進められている。

カ　その他

国際リニアコライダー（ILC[4]）計画については、ヒッグス粒子の性質をより詳細に解明することを目指した国際プロジェクトであり、国際研究者コミュニティで検討されている。

（2）世界トップレベル研究拠点の形成に向けた取組

文部科学省は、「世界トップレベル研究拠点プログラム（WPI[5]）」により、高度に国際化された研究環境と世界トップレベルの研究水準を誇る「国際頭脳循環のハブ」となる拠点の充実・強化を進めている。具体的には、国内外のトップサイエンティストらによるきめ細やかな進捗管理の下で、1拠点当たり7億円程度を10年間支援し、令和5年度末時点で18拠点が活動している[6]。令和2年には、これまでのミッションを高度化し、「次代を先導する価値創造」を加えた新たなミッションを策定し、この新たなミッションの下、拠点形成を計画的・継続的に推進することとしている。

（3）その他の研究大学等に関する取組

内閣府は、沖縄科学技術大学院大学（OIST[7]）について、世界最高水準の教育・研究を行うための様々な取組を支援している。

❻　研究時間の確保

1．URAの活用

研究者のみならず、多様な人材の育成・活躍促進が重要であり、文部科学省では、研究者の研究活動活性化のための環境整備、大学等の研究開発マネジメント強化及び科学技術人材の

1　International Ocean Discovery Program
2　Large Hadron Collider：欧州合同原子核研究機関（CERN）の巨大な円形加速器を用いて、宇宙創成時（ビッグバン直後）の状態を再現し、未知の粒子の発見や、物質の究極の内部構造の探索を行う実験計画であり、CERN加盟国と日本、米国等による国際協力の下で進められている。
3　High Luminosity-Large Hadron Collider
4　International Linear Collider
5　World Premier International Research Center Initiative
https://www.jsps.go.jp/j-toplevel/04_saitaku.html

6　https://www.jsps.go.jp/j-toplevel/04_saitaku.html
7　Okinawa Institute of Science and Technology Graduate University

研究職以外への多様なキャリアパスの確立を図る観点も含め、URAの支援方策について調査研究等を実施している。

また、大学等におけるURA等の人材の育成、一層の定着を図るため、令和5年10月に科学技術・学術審議会人材委員会の下に「研究開発イノベーションの創出に関わるマネジメント業務・人材に係るワーキング・グループ」を設置し議論を進めている（第2章第2節①❷参照）。

2．研究支援サービス・パートナーシップ認定制度（A-PRAS）

文部科学省は、令和元年10月に、民間事業者が行う研究支援サービスのうち、一定の要件を満たすサービスを「研究支援サービス・パートナーシップ」として認定する「研究支援サービス・パートナーシップ認定制度（A-PRAS[1]）」を創設した。認定することを通じ、研究者の研究時間確保を含めた研究環境を向上させ、我が国における科学技術の推進及びイノベーションの創出を加速するとともに、研究支援サービスに関する多様な取組の発展を支援することを目的としている。令和5年度は新たに4件のサービスを認定し、認定サービスは合計12件となった。

3．大学等の事務処理の簡素化、デジタル化

文部科学省は、各大学、高等専門学校及び大学共同利用機関に対して、事務処理手続の簡素化、デジタル化を図るため、公募申請する教員等の希望に応じて電子的な手続を認めるなど柔軟な対応を求めてきている。令和3年6月には、各大学等の求人公募書類の作成に係る応募者の負担軽減の観点から、各大学等が指定する様式以外の様式で作成された履歴書や業績リ

スト等の書類を応募書類として活用することを可能とする等、柔軟な対応の検討を各大学等に対して促しており、その後、各大学等の教務担当者向け会議等で累次にわたり周知している。

4．競争的研究費の事務手続に係るルールの統一化・簡素化

政府全体として、研究者の事務負担軽減による研究時間の確保及び研究費の効果的・効率的な使用のため、研究費の使い勝手の向上を目的とした制度改善に取り組んでいる。その一環として、従来の「競争的資金」に該当する事業とそれ以外の公募型の研究費である各事業を「競争的研究費」として一本化し、これまで競争的資金の使用に関して統一化・簡素化したルールについて、競争的資金以外の研究資金にも適用を拡大した。さらに、各事業が個別に定めていた応募様式を統一し、府省共通研究開発管理システム（e-Rad[2]）を通じて、統一した様式による申請が可能となるよう対応を進めている。

5．「研究力強化・若手研究者支援総合パッケージ」のフォローアップ

内閣府は「研究力強化・若手研究者支援総合パッケージ」に示された取組について、進捗状況や今後の方針についてフォローアップを実施した。令和4年度には、「研究に専念する時間の確保」を取り上げ、研究に専念する時間を増やすという「量」的な観点と、研究の効率化や高度化などといった「質」的な観点に分類し議論した。これらの議論を大学等のマネジメント層へ向けて、行動変容を促すためのガイドラインとして取りまとめた。このガイドラインは改定された「地域中核・特色ある研究大学総合

1　Accreditation of Partnership on Research Assistance Service
　　研究支援サービス・パートナーシップ認定制度　https://www.mext.go.jp/a_menu/kagaku/kihon/1422215_00001.htm

2　府省共通研究開発管理システムの略称で、Research and Development（科学技術のための研究開発）の頭文字に、Electronic（電子）の頭文字を冠したもの。

振興パッケージ」（第2章第2節 ③ ❸参照）とも連動し、各大学の研究環境やマネジメント体制に対する指針となっている。

令和5年度には、大学等のマネジメント層のみでは対応できない制度運用上の課題の把握を目指し、競争的研究費の申請や評価をはじめとする「大学の評価疲れ申請疲れに関するアンケート」を実施した。

❼　人文・社会科学の振興と総合知の創出

科研費は、人文学・社会科学から自然科学までの全ての分野にわたり、あらゆる学術研究を対象とする競争的研究費であり、研究の多様性を確保しつつ独創的な研究活動を支援することにより、研究活動の裾野の拡大を図り、持続的な研究の発展と重厚な知的蓄積の形成に資する役割を果たしている。

日本学術振興会が実施している「課題設定による先導的人文学・社会科学研究推進事業」において、科学技術・学術審議会学術分科会 人文学・社会科学特別委員会の審議のまとめ等を踏まえ、令和3年度より、「学術知共創プログラム」を開始し、人文学・社会科学に固有の本質的・根源的な問いを追究する研究を推進している。

文部科学省は、客観的根拠（エビデンス）に基づいた合理的なプロセスによる科学技術・イノベーション政策の形成の実現を目指し、「科学技術イノベーション政策における『政策のための科学』推進事業」を実施している。本事業では、科学技術・イノベーション政策を科学的に進めるための研究人材や同政策の形成を支える人材の育成を行う拠点（大学）に対して支援を行うとともに、これらの複数の拠点をネットワークによって結び、我が国全体で体系的な人材育成が可能となる仕組みを構築している。さらにこれらの拠点を中心として、課題設定の段階から行政官と研究者が政策研究・分析を協働して行う研究プロジェクトの実施を進めている。

コラム2-13　近年のメタサイエンス運動の広がりについて

近年、欧米を中心に「メタサイエンス」と呼ばれる運動が盛んになっています。メタサイエンスとは、文字通り科学を「メタ」に研究することを指し、従前から使用されていましたが、近年、資金配分機関やアントレプレナーなども巻き込む運動として広がってきています。

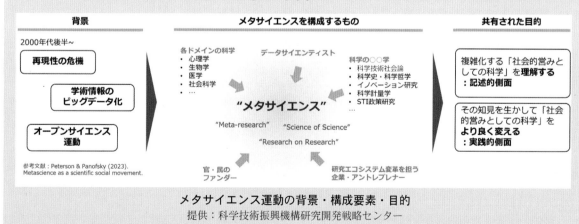

メタサイエンス運動の背景・構成要素・目的
提供：科学技術振興機構研究開発戦略センター

その背景には、①2000年代後半からの「再現性の危機」への問題意識の高まり、②科学の計量的研究への
データサイエンティストたちの参入、③オープンサイエンス運動、という三つの要素の交差があるとされて
います[1]。公開された研究結果の多くが再現できない、いわゆる「再現性の危機」の問題が2010年代に心理学
を中心に沸き起こり、他分野にも波及しましたが、この問題への構造的な改善に立ち上がった人々がメタサ
イエンスコミュニティの一つのコアをなしています。さらに、オープンサイエンスを含む今日の科学の様々
な改善の余地に目を向け、そのための知見を求める機運も出てきました。そこにネットワーク科学やデータ
サイエンスの最新の手法を携えて研究者が学術情報を解析する「科学の科学（Science of Science）」の登場
が重なり、メタサイエンスのブームが形成されたと見立てられています。

メタサイエンスは、科学の営みの理解を目指す記述的な側面だけでなく、研究開発のエコシステムの改善
のためのエビデンスを得ていこうという介入的な姿勢も包含します[2]。そのため、アカデミアの研究者のみな
らず各国の資金配分機関や民間財団の関心も高く、近年メタサイエンスを研究・実践する拠点が多数登場し
ています。

例えば、2019年に、ＲｏＲＩ（Research on Research Institute）が、英国Wellcome Trust（公益信託団体）、
Digital Science社（英国で研究支援を加速的に進めているとされる企業）、英国シェフィールド大学、オランダ
のライデン大学によって立ち上がりました。2022年12月現在、13か国から21の機関が参加しています。２年
間のパイロットフェーズを経て、2022年には５年間の第２フェーズに入っており、研究ファンディング、研究
の評価、研究データ活用、研究者のキャリア、論文のピアレビューに関する研究プロジェクトを推進していま
す。

また、2019年より、メタサイエンスを主題とする国際会議Metascience Conferenceが２年おきに開催され
ています。３回目となる2023年は、米国にて、オープンサイエンスを推進する非営利団体ＣＯＳ（Center for
Open Science）と上述のＲｏＲＩ等の共催により開催されました。本会議は、世界中のメタサイエンス系の
実践者、政策関係者、資金配分機関が参加するメタサイエンス運動に関する象徴的なイベントとなっており、
今後、この急速なムーブメントに対応するため、我が国からも積極的な参加が期待されます[3]。

中央教育審議会大学分科会大学院部会では、
人文科学・社会科学系における高度人材の社会
的評価や認知の不足、大学院教育に関する課題
を解決するための方策を検討した上で、中央教
育審議会大学分科会において「人文科学・社会
科学系における大学院教育の振興方策につい
て」（審議まとめ）（令和５年12月22日）を取
りまとめ、公表した。

内閣府では、人間や社会の総合的理解と課題
解決に貢献する「総合知」に関する基本的な考
え方、さらに戦略的な推進方策を検討し、令和
４年３月に中間取りまとめとして取りまとめ、
その普及啓発のため総合知ポータルサイトの
開設やキャラバンの実施等を推進している（第

2章第1節 6 ❶参照）。

文部科学省科学技術・学術政策研究所では、
総合知に関する意識の変化をモニタリングす
るため、基本計画と連動して毎年実施している
ＮＩＳＴＥＰ定点調査で「総合知」に関連する
質問を行い、経年比較を実施した。

❽ 競争的研究費制度の一体的改革

競争的研究費制度[4]は、競争的な研究環境を
形成し、研究者が多様で独創的な研究に継続
的・発展的に取り組む上で基幹的な研究資金制
度であり、これまでも予算の確保や制度の改善
及び充実に努めてきた（令和５年度当初予算額
１兆1,050億円[5]）。

1　Peterson, D., Panofsky, A., (2020), "Metascience as a scientific social movement". https://osf.io/preprints/socarxiv/4dsqa
2　Nielsen, M., Qiu, K., (2022), "A Vision of Metascience: An Engine of Improvement for the Social Processes of Science".
　　https://scienceplusplus.org/metascience/index.html
3　本コラムは科学技術振興機構研究開発戦略センター（2023）「拡張する研究開発エコシステム　研究資金・人材・インフラ・情報循環の変
　　革に乗り出すアントレプレナーたち」を参考に記載している。
4　競争的研究費制度　https://www8.cao.go.jp/cstp/compefund/

5　予算額を内数としている事業は含まない。

「統合イノベーション戦略2019」（令和元年6月21日閣議決定）及び「統合イノベーション戦略2020」（令和2年7月17日閣議決定）に基づき、我が国の研究力強化のため、令和2年度以降順次、研究者の研究時間の確保のため、競争的研究費の直接経費から研究以外の業務の代行に係る経費の支出を可能とすることや、競争的研究費の直接経費から研究代表者への人件費を支出することにより確保された財源を、研究機関において研究力向上のために活用することを可能としている。

研究者の事務負担を軽減し、研究時間の確保を図る観点から、従来の「競争的資金」に該当する事業とそれ以外の公募型の研究費である各事業を「競争的研究費」として一本化し、統一的なルールの下で各種事務手続の簡素化・デジタル化・迅速化に係る取組等の改善を図っている（第2章第2節 ❶ ❻参照）。あわせて競争的研究費における間接経費についても、直接経費に対する割合等を含め「競争的研究費」として扱いを一本化するとともに、間接経費に係る使途報告、証拠書類の簡素化に係る取組を令和4年度より実施している。

さらに、博士課程学生の処遇向上に向けて、競争的研究費における博士課程学生の活用に伴うRA経費等の適正な支出を促進している（第2章第2節 ❶ ❶参照）。

また、女性研究者の更なる活躍と男女共同参画等を促進するため、第6期科学技術・イノベーション基本計画や「男女共同参画基本計画」（令和2年12月25日閣議決定）、「Society 5.0の実現に向けた教育・人材育成に関する政策パッケージ」（令和4年6月2日総合科学技術・イノベーション会議決定）に基づき、競争的研究費制度において、各事業の性格等を考慮しつつ、男女共同参画や性差の視点を踏まえた研究の促進や、出産・育児・介護等のライフイベントが生じても男女の研究者が共に働き続けやすい研究環境の整備の推進、さらには次代を担う理工系分野の人材育成の促進に向け、デジタルも活用しながら研究者等が研究活動成果を子供たちにアウトリーチする取組の促進等に関し、統一ルールを定め、令和5年度から適用している。

また、各制度では、公正かつ透明で質の高い審査及び評価を行うため、審査員の年齢や性別及び所属等の多様性の確保、利害関係者の排除、審査員の評価システムの整備、審査及び採択の方法や基準の明確化並びに審査結果の開示を行っている。

例えば、科研費では、8,000人以上の研究者によるピアレビューにより審査が実施されている。日本学術振興会は、審査委員候補者データベース（令和5年度、登録者数約15万3,000人）を活用し、研究機関のバランスや若手研究者、女性研究者の積極的な登用等に配慮しながら、審査委員を選考している。また、応募者本人に対する審査結果の開示については、内容を順次充実させてきており、例えば、不採択課題全体の中でのおおよその順位や評定要素ごとの平均点等の数値情報のほか、応募者により詳しく評価内容を伝えるために、審査委員が不十分であると評価した評定要素ごとの具体的な項目についても、「科研費電子申請システム」により開示している。

競争的研究費をはじめとする公的研究費の不正使用の防止に向けた取組については、「公的研究費の不正使用等の防止に関する取組について（共通的な指針）」（平成18年8月31日総合科学技術会議）や「研究機関における公的研究費の管理・監査のガイドライン（実施基準）」（平成19年2月15日文部科学大臣決定。以下「ガイドライン」という。）等の指針を策定してきた。また、研究機関における不正防止に向けた体制整備の状況を調査するなどモニタリングを徹底するとともに、必要に応じ、改善に向けた指導・措置を講じることで、適切な管理・監査体制の整備を促してきた。さらに、文部科学省では、令和3年2月に改正したガイドラインに基づく研究機関での具体的な取組事例を情報発信し、公的研究費の不正使用の防止に取り組んでいる。

② 新たな研究システムの構築（オープンサイエンスとデータ駆動型研究等の推進）

昨今、ビッグデータ等の多様なデータ収集や分析等が容易となる中、シミュレーションやＡＩを活用したデータ駆動型の研究手法が拡大している。このことは、社会全体のデジタル化や世界的なオープンサイエンスの潮流により、研究そのもののデジタルトランスフォーメーション（研究ＤＸ）が求められているといえる。さらには、新型コロナウイルス感染症を契機として世界的にも研究ＤＸの進展が加速しており、我が国においても重要なキーワードとなる研究データの管理・利活用促進や研究ＤＸを支えるインフラストラクチャーの整備を進めるなど、研究ＤＸがもたらす新たな社会の実現に向けた研究システムの構築に取り組んでいる。

❶ 信頼性のある研究データの適切な管理・利活用促進のための環境整備

様々な研究活動によって創出される研究データは、我が国のみならず世界にとって重要な知的資産といえる。一方で、産業競争力や科学技術・学術上の優位性の確保等の重要な情報を含むものもあることから、国際的な貢献と国益の双方を考慮するため、オープン・アンド・クローズ戦略に基づく研究データの管理・利活用を実行することが重要である。これらのことから、我が国のナショナルポリシーとして「公的資金による研究データの管理・利活用に関する基本的な考え方」（令和３年４月27日統合イノベーション戦略推進会議決定）が定められ、研究データの管理・利活用を図るため、メタデータを検索可能とする研究データ基盤の構築等環境整備を進めている。

国立情報学研究所（ＮＩＩ[1]）では、イノベーション創出に必要な学術情報を適切に管理・保存し、そして、利用者に提供するための様々なサービスを実施している。研究データの管理・利活用促進のため、クラウド上で大学等が共同利用できる研究データの管理・共有・公開・検索を促進するシステム（ＮＩＩＲＤＣ[2]）の運用を継続しており、これを用いて、機能高度化やガイドラインの作成等の取組を推進する、「ＡＩ等の活用を推進する研究データエコシステム構築事業」を令和４年度から、理化学研究所、東京大学、名古屋大学、大阪大学とともに開始している。

科学技術振興機構（ＪＳＴ[3]）では、「オープンサイエンス促進に向けた研究成果の取扱いに関するＪＳＴの基本方針」において、研究プロジェクトの成果に基づく研究成果論文のオープンアクセス化、研究データのデータマネジメントプランに基づく保存・管理等を原則とすることで、オープンサイエンス促進に向けた環境整備を行っている。また、文献・特許等、10種の科学技術情報をつなぎ、幅広い分野や業種で活用できる情報を提供するサービス（Ｊ－ＧＬＯＢＡＬ）や、国内外の科学技術関係の文献データを網羅的に検索・分析できる科学技術文献データベース検索サービス（ＪＤｒｅａｍⅢ）、研究者自身が業績を管理・発信できる研究者総覧データベース（researchmap）、国内の学協会等における科学技術刊行物の発行を支援する電子ジャーナルプラットフォーム（Ｊ－ＳＴＡＧＥ[4]）、未発表の査読前論文をオープンアクセスで公開する我が国で初めての本格的なプレプリントサーバ（Ｊｘｉｖ）等を通じた科学技術情報基盤の環境整備により、公的機関・民間企業と連携した科学技術情報の収集・保存・公開等、研究開発活動を支えている。さらに、同機構ＮＢＤＣ事業推進部では、「ライフサイエンスデータベース統合推進事業」によりオープンサイエンスの推進に寄与している。統合データベース構築支援や統合のための技術開発、及び、生命科学系データベース

1 　National Institute of Informatics
2 　NII Research Data Cloud
3 　Japan Science and Technology Agency
4 　Japan Science and Technology Information Aggregator, Electronic

を統合的に活用するための情報基盤の整備を実施した。また、令和5年度は11課題の統合データベース構築支援を実施した。

農林水産省は、国内で発行されている農林水産関係学術誌の論文等の書誌データベース（JASI[1]）など、農林水産関係の文献情報や図書資料類の所在情報を構築・提供している。また、研究開発型の独立行政法人、国公立試験研究機関や大学の農林水産分野の研究報告等をデジタル化した全文情報データベース、試験研究機関で実施中の研究課題データベース等を構築・提供している。

環境省は、生物多様性情報システム（J－IBIS[2]）において、全国の自然環境及び生物多様性に関する情報の収集・管理・提供をしている。

理化学研究所、物質・材料研究機構や防災科学技術研究所は、我が国が強みを生かせるライフサイエンス、マテリアルや防災分野で、膨大・高品質な研究データを利活用しやすい形で集積し、産学官で共有・解析することにより、新たな価値の創出につなげる取組を進めている。

日本学術振興会では、「論文のオープンアクセス化に関する実施方針」及び「研究データの取扱いに関する基本方針」を制定し、科研費等によるオープンサイエンスを推進している。

❷ 研究DXを支えるインフラ整備と高付加価値な研究の加速

政府は、研究DXを推進するため、ネットワーク、データインフラや計算資源について世界最高水準の研究基盤を形成・維持するとともに、時間や距離の制約を超えて、研究を遂行できるよう、遠隔から活用するリモート研究や、実験の自動化等を実現するスマートラボの普及に取り組んでいる。また、最先端のデータ駆動型研究、AI駆動型研究の実施を促進するとともに、これらの新たな研究手法を支える情報

科学技術の研究を進めている。さらに、公的資金によって生み出された学術論文等の研究成果を研究者が自由に、かつ広く公開・共有し、国民が広くその知的資産にアクセスできる環境を構築するため、「学術論文等の即時オープンアクセスの実現に向けた基本方針」（令和6年2月16日統合イノベーション戦略推進会議決定）を策定した。

1．SINETの整備、運用

国立情報学研究所は、大学等の学術研究や教育活動全般を支える基幹的ネットワークとして学術情報ネットワーク（SINET）を整備・運用しており、令和4年度からは、全都道府県にわたり400Gbps[3]（沖縄は200Gbps）での運用を開始した。また、国際的な先端研究プロジェクトで必要とされる国際間の研究情報流通を円滑に進めるため、米国や欧州等多くの海外研究ネットワークとの連携を進めているほか、国立大学等と連携して、セキュリティ強化に向けて引き続き対応を進めている。

2．研究施設・設備の整備・共用、ネットワーク化の促進

科学技術の振興のための基盤である研究施設・設備は、整備や効果的な利用を図ることが重要である。また、「科学技術・イノベーション創出の活性化に関する法律」（平成20年法律第63号）においても、国立大学法人及び国立研究開発法人等が保有する研究開発施設・設備及び知的基盤の共用の促進を図るため、国が必要な施策を講じる旨が規定されている。

このため、政府は科学技術に関する広範な研究開発領域や産学官の多様な研究機関に用いられる共通的、基盤的な施設・設備に関し、その有効利用や活用を促進するとともに、施設・設備の相互のネットワーク化を図り、利便性、相互補完性、緊急時の対応力等を向上させるた

1　Japanese Agricultural Sciences Index
2　Japan Integrated Biodiversity Information System
3　Giga bit per second：ビットパーセカンド（bps）はデータ伝送速度の単位の一つで1秒間に何ビットのデータを伝送できるかを表す。毎秒10億ビット（1ギガビット）のデータを伝送できるのが1Gbpsである。

めの取組を進めている。

（1）特定先端大型研究施設

　「特定先端大型研究施設の共用の促進に関する法律」（平成6年法律第78号）（以下「共用法」という。）においては、特に重要な大規模研究施設は特定先端大型研究施設と位置付けられ、計画的な整備及び運用並びに中立・公正な共用が規定されている。

　ア　大型放射光施設（SPring-8）／X線自由電子レーザー施設（SACLA）

　SPring-8[1]は、光速近くまで加速した電子の進行方向を曲げたときに発生する極めて明るい光である「放射光」を用いて、物質の原子・分子レベルの構造や機能を解析できる研究基盤施設である。平成9年の共用開始以降、生命科学、

大型放射光施設（SPring-8）及び
X線自由電子レーザー施設（SACLA）
提供：理化学研究所

環境・エネルギー、新材料開発など、我が国の経済成長を牽引（けんいん）する様々な分野で革新的な研究開発に貢献している。

　近年では計測装置等の自動化を推進し、自動測定や来所不要の遠隔実験も可能とするなど、研究開発支援体制を強化している。また、大容量の高精度計測データを有効に活用するため、令和4年度には大容量データの保管、輸送及びオープンデータ利活用に対応するための「SPring-8データセンター」を整備し、令和5年度から稼働している。

　SACLA[2]は、レーザーと放射光の特長を併せ持つ究極の光を発振し、原子レベルの超微細構造の解析や化学反応の超高速動態・変化の観察ができる世界最先端の研究基盤施設である。平成24年3月に共用を開始し、平成29年度より、世界初となる電子ビームの振り分け運転[3]による2本の硬X線自由電子レーザービームラインの同時共用が開始されるなど、更なる高インパクト成果の創出に向けた利用環境を整備している。令和2年度からはSPring-8へ電子ビームを供給する入射器としてもSACLAを利用しており、省エネ化を達成すると同時に、SPring-8における、より高品質で安定した放射光の提供にも貢献している。令和5年度にはAIを用いたX線自由電子レーザー（XFEL[4]）のスペクトル輝度の自動調整に成功し、精度の向上やビーム調整時間の短縮によるXFEL利用時間の増大に貢献した。

1　　Super Photon ring-8 GeV
2　　SPring-8 Angstrom Compact free electron LAser
3　　線形加速器からの電子ビームをパルスごとに複数のビームラインに振り分けることで、複数のビームラインを同時に利用可能。
4　　X-ray Free Electron Laser

コラム2-14　車載用燃料電池内部の水の分布と移動を中性子と放射光によって可視化

　水素と酸素（空気）から電気を生成し、副生成物として水しか排出しない燃料電池は、水素社会を実現するために欠かすことができない重要な機器の一つです。燃料電池の性能向上には、電極や電解質といった材料の開発だけでなく、発電によって作られる「水」の管理が重要です。燃料電池の内部に水が溜まると、電極に水素や酸素が上手く届かず発電性能が低下するため、水を電池の外に効率的に排出する仕組みが必要です。その仕組みを作るためには、燃料電池内のどこに水が滞留し、どのように排出されるのかを理解する必要があります。燃料電池は金属ケースで覆われており内部の水を観察するのが難しいので、これまでの開発現場ではコンピュータを用いたシミュレーションが力を発揮してきましたが、燃料電池内部の水の動きをより正しく理解するために、シミュレーションだけでなく実際に観察することが強く求められています。

　豊田中央研究所と日本原子力研究開発機構、一般財団法人総合科学研究機構ではこれまで、大型放射光施設SPring-8豊田ビームラインにおいて高分解能観察技術の開発を進めるとともに、大強度陽子加速器実験施設J－PARCのエネルギー分析型中性子イメージング装置「RADEN」において広視野観察技術の開発を進めてきました。本研究ではこれらの観察技術を活用して、物体の深い位置まで広い視野で観察できる中性子の特性を生かした燃料電池内部のマクロな水分布の広視野での可視化と、物体の微少な領域を細かく観察できる放射光X線の特性を生かした燃料電池内部の積層方向におけるミクロな水分布の高分解能での可視化に取り組みました。その結果、令和5年7月、燃料電池の長尺方向数十cmにわたり形成される特徴的な水の分布が、燃料電池内部の積層方向数百μmにおける水の移動の影響を受けていることを明らかにしました。

　本研究では中性子と放射光X線という二つの分析技術を組み合わせることで、シミュレーションで予測されていた燃料電池内部のマクロな水分布を実際に捉え、さらに電極間のミクロな水の移動がマクロな水分布に大きく影響していることを突き止めました。燃料電池の性能を左右する溜まった水の分布や移動を、開発した水解析技術で正しく理解することで、電池の性能を発揮させる最適な制御方法の確立や、水を排出するために最適な材料や流路のコンセプト立案と検証など、燃料電池の研究開発に大きく貢献できることが期待されます。

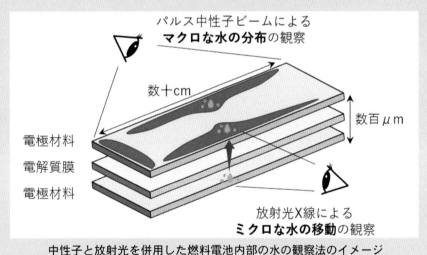

中性子と放射光を併用した燃料電池内部の水の観察法のイメージ
資料：日本原子力研究開発機構「自動車向け燃料電池内部の水の挙動を解明
〜中性子と放射光による観察に世界で初めて成功〜」より引用[1]

1　　　JAEAプレスリリース「自動車向け燃料電池内部の水の挙動を解明〜中性子と放射光による観察に世界で初めて成功〜」
https://www.jaea.go.jp/02/press2023/p23101101/

イ　SPring-8の高度化（SPring-8-Ⅱ）に関する取組

SPring-8は平成9年の共用開始から25年以上が経過し、諸外国と比較して、老朽化や輝度の低さなどにより後れをとっている。次世代半導体やグリーン・トランスフォーメーション（GX）社会の実現など、産業・社会の大きな転機を見据え、2030年に向けて、現行の100倍となる輝度をもつ世界最高峰の放射光施設を目指し、経済安全保障の最重要基盤技術の一つとして、SPring-8の高度化（SPring-8-Ⅱ）が必須である。文部科学省における「SPring-8の高度化に関するタスクフォース」の検討の結果等を踏まえ、令和11年度の共用開始を目指して、令和6年度当初予算で必要な予算を計上し、SPring-8-Ⅱに向けたプロトタイプ製作・技術実証等を進めることとしている。

ウ　スーパーコンピュータ「富岳」

スーパーコンピュータを用いたシミュレーションは、理論、実験と並ぶ、現代の科学技術の第3の手法として最先端の科学技術や産業競争力の強化に不可欠なものとなっている。スーパーコンピュータ「富岳」は、我が国が直面する社会的・科学的課題の解決に貢献するため、「京」（平成24年9月〜令和元年8月）の後継機として、令和3年3月に共用を開始した。システムとアプリケーションの協調的開発（co-design）により、世界最高水準の計算性能と汎用性の実現に向けて開発をされた計算機である。

気象庁による線状降水帯予測の高度化研究におけるリアルタイムシミュレーションや、企業コンソーシアムとの連携によるAIを活用した創薬研究など、防災・減災、ものづくり、ライフサイエンス、環境・エネルギーといった幅広い分野で「富岳」の活用が広がっている。さらに、共用計算基盤として、「富岳」も含めた国内の大学や研究機関などのスーパーコン

スーパーコンピュータ「富岳」
提供：理化学研究所計算科学研究センター

ピュータやストレージを学術情報ネットワーク（SINET）でつなぎ、多様な利用者のニーズに対応する革新的ハイパフォーマンス・コンピューティング・インフラ（HPCI）の構築を進め、様々な分野でのスーパーコンピュータの利用を推進している。加えて、ポスト「富岳」を見据えた我が国の計算基盤の在り方について、有識者会議で検討を進めた。また、並行して令和4年8月より、「次世代計算基盤に係る調査研究」を実施し、ポスト「富岳」時代の次世代計算基盤を国として戦略的に整備するため、我が国として独自に開発・維持すべき技術を特定しつつ、具体的な性能・機能等について検討を行っている。

エ　大強度陽子加速器施設（J−PARC）

J−PARC[1]は、平成21年度に全施設が稼

大強度陽子加速器施設（J−PARC）
提供：J−PARCセンター

1　Japan Proton Accelerator Research Complex

働し、世界最高レベルのビーム強度を持つ陽子加速器を利用して生成される中性子、ミュオン[1]、ニュートリノ[2]等の多彩な二次粒子を利用して、幅広い分野における基礎研究から産業応用まで様々な研究開発に貢献している。物質・生命科学実験施設（特定中性子線施設）では、革新的な材料や新しい薬の開発につながる構造解析等の研究が行われ、多くの成果が創出されている。令和5年度には、大強度陽子加速器施設評価作業部会による中間評価報告書が取りまとめられ、将来計画の実現に向けた取組等の重要性が指摘された。令和5年度は、ＤＸを活用した成果創出の効率性向上に資するデータセンターの整備を継続している。特に、中性子実験装置の制御や自動測定を行うためのソフトウェアフレームワーク（ＩＲＯＨＡ２[3]）の適用拡大を進め、実験のアライメントの自動化・遠隔化を行った。原子核・素粒子実験施設（ハドロン実験施設）やニュートリノ実験施設は共用法の対象外の施設であるが、国内外の大学等の研究者との共同利用が進められている。特に、ニュートリノ実験施設では、2015年（平成27年）にノーベル物理学賞を受賞したニュートリノ振動の研究に続き、その更なる詳細解明を目指して、Ｔ２Ｋ（Tokai to Kamioka）実験が進行中で、ハイパーカミオカンデ計画も進んでいる。

3GeV高輝度放射光施設（NanoTerasu）
提供：量子科学技術研究開発機構

（2）3GeV高輝度放射光施設（NanoTerasu）

NanoTerasuは、軽元素を感度良く観察できる高輝度な軟Ｘ線を用いて、従来の物質構造に加え、物質の機能に影響を与える電子状態の可視化が可能な次世代の研究基盤施設で、学術研究だけでなく触媒化学や生命科学、磁性・スピントロニクス材料、高分子材料等の産業利用も含めた広範な分野での利用が期待されている。文部科学省は、本施設について官民地域パートナーシップにより推進することとしており、量子科学技術研究開発機構を施設の整備・運用を進める国の主体とし、さらに平成30年7月、一般財団法人光科学イノベーションセンターを代表とする、宮城県、仙台市、東北大学及び一般社団法人東北経済連合会の5者を地域・産業界のパートナーとして選定した。令和4年度には加速器等の主要機器の据付け等が完了し、令和5年4月には計画を1か月前倒して線形加速器で定格での電子加速に成功、同年6月には予定より1.5か月早く円形加速器で定格での電子蓄積に成功、同年12月にはファーストビームが確認されるなど着実に整備が進められ、令和6年4月に運用を開始した。

さらに、令和5年5月には、NanoTerasuを新たに「特定先端大型研究施設」に追加するとともに量子科学技術研究開発機構に本施設の共用に関する業務を行わせること等の措置を講ずる「特定先端大型研究施設の共用の促進に関する法律の一部を改正する法律」が成立したほか、同年10月には「特定先端大型研究施設の共用の促進に関する法律施行規則」等の改正省令の公布、同年11月には文部科学大臣が定めるNanoTerasuの共用に関する基本的な方針の告示がなされた。

（3）研究施設・設備間のネットワーク構築

文部科学省では、国内有数の先端的な研究施設・設備について、その整備・運用を含めた研

1　高エネルギー陽子ビームと原子核の反応で生成されるパイ中間子の崩壊によって生まれる素粒子。正あるいは負の電荷を持ち、重さは電子の約200倍。
2　素粒子の一つ。電気的に中性で物質を通り抜けるため検出が難しく、質量などその性質は未知の部分が多い。
3　利用者が使用する多種多様な実験機器を、ユーザーフレンドリーで自動測定を可能に制御するソフトウェアフレームワーク。

究施設・設備間のネットワークを構築し、遠隔利用・自動化を図りつつ、ワンストップサービスによる利便性向上を図り、全ての研究者への高度な利用支援体制を有する全国的なプラットフォームを形成する取組を進めている。

（４）研究機関全体の研究基盤として戦略的に研究設備・機器を導入・更新・共用する仕組みの強化

文部科学省は、研究機関全体で設備のマネジメントを担う統括部局の機能を強化し、学部・学科・研究科等の各研究組織での管理が進みつつある研究設備・機器を、研究機関全体の研究基盤として戦略的に導入・更新・共用する仕組みを強化（コアファシリティ化）する取組を進めている。

また、大学等における研究設備・機器の戦略的な整備・運用を推進するため、令和４年３月に「研究設備・機器の共用推進に向けたガイドライン[1]」を策定し、大学等への周知活動を進めている。

３．知的基盤の整備・共用、ネットワーク化の促進

文部科学省は、ライフサイエンス研究の基盤となる研究用動植物等のバイオリソースのうち、国が戦略的に整備することが重要なものについて、体系的に収集、保存、提供等を行うための体制を整備することを目的として、「ナショナルバイオリソースプロジェクト」を実施しており、令和５年度では33リソースの支援を実施した。

経済産業省は、我が国の研究開発力を強化するため、産業構造審議会 産業技術環境分科会 知的基盤整備特別小委員会・日本産業標準調査会基本政策部会知的基盤整備専門委員会 合同会議において審議した第３期知的基盤整備計画を令和３年５月に取りまとめ、公表した。これまでの第３期知的基盤整備計画における各分野の進捗は以下のとおりである。

計量標準・計測については、産業技術総合研究所が、各種取組を実施した。規制等に資する粒子特性に関する標準の範囲拡大を目指し、自動車排出規制における、粒径と粒子数濃度の計量トレーサビリティ確保のニーズに応えるため、粒子分級器（微分型電気移動度分析器、ＤＭＡ[2]）の分級粒径の精度を保証するための、高精度な粒径校正技術を開発し、ＤＭＡ粒子分級器に対する校正サービス開始に向けた準備を整えた。グリーン社会実現に貢献するため、水素ステーションで用いられる水素ディスペンサー評価のため、自動車充填用の水素燃料計量システムの産業規格であるＪＩＳ　Ｂ　8576を計量精度検査装置の実証試験結果に基づき改正し、令和５年10月に発行された。老朽化したインフラ設備の迅速・正確な健全性診断のため、モアレ画像計測による変位分布測定技術を応用した、ドローン空撮による橋 梁（きょうりょう）のたわみ計測技術を関連企業に技術移転するとともに、インフラ健全性診断の事業化を支援した（第２-２-10図）。また、臨床検査の精度向上を目的として、臨床検査項目となっているステロイドホルモンの精確な分析技術と、これらを含んだ生体試料を用いた標準物質の調製技術を開発し、複数のステロイドホルモンの濃度を値付けした、ヒト血清標準物質を開発した。さらに、計量標準における国際的なＤＸ推進の枠組みへ参画し、それらの動向を踏まえ、デジタル校正証明書を発行するための体制を整備し、準備が整った校正品目について、依頼者の要望に応じてデジタル校正証明書の発行を行った。また、効果的・効率的な普及啓発・人材育成のため、

1　研究設備・機器の共用推進に向けたガイドライン
　　https://www.mext.go.jp/content/20220329-mxt_kibanken01-000021605_2.pdf

2　Differential Mobility Analyzer

講演会等の対面開催や展示会への出展を行ったほか、一般の幅広い年齢層に計量標準を知ってもらうため、ウェブサイトのリニューアルやSNSの活用などの情報発信にも取り組んだ。

■第2-2-10図／ドローン空撮による橋梁のたわみ計測

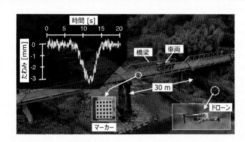

提供：産業技術総合研究所

微生物遺伝資源については、製品評価技術基盤機構が、微生物遺伝資源の収集・保存・分譲を行うとともに、これらの資源に関する情報（系統的位置付け、遺伝子に関する情報等）を整備・拡充し、幅広く提供している（令和5年4月から12月末までの分譲株数は5,107株）。また、微生物遺伝資源の保存と持続可能な利用を目指した14か国・地域の30機関のネットワーク活動（アジア・コンソーシアム、平成16年設立）への参加を通じて、アジア各国との協力関係を構築し、生物多様性条約や名古屋議定書を踏まえたアジア諸国の微生物遺伝資源の利用を支援している。

地質情報については、産業技術総合研究所が、5万分の1地質図幅3区画（「荒砥」、「伊予長浜」及び「外山」）の出版、20万分の1地質図幅「富山（第2版）」（第2-2-11図）の出版、海洋地質図「積丹半島付近海底地質図」の出版、20万分の1日本シームレス地質図V2の更新を行っている。火山地質では、「低頻度大規模噴火災害に対応する大規模火砕流分布図2区画（『阿蘇カルデラ阿蘇4火砕流堆積物分布図』及び『阿蘇カルデラ阿蘇3火砕流堆積物分布図』）」を出版した。そのほか、データ統合に向けて、地球科学図類のデジタルデータ化を

加速し、一部の既存データベースの連携利用のためのAPI[1]を着実に整備した。

■第2-2-11図／20万分の1地質図幅「富山（第2版）」

提供：産業技術総合研究所

ゲノム・データ基盤プロジェクトでは、ゲノム・データ基盤の整備・利活用を促進し、ライフステージを俯瞰した疾患の発症・重症化予防、診断、治療等に資する研究開発を推進することで個別化予防・医療の実現を目指すこととしている。厚生労働省の革新的がん医療実用化研究事業等において、令和4年9月に策定された「全ゲノム解析等実行計画2022」に基づき、がん・難病領域の全ゲノム解析等を行い、解析結果を活用した医療の提供を推進するとともに、臨床情報と全ゲノム解析の結果等の情報を連携させて搭載する情報基盤の構築や、その利活用に係る環境整備に取り組んでいる。また、文部科学省の東北メディカル・メガバンク計画においても、ゲノム・データ基盤の一環として、一般住民10万人の全ゲノム解析を官民共同で実施しており、令和5年6月時点で6.9万人分の解析を終了している。

4．数理・情報科学技術に係る研究

文部科学省は、Society 5.0の実現に向けた数理科学の展開に当たり、産学官にて数理科学の目指す姿を共有した上で、数学・数理科学の知的資産としての価値が正しく評価され、諸科

1　Application Programming Interface

学・産業界との共同研究等の取組を加速することによって、新産業や社会変革を伴うイノベーションを創造し、得られた成果が学問へ再投資される機能拡張モデルの構築を目指している。令和6年3月に、令和6年度戦略目標として、数理を中心とした異分野との連携により、地球規模課題・社会課題の重要な変革点を予測し、制御につなげることを目標にした「新たな社会・産業の基盤となる予測・制御の科学」を設定した。また、理化学研究所では数理創造プログラム（iTHEMS[1]）において、数学・理論科学・計算科学を軸とした諸科学の統合的解明、社会における課題発掘及び解決、さらに民間との共同出資により設立された株式会社理研数理との連携によるイノベーションの創出等に向けて取り組んでいる。

　情報科学技術を用い新たなプラットフォームを構築し、Society 5.0の先導事例を実現するため、平成30年度より、知恵・情報・技術・人材が高い水準でそろう大学等において、情報科学技術を核として様々な研究成果を統合しつつ、産業界、公共団体や他の研究機関等と連携して社会実装を目指す「Society 5.0実現化研究拠点支援事業」を実施している。

5．DXによる研究活動の変化等に関する分析

　文部科学省科学技術・学術政策研究所では、DXによる研究活動の変化等に関する新たな分析手法・指標の開発の一環として、研究データの公開・共用等のオープンサイエンスに係る実態調査を取りまとめ、経年比較を行った。

6．学術論文等のオープンアクセス化の促進

　令和5年5月のG7広島サミット及びG7仙台科学技術大臣会合を踏まえ、統合イノベーション戦略2023において「学術論文等の即時オープンアクセスの実現に向けた国の方針を策定する」ことが規定された。

　これを受け、総合科学技術・イノベーション会議 有識者議員は、令和5年10月30日に「公的資金による学術論文等のオープンアクセスの実現に向けた基本的な考え方」（以下「オープンアクセスの基本的な考え方」という。）を取りまとめ、学術論文等の即時オープンアクセスの実現に向けた国の方針（以下「我が国のオープンアクセス方針」という。）に盛り込むべき事項について整理を行った。

　オープンアクセスの基本的な考え方に基づき、令和6年2月16日に統合イノベーション戦略推進会議において「学術論文等の即時オープンアクセスの実現に向けた基本方針」が我が国のオープンアクセス方針として決定された。我が国のオープンアクセス方針では、令和7年度から新たに公募を行う即時オープンアクセスの対象となる競争的研究費を受給する者（法人を含む）に対し、該当する競争的研究費による学術論文及び根拠データの学術雑誌への掲載後、即時に機関リポジトリ等の情報基盤への掲載の義務付けやグローバルな学術出版社等に対する大学を主体とする集団交渉の体制構築を支援すること等が規定されている。

❸ 研究DXが開拓する新しい研究コミュニティ・環境の醸成

　文部科学省は、地方公共団体、NPOやNGO、中小・スタートアップ、フリーランス型の研究者、さらには市民参加など、多様な主体と共創しながら、知の創出・融合といった研究活動を促進することとしている。また、例えば、研究者単独では実現できない、多くのサンプルの収集や、科学実験の実施など多くの市民の参画を見込むシチズンサイエンスの研究プロジェクトの立ち上げなど、産学官の関係者のボトムアップ型の取組として、多様な主体の参画を促す環境整備を、新たな科学技術・イノベーション政策形成プロセスとして実践することとしている。

1　Interdisciplinary Theoretical and Mathematical Sciences Program

科学技術振興機構は、「サイエンスアゴラ」や、地方公共団体や大学等と連携して行うサイエンスアゴラ連携企画、未来社会デザインオープンプラットフォーム（ＣＨＡＮＣＥ[1]）等を通じ、多様な主体との対話・協働（共創）の場を構築し、知の創出・融合等を通じた研究活動の推進や社会における科学技術リテラシーの向上に寄与している。

また、令和５年度には、「市民参加による海洋総合知創出手法構築プロジェクト」の中核推進拠点として東京大学を採択し、市民と協働しながら、海洋に関する総合知を創出するための取組を開始した。

コラム2-15 四国モノづくりＤＸ研究会の取組

四国地域は近年深刻化する人手不足と低い生産性の課題に直面しています。これらの課題を解決するため、四国４県の公設試験研究機関と産業技術総合研究所四国センターは、令和３年11月に四国モノづくりＤＸ研究会を設立しました。

同研究会による四国４県製造業の業種別分析の結果、事業所数が特に多い食品製造業・金属加工業の従業員一人当たりの労働生産性は下位傾向であることが判明しました。労働生産性の向上のためにはＩｏＴ技術の導入が鍵となりますが、積極的な一部企業への導入が実現されたのみで、未導入企業への啓発やデジタル人材の育成といった課題の解決が必要でした。

つながる四国産業革新テストベッド
提供：四国モノづくりＤＸ研究会

そこで同研究会では、令和４年６月に産業技術総合研究所の「つながる工場テストベッド事業」の採択を受け、産業技術総合研究所臨海副都心センターのインダストリアルＣＰＳ研究センターとの共同研究「つながる四国産業革新テストベッド」として「食品製造管理模擬システム」（徳島県）、「工場機械の稼働状況管理模擬システム」（愛媛県）、「機械加工模擬工場」（インダストリアルＣＰＳ研究センター）を仮想工場とみなしたネットワークを構築し、①デモンストレーション（技術体感）、②セミナー（知識習得）、③現場実装支援などを通して四国地域のデジタル人材育成を行っています（図）。

デモンストレーションにおいては、令和５年９月に食品製造管理模擬システム、工場機械の稼働状況管理模擬システムのお披露目会を開催し、四国地域の企業16社20人が参加しました。参加者からは自社でも試してみたいという意見が寄せられました。また、セミナーにおいては、令和６年２月に低コストかつ簡単なプログラミングで温湿度モニタリングシステムの構築方法を学ぶハンズオンセミナーを開催し、四国地域の企業７社８人が参加しました。これらの取組を通じて、徳島県内酒造業５社がもろみを管理するシステムを、愛媛県内企業１社が温度状態を可視化するシステムを導入しました。導入企業からはインターネットからリアルタイムで現場の状態が把握できて利便性が向上したという意見が寄せられました。同研究会では、これらの企業をモデル企業として、他の企業への横展開のきっかけとし、更なる現場実装支援を行っていくこととしています。

今後も、四国モノづくりＤＸ研究会は、四国地域の産業の「業務の効率化」と「生産性向上」に資するよう地域産業のＤＸ推進に取り組んでいくこととしています。

1　CHAllenge driveN Convergence Engine

③ 大学改革の促進と戦略的経営に向けた機能拡張

多様な知の結節点であり、最大かつ最先端の知の基盤である大学はSociety 5.0を牽引する役割を求められている。不確実性の高い社会を豊かな知識基盤を活用することで乗りきるため、個々の強みを伸ばし、各大学にふさわしいミッションを明確化することで、多様な大学群の形成を目指している。

❶ 国立大学法人の真の経営体への転換

文部科学省は、第４期中期目標期間に向けて、中期目標の在り方の見直しを行い、国が総体としての国立大学法人に求める役割・機能に関する基本的事項を「国立大学法人中期目標大綱」として提示し、各法人がそれを踏まえた上で中期目標の原案を策定する取扱いとした。

なお、令和４年度より年度評価を廃止し、原則として６年間を通した業務実績を評価することとしている。

また、各国立大学法人が公表している「国立大学法人ガバナンス・コード」への適合状況等について、外部有識者の意見を踏まえながら確認を行っている。

さらに、様々なステークホルダーと共に、研究力の強化に向けて大学の活動を充実させる政策を進める中で、法人の大きな運営方針の継続性・安定性を確保することや、多様な専門性を有する方々にも運営に参画いただくことを目的として、令和５年12月に「国立大学法人法」（平成15年法律第112号）を改正し、事業の規模が特に大きい国立大学法人について、法人の大きな運営方針を決議する運営方針会議を設置することとした。

❷ 戦略的経営を支援する規制緩和

令和５年12月に成立した「国立大学法人法の一部を改正する法律」（令和５年12月20日法律第88号）によって長期借入等を充てることができる費用の範囲の拡大等の規制緩和を行った。

また、令和６年４月施行に向け、留学生受入れの質の向上を図るために必要な対価の徴収としての外国人留学生の授業料等の設定の柔軟化等を可能とする省令の改正を行った。

さらに、累次の税制改正によって国立大学法人に対する寄附の促進を図っているほか、国立大学法人会計基準については、損益均衡会計の廃止等、多様なステークホルダーからも理解しやすくするとともに、目的積立金を含む繰越しに関連する制度の在り方について検討し、施設設備の取替更新のための資金を積み立てることを可能とする改正を行った。

内閣府では、大学関係者、産業界及び政府による「大学支援フォーラムＰＥＡＫＳ[1]」を令和元年５月に設立し、大学における経営課題や解決策等の議論や規制緩和等の検討、大学経営層の育成を進めている。令和４年度からは、我が国の大学の成長モデルの構築及び大学経営人材の確保・育成を目的とした実証事業を実施し、令和５年度には、産学人材流動ワーキング・グループを新たに設置し、博士号取得者の産業界での活躍促進等に向けた具体的方策を検討した。

❸ 我が国の大学の研究力強化
１．10兆円規模の大学ファンドによる支援

近年、我が国の研究力は、諸外国と比較して相対的に低下している状況にあり、その一因は、特に欧米のトップレベル大学において、数兆円規模のファンドの運用益を活用し、研究基盤や若手研究員への投資を充実していることにあると指摘されている。このため、我が国においても、世界最高水準の研究大学を実現するため、国の資金を活用して大学ファンドを創設し、令和３年度末からその運用を開始し、令和６年度中の支援開始に向けた準備を着実に進めているところである。

1　Leaders' Forum on Promoting the Evolution of Academia for Knowledge Society

大学ファンドの支援対象となる国際卓越研究大学の選定に当たっては、令和4年11月に制度の意義、大学ファンドの支援対象大学の認定等に関する基本的な事項を定めた「基本的な方針」等に基づき、これまでの実績や蓄積のみで判断するのではなく、世界最高水準の研究大学の実現に向けた「変革」への意思（ビジョン）とコミットメントの提示に基づき、研究現場の状況把握や大学側との丁寧な対話を実施することとしている。

初回の公募を令和4年12月から令和5年3月まで実施し、10大学の申請を受け付けた。そして、令和5年8月に有識者会議において、初回の公募における国際卓越研究大学の認定候補として、東北大学を選定した。東北大学においては、工程等の一層の精査や明確化、必要なガバナンス体制の整備等を行っており、それらの状況について有識者会議で継続的に確認した上で、令和6年度中に文部科学大臣が認定・認可の可否を判断する予定としている。

これらの取組を通じ、大学自身の明確なビジョンの下、研究基盤の抜本的強化や若手研究者に対する長期的・安定的な支援を行うことにより、我が国の研究大学における研究力の抜本的な強化につなげていくこととしている。

2．地域中核・特色ある研究大学総合振興パッケージ

我が国の大学の研究力の底上げには、全国の大学が、個々の強みを伸ばし、各大学のミッションの下、多様な研究大学群を形成することも重要である。そのため、地域の中核大学や特定分野に強みを持つ大学が、"特色ある強み"を十分に発揮し、社会変革を牽引（けんいん）する取組を強力に支援するため、令和4年2月に「地域中核・特色ある研究大学総合振興パッケージ[1]」を決定した。令和5年2月には、同パッケージを改定し、地域中核・特色ある研究大学に求められる「機能」の観点から、目指す大学像に向けた大学自身の立ち位置を振り返る「羅針盤」の基本的な考え方を示すなど、質的・量的拡充を図るとともに、令和6年2月には、こうした内容を踏まえながら、さらに、新たな政府予算案の反映や対象事業の追加、参考事例の修正を行う等、同パッケージの改定を行った。

また、令和4年度第2次補正予算により、本パッケージの主な支援策の一つとして、日本学術振興会に造成した約1,500億円の基金による「地域中核・特色ある研究大学強化促進事業（J－PEAKS[2]）」等を新たに実施し、地域中核・特色ある研究大学に対し、強みや特色ある研究力を核とした戦略的経営の下、研究活動の国際展開や社会実装の加速・レベルアップの実現に必要なハードとソフト双方の環境構築の取組を支援していくこととしている。令和5年度には12大学を採択した。

本パッケージにより、全国に存在する我が国の様々な機能を担う多様な大学が、自らのミッションに応じて、様々な施策を選択的・段階的に活用することで強みや特色を強化し、トップレベルの研究大学とも互いに切磋琢磨（せっさたくま）できる関係を構築することで、我が国全体の研究力を向上させることを目指している。

❹ 大学の基盤を支える公的資金とガバナンスの多様化

1．大学の基盤を支える公的資金

令和4年度から国立大学法人の第4期中期目標期間が始まるに当たり、国立大学の基盤的経費である国立大学法人運営費交付金の配分に係る見直しを図っており、各大学のミッションを実現・加速化するための支援を充実すると

1　地域中核・特色ある研究大学総合振興パッケージ　https://www8.cao.go.jp/cstp/daigaku/index.html

2　Program for Forming Japan's Peak Research Universities

ともに、改革インセンティブの一層の向上を図っている。

令和５年度予算においては、１兆784億円を計上している。

２．国立大学法人等の施設整備

国立大学法人等の施設は、将来を担う人材の育成の場であるとともに、地方創生やイノベーション創出等教育研究活動を支える重要なインフラである。一方、昭和40年代から50年代に大量に整備された施設が一斉に老朽改善のタイミングを迎えている中で、老朽施設が十分に改善されていないため、安全面・機能面等で大きな課題が生じている。

このような状況の中、文部科学省では、令和３年度から令和７年度までを計画期間とする「第５次国立大学法人等施設整備５か年計画」（令和３年３月31日文部科学大臣決定）の下、老朽改善整備等による安全確保を着実に行いつつ機能強化を図り、キャンパス全体でソフト・ハードが一体となり、地域や産業界等の様々なステークホルダーとの共創活動が展開される「イノベーション・コモンズ（共創拠点）[1]」の実現を目指すこととしている（第２-２-12図、第２-２-13図）。

令和３年10月より「国立大学法人等の施設整備の推進に関する調査研究協力者会議」を開催し、令和４年10月に、『『イノベーション・コモンズ（共創拠点）』の実現に向けて」を公表した。また、ＤＸ・ＧＸ等の成長分野やグローバル化等に対応した環境整備について取組のポイントや推進方策、事例を取りまとめ、令和５年10月に「我が国の未来の成長を見据えた『イノベーション・コモンズ（共創拠点）』の更なる展開に向けて」を公表した。また、2050年カーボンニュートラルの実現に向け、地球温暖化対策計画や地域脱炭素ロードマップ等において、公共施設等におけるネット・ゼロ・エネルギー・ビル（ＺＥＢ[2]）の率先した取組が求められており、政府として2030年度以降に新築される建築物についてＺＥＢ基準の水準の省エネルギー性能の確保が目標とされている。このため、国立大学法人等における新増改築及び改修事業について、ＰＰＡ[3]等を活用した太陽光発電設備等の再生可能エネルギー設備の設置や、徹底した省エネルギー対策を図り、他大学や地域の先導モデルとなる施設のＺＥＢ化を推進している。

1　イノベーション・コモンズとは、教育、研究、産学連携、地域連携など様々な分野・場面において、学生、研究者、産業界、公共団体など様々なプレーヤーが対面やオンラインを通じて、交流・対話し、共創することで、新たな価値を創造できるキャンパスのこと。
2　Net Zero Energy Building
3　Power Purchase Agreement

■第2-2-12図／国立大学等における「イノベーション・コモンズ（共創拠点）」のイメージ

「イノベーション・コモンズ」のイメージ

「イノベーション・コモンズ（共創拠点）」とは

・あらゆる分野、あらゆる場面で、あらゆるプレーヤーが共に創造活動を展開する「共創」の拠点
・教育研究施設の個別の空間だけでなく、食堂や寮、屋外空間等も含め キャンパス全体が有機的に連携した「共創」の拠点
・対面とオンラインのコミュニケーションが融合し、ソフトとハードが一体となって取り組まれる「共創」の拠点

⇒多様な学生・研究者や異なる研究分野の「共創」、地域・産業界との「共創」の促進等により、
教育研究の高度化・多様化・国際化、地方創生や新事業・新産業の創出に貢献

DXを活用した新たな知の創造
ニューノーマル時代の国際交流
サイバー空間・フィジカル空間の融合による新たな価値の創出
スマートシティを目指した実証実験
世界をリードする最先端研究
日常的な知的交流や人間関係の形成
テクノロジー×地域資源による地方創生

資料：文部科学省作成

■第2-2-13図／共創活動を支えるキャンパス・施設整備の事例

分野の融合や若手連携の活発化を推進

企業を含めた学校内の利用者に多様な居場所を提供し、交流を誘発

国際宿舎で日本人学生と外国人留学生の交流の場を整備

＜関連サイト＞
①国立大学法人等の施設整備
https://www.mext.go.jp/a_menu/shisetu/kokuritu/index.htm

②「イノベーション・コモンズ（共創拠点）」の実現に向けて
https://www.mext.go.jp/b_menu/shingi/chousa/shisetu/062/1417904_00002.htm

③我が国の未来の成長を見据えた「イノベーション・コモンズ（共創拠点）」の更なる展開に向けて
https://www.mext.go.jp/b_menu/shingi/chousa/shisetu/062/1417904_00004.htm

❺ 国立研究開発法人の機能・財政基盤の強化

　平成26年に「独立行政法人通則法」（平成11年法律第103号）が改正され、独立行政法人のうち我が国における科学技術の水準の向上を通じた国民経済の健全な発展その他の公益に資するため研究開発の最大限の成果を確保することを目的とした法人を国立研究開発法人と位置付けた（令和6年3月31日現在で27法人）。さらに、平成28年には特定国立研究開発

189

法人による研究開発等の促進に関する特別措置法が成立し、国立研究開発法人のうち、世界最高水準の研究開発成果の創出・普及及び活用を促進し、イノベーションを牽引する中核機関として、物質・材料研究機構、理化学研究所、産業技術総合研究所が特定国立研究開発法人に指定された。

また、研究開発力強化法が平成30年に改正され、名称を「科学技術・イノベーション創出の活性化に関する法律」とするほか、出資等業務を行うことができる研究開発法人及びその対象となる事業者の拡大、研究開発法人等による法人発ベンチャー支援に際しての株式等の取得・保有の可能化等が規定された。令和2年6月には同法が改正され、成果を活用する事業者等に出資可能な研究開発法人が更に拡大するとともに、研究開発法人の出資先事業者において共同研究等が実施できる旨が明確化された。また、本改正を受けて、令和3年4月に内閣府及び文部科学省において「研究開発法人による出資等に係るガイドライン」(平成31年1月17日内閣府科学技術・イノベーション推進事務局統括官、文部科学省 科学技術・学術政策局長決定)を改定した。本改正により、研究開発法人等を中心とした知識・人材・資金の好循環が実現し、科学技術・イノベーション創出の活性化がより一層促進されることが期待されている。

さらに、新しい行政ニーズへの対応等の増大により業務運営の厳しさが増していることを踏まえ、研究基盤や人材の充実、相互の連携等による機能強化を図っていく必要があることから、令和6年3月に「国立研究開発法人の機能強化に向けた取組について」(令和6年3月29日関係府省申合せ)を策定した。本申合せに基づき、国立研究開発法人が他の法人とも連携・協力しながら、柔軟な人事・給与制度の導入や研修等の人材育成機会の確保に取り組むとともに、第三者機関や外部専門家等による客観的レビュー、適切なフォローアップ等を含む研究セキュリティ・インテグリティの一層の強化を図り、研究成果の社会実装に取り組んでいくこととしている。

第3節　一人ひとりの多様な幸せ（well-being）と課題への挑戦を実現する教育・人材育成

Society 5.0を実現するためには、これを担う人材が鍵である。このため第6期基本計画では、自ら課題を発見し、解決手法を模索する、探究的な活動を通じて身に付く能力や資質が重要としており、それらを磨き高めることで、多様な幸せを追求し、課題に立ち向かう人材を育成することを目指している。その実現に向け、政府で行っている施策を報告する。

❶　ＳＴＥＡＭ[1]教育の推進による探究力の育成強化

文部科学省は、令和4年度から年次進行で実施されている高等学校学習指導要領に基づき、「理数探究」や「総合的な探究の時間」等における問題発見・課題解決的な学習活動の充実を図るため、その趣旨を周知している。なお、理数教育の充実に向けた取組として、「理科教育振興法」（昭和28年法律第186号）に基づく観察・実験に係る実験器具等の設備整備の補助や、理科観察・実験アシスタントの配置の支援も引き続き実施している。

また、先進的な理数系教育を実施する高等学校等を「スーパーサイエンスハイスクール（ＳSH）」に指定し、科学技術振興機構による支援を通じて、生徒の科学的な探究能力等を培い、将来、国際的に活躍し得る科学技術人材等の育成を図っている。令和5年度においては、全国218校のＳＳＨ指定校が特色ある取組を進めた。加えて、令和6年度から自然科学と人文・社会科学との融合による先進的な理数系教育を推進するため、「文理融合基礎枠」を新設し、これを含め令和6年3月に新たな対象校を採択した。

科学技術振興機構は、初等中等教育（小学校高学年～高校生）段階において理数系に優れた意欲・能力を持つ児童生徒を対象に、その能力の更なる伸長を図る育成プログラムの開発・実施に取り組む大学等を「次世代科学技術チャレンジプログラム（ＳＴＥＬＬＡ[2]）」に選定し、支援している。

また、数学、化学、生物学、物理、情報、地学、地理の国際科学オリンピックや国際学生科学技術フェア（ＩＳＥＦ[3]）等の国際科学技術コンテストの国内大会の開催や、国際大会への日本代表選手の派遣、国際大会の日本開催に対する支援等を行っている（第2-2-14図）。

1　Science, Technology, Engineering, Art(s) and Mathematics
2　Science and TEchnology chaLLenge program for next generAtion
3　International Science and Engineering Fair

■第２-２-14図／令和５年度国際科学技術コンテスト出場選手

第64回国際数学オリンピック（日本大会）出場選手

写真左から

北村　隆之介さん　東京都立武蔵高等学校３年　（金メダル受賞）
若杉　直音さん　帝塚山学院泉ヶ丘高等学校１年　（銀メダル受賞）
小出　慶介さん　灘高等学校３年　（銅メダル受賞）
林　康生さん　海城高等学校３年　（銀メダル受賞）
古屋　楽さん　筑波大学附属駒場高等学校３年　（金メダル受賞）
狩野　慧志さん　長野県松本深志高校１年　（銀メダル受賞）

提供：（公財）数学オリンピック財団

第55回国際化学オリンピック（スイス大会）出場選手

写真左から

山之内　望花さん　久留米大学附設高等学校３年　（金メダル受賞）
松阪　康平さん　東海高等学校３年　（金メダル受賞）
田中　舜さん　徳島市立高等学校３年　（銀メダル受賞）
鈴木　晴翔さん　聖光学院高等学校３年　（銀メダル受賞）

提供：（公財）日本化学会

第34回国際生物学オリンピック（アラブ首長国連邦大会）出場選手

写真左から

大杉　悠真さん　灘高等学校２年　（銀メダル受賞）
髙橋　都さん　女子学院高等学校３年　（金メダル受賞）
井上　紗綺さん　久留米大学附設高等学校３年　（金メダル受賞）
佐々木　慧さん　灘高等学校２年　（銀メダル受賞）

提供：（公財）日本科学技術振興財団

第53回国際物理オリンピック（日本大会）出場選手

写真左から

東川　レオンさん　筑波大学附属駒場高等学校３年　（銀メダル受賞）
田中　優希さん　灘高等学校３年　（金メダル受賞）
今村　晃太朗さん　大手前丸亀高等学校３年　（金メダル受賞）
岩下　幸生さん　札幌市立札幌開成中等教育学校６年　（銀メダル受賞）
喜多　俊介さん　筑波大学附属駒場高等学校１年　（銀メダル受賞）

提供：（公財）物理オリンピック日本委員会

第35回国際情報オリンピック（ハンガリー大会）出場選手

写真左から

尼丁 祥伍さん	灘高等学校２年	（金メダル受賞）
田中 優希さん	灘高等学校３年	（金メダル受賞）
児玉 大樹さん	灘高等学校３年	（金メダル受賞）
西脇 響喜さん	筑波大学附属駒場高等学校３年	（金メダル受賞）

提供：（一社）情報オリンピック日本委員会

第16回国際地学オリンピック（オンライン大会）出場選手

写真左から

岩永 龍樹さん	桐光学園高等学校３年	（銀メダル受賞）
奥山 裕樹さん	栄光学園高等学校３年	（銀メダル受賞）
高原 一眞さん	奈良県立青翔高等学校３年	（銀メダル受賞）
松尾 京佳さん	宮崎県立宮崎西高等学校３年	（銀メダル受賞）

提供：特定非営利活動法人地学オリンピック日本委員会

第19回国際地理オリンピック（インドネシア大会）出場選手

写真左から

辻 昂太朗さん	ラ・サール高等学校３年	
石井 智貴さん	灘高等学校２年	（銀メダル受賞）
田中 穣 さん	東京都立桜修館中等教育学校６年	（銅メダル受賞）
井上 尚多朗さん	広島学院高等学校２年	（銅メダル受賞）

提供：（公財）日本地理学会

リジェネロン国際学生科学技術フェア
（Regeneron ISEF）2023

写真前列左から

坂手　遥さん	慶應義塾大学1年（島根県立浜田高等学校出身）
ブランデル　菓奈さん	大阪教育大学附属高等学校天王寺校舎出身（物理学・天文学部門　優秀賞2等、科学による社会貢献賞2等）
石垣　美月さん	静岡理工科大学静岡北高等学校3年（上海青少年科学教育社賞）
田中　翔大さん	札幌市立札幌開成中等教育学校6年（物理学・天文学部門　優秀賞3等、アメリカ音響学会1等）
安藤　優花さん	静岡理工科大学静岡北高等学校3年（上海青少年科学教育社賞）
相原　瑛莉星さん	静岡理工科大学静岡北高等学校3年（上海青少年科学教育社賞）
大森　春音さん	長崎県立長崎北陽台高等学校3年

写真後列左から

箕浦　祐璃さん	文京学院大学女子高等学校3年（材料科学部門　優秀賞4等）
河野　百羽さん	東京都立大学1年（東京大学教育学部附属中等教育学校出身）
高田　悠希さん	群馬県立高崎高等学校3年
小笠原　優海さん	大妻多摩高等学校3年
光吉　音葉さん	文京学院大学女子高等学校3年（材料科学部門　優秀賞4等）
渉　結名さん	島根県立浜田高等学校3年
柴崎　湧人さん	山口県立徳山高等学校3年
鶴丸　倫琉さん	山口県立徳山高等学校3年
水谷　紗更さん	東京都立小石川中等教育学校6年
横山　麗乃さん	島根県立浜田高等学校3年

※上記のほか、浦川　大輝さん（長崎県立長崎北陽台高等学校3年）が参加

提供：科学技術振興機構

※所属・学年は全て受賞当時

令和5年度は、全国の中学・高校生等が学校対抗・チーム制で理科・数学等における筆記・実技の総合力を競う場として、中学生を対象とした「第11回科学の甲子園ジュニア全国大会」（令和5年12月8日～10日）が開催され、香川県代表チームが優勝した（第2-2-15図）。また、高校生等を対象とした「第13回科学の甲子園全国大会」（令和6年3月15日～18日）が開催され、神奈川県代表の栄光学園高等学校が優勝した（第2-2-16図）。

■第2-2-15図／第11回科学の甲子園ジュニア全国大会

優勝チーム　香川県代表チーム

写真左上から
黒田　奈々華さん　　香川大学教育学部附属高松中学校2年
小川　朔太郎さん　　香川大学教育学部附属高松中学校2年
松岡　俊太さん　　　香川大学教育学部附属高松中学校2年

写真左下から
宮武　孝太朗さん　　香川大学教育学部附属高松中学校2年
宮前　和弥さん　　　香川大学教育学部附属坂出中学校2年
田中　隆正さん　　　香川県立高松北中学校2年

提供：科学技術振興機構

※学年は全て受賞当時

■第2-2-16図／第13回科学の甲子園全国大会

優勝チーム
神奈川県代表　栄光学園高等学校

写真前列左から
加藤　奏さん　　　　栄光学園高等学校2年
中川　柊哉さん　　　栄光学園高等学校1年
藤井　悠貴さん　　　栄光学園高等学校1年

後列左から
金　是佑さん　　　　栄光学園高等学校2年
大沼　拓実さん　　　栄光学園高等学校2年
稗田　和希さん　　　栄光学園高等学校2年
山中　秀仁さん　　　栄光学園高等学校2年

※上記のほか、永田　駿平さん（栄光学園高等学校1年）が参加

提供：科学技術振興機構

※学年は全て受賞当時

文部科学省では、大学生等の研究能力や研究意欲の向上とともに、創造性豊かな科学技術人材育成を目的として「サイエンス・カンファレンス」を開催し、ポータルサイト上での自主研究の発表動画・発表ポスターの掲載や交流に加え、研究者等による講演、科学コンテスト等優秀者による研究発表、トークセッション、意見交換会で構成するオンラインイベントを実施した。

文部科学省、特許庁、日本弁理士会及び工業所有権情報・研修館は、生徒・学生の知的財産に対する理解と関心を深めるため、高等学校、高等専門学校、専修学校、大学及び大学校の生徒・学生を対象とした「パテントコンテスト」及び「デザインパテントコンテスト」を開催している。コンテストに応募された発明・意匠のうち優れたものについて表彰を行うとともに、表彰された生徒・学生に対して、応募作品について特許出願・意匠登録出願から権利取得までの過程を支援している。なお、応募作品のうち、身の回りにある物の科学的性質や働きから着想を得た、独創的かつ画期的な作品に対しては、文部科学省から特別賞として表彰を行っている。

内閣府では、総合科学技術・イノベーション会議に中央教育審議会、産業構造審議会の委員の参画を得た有識者会議を設置し、イノベーションの源泉となるSTEAM教育の充実に向けた省庁横断的な具体策の検討を進め、政策パッケージを策定した。同パッケージを踏まえ、科学技術振興機構では、探究・STEAM教育を社会全体で支えるエコシステムの一つとして、科学技術振興機構日本科学未来館におけるSTEAM教育に資する新規常設展示の設置や科学技術振興機構サイエンスポータルにおけるSTEAM特設サイト構築（令和6年6月に運用開始予定）等の新たな取組に向けて準備を進めた。

❷　外部人材・資源の学びへの参画・活用

特別免許状や特別非常勤講師制度については、「令和の日本型学校教育」の実現に向けて多様な専門性を有する質の高い教職員集団を形成する観点から、複線化された入職ルートとして、一層機能させていく必要があるため、中央教育審議会答申を踏まえつつ、文部科学省において必要な検討を行っている。

❸　教育分野におけるDXの推進

GIGA[1]スクール構想に基づく1人1台端末の整備がおおむね完了し、本格的な活用の段階に入っている。教育現場において、教員のICT活用を支援する「ICT支援員（情報通信技術支援員）」の配置促進に向けて、令和5年12月に令和4年度時点の配置状況を公表した。また、1人1台端末環境において教育データを効果的に利活用し「個別最適な学び」や「協働的な学び」を実現するため、文部科学省では、教育データの標準化等の共通ルールの整備、全国の学校等で共通に活用できるシステム（基盤的ツール）の開発等を行っている。令和5年度には、例えば、共通ルールの整備の観点から「教育データ標準4.0」の公表等を行った。教職員の働きやすさと教育活動の一層の高度化に向けた次世代の校務DXの方向性を示した「GIGAスクール構想の下での校務DXについて～教職員の働きやすさと教育活動の一層の高度化を目指して～」（令和5年3月）の方向性等も踏まえ、令和5年度に「次世代の校務デジタル化推進実証事業」を実施し、モデルケースを創出した。また、GIGAスクール構想の下で整備されたクラウド環境を十全に活用して校務の効率化を図る観点から、取り組むべき項目をまとめたチェックリストに基づいて教育委員会や学校の自己点検を実施し、その結果を令和6年3月に公表した。

1　Global and Innovation Gateway for All

❹ 人材流動性の促進とキャリアチェンジやキャリアアップに向けた学びの強化

　文部科学省は、大学等における実践的な工学教育に向けた取組を推進しており、各大学では、例えば、連携する企業における課題を用いた課題解決型学習や、産業社会構造を見据えた分野を融合した教育など、教育内容や方法の質的充実に向けた取組が進められている。また、文部科学省は、科学技術に関する高等の専門的応用能力を持って計画や設計等の業務を行う者に対し、「技術士」の資格を付与する「技術士制度」を設けている。技術士試験は、理工系大学卒業程度の専門的学識等を確認する第一次試験（令和５年度合格者数6,601名）と技術士にふさわしい高等の専門的応用能力を確認する第二次試験（同2,690名）から成る。令和５年度第二次試験の部門別合格者は第２-２-17表のとおりである。

　科学技術振興機構は、技術者が科学技術の基礎知識を幅広く習得することを支援するために、科学技術の各分野及び共通領域に関するインターネット自習教材[1]を提供している。

　文部科学省及び経済産業省は、人材の流動性を高める上で、クロスアポイントメント制度の導入を促進している（第２章第１節 4 ❺参照）。また、平成28年11月に策定された「産学官連携による共同研究強化のためのガイドライン」、令和２年６月に取りまとめた追補版、及び令和４年３月に公表したＦＡＱにおいてもクロスアポイントメント制度の導入を促進している。

❺ 学び続けることを社会や企業が促進する環境・文化の醸成

　ＤＸの加速など、企業・労働者を取り巻く環境が急速かつ広範に変化するとともに、労働者の職業人生の長期化や働き方の多様化も同時に進行する中で、個人のキャリアアップ・キャリアチェンジのため、リカレント教育を推進する必要性がますます高まっている。その際、企業における人材育成の取組の推進や教育機関におけるリカレント教育プログラムの充実など、幅広い観点から必要な施策を講じていく必要がある。このため、内閣府、文部科学省、厚生労働省及び経済産業省を構成員とした検討の場を設置し、関係府省庁の人材育成施策についての情報共有等を行っている。

■第２-２-17表／技術士第二次試験の部門別合格者（令和５年度）

技術部門	受験者数（名）	合格者数（名）	合格率(%)	技術部門	受験者数（名）	合格者数（名）	合格率(%)
機械	866	156	18.0	農業	808	101	12.5
船舶・海洋	15	3	20.0	森林	270	49	18.1
航空・宇宙	38	6	15.8	水産	97	12	12.4
電気電子	1,024	94	9.2	経営工学	189	23	12.2
化学	129	24	18.6	情報工学	413	26	6.3
繊維	35	10	28.6	応用理学	575	58	10.1
金属	75	14	18.7	生物工学	30	6	20.0
資源工学	23	1	4.3	環境	413	45	10.9
建設	13,328	1,303	9.8	原子力・放射線	63	8	12.7
上下水道	1,425	146	10.2	総合技術監理	2,618	543	20.7
衛生工学	443	62	14.0				

資料：文部科学省作成

1　https://jrecin.jst.go.jp/

文部科学省は高等教育機関ならではのリカレント教育モデルの確立に向け、産業界の人材育成課題や大学等の教育資源を整理した上で、具体のプログラム開発のための分析・ヒアリング等を行う調査研究を実施することとし、リカレント教育に係る委託事業の取組内容や成果、教育界、産業界等の意見を踏まえ関係省庁と連携して検討を進めている。

厚生労働省は、労働政策審議会人材開発分科会において、労使の検討・審議を経て、学び・学び直しを促進するため、企業労使が取り組むべき事項等を体系的に示した「職場における学び・学び直し促進ガイドライン」を令和4年6月に策定した。さらに、特設サイトの開設等により、経営者や労働者に対してガイドラインの周知を行うことで、学び・学び直しの気運の醸成や環境整備の促進に取り組んでいる。

❻ 大学・高等専門学校における多様なカリキュラム、プログラムの提供

国立大学法人については、「国立大学法人ガバナンス・コード」において、各国立大学法人に対し、学生が享受した教育成果を示す情報の公表を求めている。

文部科学省は、全学的な教学マネジメントの確立等を実現しつつ、今後の社会や学術の新たな変化や展開に対して柔軟に対応し得る能力を有する幅広い教養と深い専門性を両立した人材育成を支援する「知識集約型社会を支える人材育成事業」を実施している。令和5年度には、文理横断・学修の幅を広げる教育プログラムや、出る杭を引き出す教育プログラムの構築を行う大学の取組、授業科目を絞り込み、質と密度の高い学修の実現を目指す取組に対し引き続き支援した。また、令和4年度から「地域活性化人材育成事業～ＳＰＡＲＣ[1]～」を実施し、地域と大学間の連携を通じて、既存の教育プログラムを再構築し、地域を牽引する人材を育成する大学等の取組を支援している。

さらに、令和3年5月に成立した国立大学法人法の一部を改正する法律により、全ての国立大学法人が大学の研究成果を活用したコンサルティング・研修・講習等を実施する事業者へ出資することを可能としている。

高等専門学校では、中学校卒業後からの5年一貫の専門教育を特徴とし、実践的・創造的な技術者の育成を進めている。

近年では、産業構造の変化に対応した、ＡＩ、半導体、蓄電池といった社会的要請が高い分野の人材育成やイノベーション創出によって、社会課題の解決に貢献する人材育成を進めている。さらに、高専生が高専教育で培った「高い技術力」、「社会貢献へのモチベーション」、「自由な発想力」を生かして起業する事例が出てきている。

❼ 市民参画など多様な主体の参画による知の共創と科学技術コミュニケーションの強化

1．公的機関等の取組

毎年4月、科学技術に関し、広く国民の関心と理解を深め、科学技術の振興を図るため、科学技術週間が設定されている（昭和35年2月26日閣議了解）。期間中、全国で研究施設公開や講演会など、科学技術週間関連行事が多数開催されている。

文部科学省では令和5年度科学技術週間（令和5年4月17日～23日）に合わせて、大人から子供まで、広く科学技術への関心を深めるため、学習資料「一家に1枚 ウイルス ～小さくて大きな存在～」を全国の小中高校、大学、科学館・博物館等へ配布するとともに、学びを更に深めるため特設ウェブサイトや動画を公開した。また令和6年3月には、令和6年度版学習資料「一家に1枚 世界とつながる"数理"」（第2-2-18図）を制作し、公表した。

1　Supereminent Program for Activating Regional Collaboration

■第２-２-18図／令和６年度版学習資料「一家に１枚 世界とつながる“数理”」

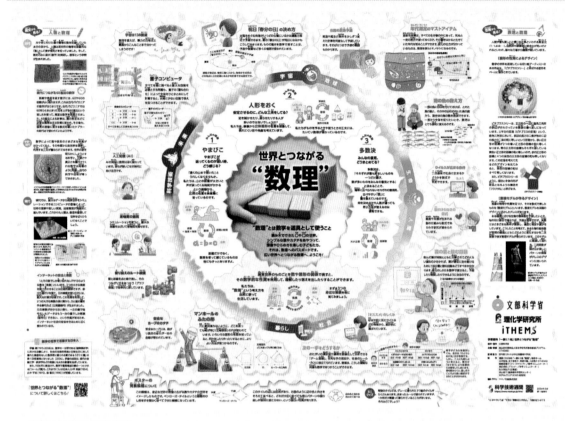

資料：文部科学省作成

　農林水産省は、ゲノム編集技術等の社会実装に向け、消費者等を対象に研究者等の専門家を派遣して行う出前講座や研究施設の見学会の実施、技術を解説した動画やリーフレットによる情報発信等のアウトリーチ活動を行っている。また、所管する国立研究開発法人は、一般公開や市民講座等を実施し、消費者等との双方向のコミュニケーションを意識した研究活動の紹介や成果の展示等の普及啓発に努めている。

　宇宙航空研究開発機構は、青少年の人材育成の一環として「コズミックカレッジ」や連携授業、セミナー等の宇宙を素材とした様々な教育支援活動等を行っている。

　理化学研究所は、より多くの国民に対して最新の研究成果等の理解増進を図るため、作成した冊子や動画などをウェブサイト上で公開しているほか、一部イベントについて、現地とオンラインのハイブリッドで開催している。また、本を通じて科学の面白さ、素晴らしさを紹介する取組として「科学道100冊」を特設サイトで紹介するなど、様々なアウトリーチ活動を行っている。

　海洋研究開発機構は、研究開発の理解増進を図るため、オンラインコンテンツを活用したアウトリーチ活動や、科学館・博物館・水族館等の外部機関と連携した事業、将来の海洋人材の裾野拡大を目指した若年層向けの「マリン・ディスカバリー・コース」、「海洋ＳＴＥＡＭ事業」を実施している。

　産業技術総合研究所は、展示施設を常設し、各種イベントへの出展や実験教室・出前講座など、科学技術コミュニケーション事業を積極的に推進している。さらに、最新の研究成果を分かりやすく説明するウェブコンテンツを作成・公開し、情報発信に努めている。

＜参考ＵＲＬ＞各機関等のウェブ・動画サイト

○科学技術週間／学習資料「一家に１枚」
　　　　https://www.mext.go.jp/stw/

○理研チャンネル
　　　　https://www.youtube.com/user/rikenchannel

○産総研マガジン
　　　　https://www.aist.go.jp/aist_j/magazine/index.html

そのほか、各大学や公的研究機関は、研究成果について広く国民に対して情報発信する取組等を行っている。

なお、総合科学技術・イノベーション会議は、1件当たり年間3,000万円以上の公的研究費の配分を受ける研究者等に対して、研究活動の内容や成果について国民との対話を行う活動を積極的に行うよう促している。

国立国会図書館は、所蔵資料のデジタル化及び全文テキストデータ化に取り組むとともに、国民共有の知識・情報資源へのアクセス向上と利活用促進のため、全国の図書館、学術研究機関等が提供する資料、デジタルコンテンツ等を統合的に検索可能なデータベース（国立国会図書館サーチ[1]）を提供している。

2．科学館・科学博物館等の活動の充実

科学技術振興機構は、科学技術・イノベーションと社会の関係の深化に向けて、多様な主体が双方向で対話・協働する「サイエンスアゴラ[2]」や「サイエンスポータル[3]」を通じた情報発信などの多層的な科学技術コミュニケーション活動を推進している（第2章第2節 2 ❸参照）。特に科学技術振興機構日本科学未来館[4]においては、先端の科学技術と社会との関わりを来館者等と共に考える活動を展開しており、IoT[5]やAI等の最先端技術も活用した展示やイベント等を通じて多層的な科学技術コミュニケーション活動を推進するとともに、全国各地域の科学館・学校等との連携を進めている。

国立科学博物館[6]は、自然史・科学技術史におけるナショナルセンターとして蓄積してきた研究成果や標本・資料などの知的・物的・人的資源を生かして、未就学児から成人まで幅広い世代に自然や科学技術の面白さを伝え、共に考える機会を提供する展示や学習支援活動を実施している。さらに、研究者による研究活動や展示を解説する動画の公開、各SNSによるタイムリーな情報発信にも取り組んでいる。

1　国立国会図書館サーチ（令和6年1月リニューアル公開）
　　https://ndlsearch.ndl.go.jp/

2　【科学技術振興機構】サイエンスアゴラ
　　https://www.jst.go.jp/sis/scienceagora/

3　【科学技術振興機構】サイエンスポータル
　　https://scienceportal.jst.go.jp/index.html

4　【科学技術振興機構日本科学未来館】MiraikanChannel
　　https://www.youtube.com/channel/UCdBvq7IgL4U6u3CzeZaeoFg

5　Internet of Things
6　【国立科学博物館】かはくチャンネル
　　https://www.youtube.com/user/NMNSTOKYO

コラム2-16 共創的な科学技術コミュニケーション活動

　科学技術振興機構日本科学未来館（以下「未来館」という。）は、「科学技術を文化として捉え、社会に対する役割と未来の可能性について考え、語り合うための、全ての人々にひらかれた場」を設立の理念に、平成13年7月9日に開館しました。令和3年4月、第2代館長に浅川智恵子ＩＢＭフェローが着任し、誰一人取り残さない未来社会の実現に向けて、新しい科学館の在り方、未来館の目指すべき方向性を示した「Miraikanビジョン2030 〜あなたとともに『未来』をつくるプラットフォーム」を発表しました。このビジョンには、あらゆる人が立場や場所をこえてつながり、様々な科学技術を体験し、未来の社会を想像し、よりよい将来に向けた行動を始める、そうしたプラットフォームに未来館をしていくという思いが込められています。

　令和5年11月、未来館は、「ロボット」「地球環境」「老い」をテーマにした、ＳＴＥＡＭ教育にも資する以下の四つの新しい常設展示をオープンしました。

「ハロー！ロボット」
　ロボットたちとの触れ合いや、最新ロボット研究の紹介を通して、未来の多様なロボットとの暮らしを想像し、新しい可能性を感じることができる展示

「ナナイロクエスト －ロボットと生きる未来のものがたり」
　人とロボットが共に暮らす未来のまち「ナナイロシティ」で起こったトラブルを解決するために、専用タブレットを使って展示空間を探索し、自分の考えや他の来館者の多様な価値観に触れることで、新たな気づきが得られる展示

「プラネタリー・クライシス －これからもこの地球でくらすために」
　既に気候変動の危機にさらされている地域の人々の暮らしを体感し、急激に変化する地球環境の今を科学的なデータに基づいて捉えながら、私たちの暮らしが多様な環境問題を引き起こしている現状を理解し、未来のための前向きな一歩を一緒に探っていく展示

「老いパーク」
　超高齢社会を迎える中、各自にとっての豊かな老いとの付き合い方や生き方のヒントを共に探る展示

　いずれの展示も、様々な地球規模課題や社会課題との向き合い方や解決に向けたヒントを、最新の科学技術に基づく展示体験を通して探っていくものです。あなたも未来館で、未来社会への思いを巡らせてみませんか。

科学技術振興機構
日本科学未来館

シンボル展示「Geo-Cosmos
（ジオ・コスモス）」

「ハロー！ロボット」

「ナナイロクエスト」

「プラネタリー・クライシス」

「老いパーク」

提供：科学技術振興機構日本科学未来館（6枚とも）

3．日本学術会議や学協会における取組

日本学術会議は、学術の成果を国民に還元するための活動の一環として学術フォーラムを開催しており、令和5年度は、「オープンサイエンス、データ駆動型研究が変える科学と社会－G7コミュニケを読み解く」、「関東大震災100年と防災減災科学」や「深化する人口縮小社会の諸課題－コロナ・パンデミックを超えて」等の広範囲なテーマについて計8回開催した。

大学などの研究者を中心に自主的に組織された学協会は、研究組織を超えた人的交流や研究評価の場として重要な役割を果たしており、最新の研究成果を発信する研究集会などの開催や学会誌の刊行等を通じて、学術研究の発展に寄与している。

日本学術振興会は、学協会による国際会議やシンポジウムの開催及び国際情報発信力を強化する取組などに対して、科学研究費助成事業（科研費）「研究成果公開促進費」による助成を行っている。

第2章

附属資料

1．ＡＩの科学技術・イノベーションに関する指標
　　https://www.mext.go.jp/content/20240611-ope_dev03-000036120_11.pdf

2．我が国の科学技術・イノベーションに関する指標
　　https://www.mext.go.jp/content/20240611-ope_dev03-000036120_12.pdf

3．科学技術・イノベーション基本法（平成7年11月15日法律第130号）
　　https://elaws.e-gov.go.jp/document?lawid=407AC1000000130_20210401_502AC0000000063

4．第6期科学技術・イノベーション基本計画（令和3年3月26日閣議決定）
　　https://www8.cao.go.jp/cstp/kihonkeikaku/6honbun.pdf

5．統合イノベーション戦略
　　https://www8.cao.go.jp/cstp/tougosenryaku/index.html

6．科学技術要覧
　　https://www.mext.go.jp/b_menu/toukei/006/006b/koumoku.htm

索　引

「科学技術・イノベーション白書」についてのお問い合わせは、
下記へお願い致します。

文部科学省　科学技術・学術政策局　研究開発戦略課
〒100-8959 東京都千代田区霞が関 3-2-2
TEL 03 (5253) 4111 　（内線 4012）

科学技術・イノベーション白書（令和6年版）

令和6年（2024年）6月12日　発行　　　　　定価は表紙に表示してあります。

編　集　　文　部　科　学　省

発　行　　日　経　印　刷　株　式　会　社
〒102-0072
東京都千代田区飯田橋 2 - 15 - 5
TEL 03 (6758) 1011
https://www.nik-prt.co.jp/

発　売　　全　国　官　報　販　売　協　同　組　合
〒100-0013
東京都千代田区霞が関 1 - 4 - 1
TEL 03 (5512) 7400

落丁・乱丁本はお取り替えします。

ISBN978-4-86579-416-8

6